ANDREW KLAVAN

Andrew Klavan est américain. Ancien journaliste de radio et de presse écrite, il a vécu en Californie et à Manhattan avant de s'installer à Londres, où il se consacre désormais à la fiction. Il a signé depuis deux romans noirs à caractère horrifique, *L'heure des fauves* et *Il y aura toujours quelqu'un derrière vous* (Pocket Terreur), un roman policier, *Jugé coupable* (adapté par Clint Eastwood au cinéma), et un roman "fantastique" à suspens : *L'ivresse du démon,* qui mêle littérature gothique, humour et érudition…

L'IVRESSE DU DÉMON

COLLECTION TERREUR
dirigée par Patrice Duvic et David Camus

ANDREW KLAVAN

L'IVRESSE
DU DÉMON

JC Lattès

Titre original :
THE UNCANNY

Traduit de l'américain
par Gérald Messadié

Si vous souhaitez recevoir régulièrement
notre zine « **Rendez-vous ailleurs** », écrivez-nous à :

« Rendez-vous ailleurs »
Service promo Pocket
12, avenue d'Italie
75627 PARIS Cedex 13

PRESSECO

PAPIER RECYCLÉ
NATURE PROTÉGÉE

© 1998 by Amalgamated Metaphor, Inc.
© 1999, éditions Jean-Claude Lattès pour la traduction française.
ISBN : 2-266-09796-2

I

ANNIE LA NOIRE

Ses yeux ! Ses yeux étaient emplis de peur. Et bien que je l'eusse vu à Londres six mois seulement auparavant, il semblait avoir vieilli de plusieurs décennies. Je venais d'entamer ma trentaine. Il me dévisagea par la porte entrouverte de Ravenswood Grange avec la frémissante hostilité, l'appréhension révulsée de quelque antique anachorète dérangé dans ses méditations les plus sombres.

J'avais déjà renvoyé mon fiacre. Je pouvais entendre les sabots du cheval s'éloigner sur le long chemin qui menait à la Grange. La pénombre de l'automne descendait sur moi, les nuages déchirés par les vents dans un ciel bas pesaient sur moi. La maison même, un grand édifice de pierre, me dominait de manière menaçante, comme avec un *adsum* qui eût rétorqué à mon *conjuro te*. Tout cela, et les affreux corbeaux qui m'observaient avec noirceur du haut des gouttières et des corniches des lieux contribuaient à accroître le frisson d'appréhension que j'éprouvai quand, sur le seuil, je dévisageai à mon tour mon ancien camarade d'école, ravagé.

— Mon Dieu, Quentin ! parvins-je enfin à articuler. Mon Dieu, où sont les domestiques ?

Car il était venu lui-même ouvrir et, à l'exception de la maigre chandelle qui dégoulinait sur ses mains tremblantes, le hall derrière lui, la maison autour de lui n'étaient que ténèbres.

Au son de ma voix, Quentin jeta un regard autour de lui, troublé, comme s'il venait seulement de s'aviser qu'il avait été abandonné. Lentement, son regard effrayé revint sur moi et cependant, je le sentis, passa au travers. J'aurais pu être un spectre, invisible, et lui n'aurait pu voir que l'allée vide s'étendre dans le crépuscule sous le dais lugubre des hêtres cuivrés.

— Partis, dit-il dans un murmure aigu de vieillard. Tous partis. Ils ne voulaient pas rester. Pas un seul d'entre eux n'a voulu rester avec moi. Non, pas un seul.

Le vent se leva. Les feuilles mortes tourbillonnèrent et chuintèrent à mes pieds. D'une corniche jaillit le cri rauque d'un corbeau, sauvagement triomphant et horrible. Puis, me ressaisissant enfin du premier choc que m'avait valu le spectacle de mon ami dans cet état de délabrement, je m'avançai et tendis la main. Quentin se contenta de se lécher furtivement les lèvres avant de s'effacer devant moi vers le ténébreux hall d'entrée.

Je le suivis à l'intérieur. La lourde porte de bois se ferma derrière moi en éveillant des échos mélancoliques. Je me forçai à les ignorer, comme j'ignorai les ténèbres menaçantes qui s'amassèrent rapidement autour de la flamme solitaire. Une fois de plus, conciliant, j'allai vers Quentin. Prenant amicalement l'homme par le coude, je le menai vers l'intérieur de sa maison.

J'allumai un feu dans son étude, mais il fut impuissant à dissiper l'atmosphère de délitement qui descendait sur les lieux. C'était une maison abandonnée. La poussière s'accumulait sur les lambris, des toiles d'araignées pendaient aux poutres. Papiers et cahiers étaient dispersés en désordre sur les étagères et le sol. Toute la chaleur et l'allégresse qu'auraient pu dispenser les flammes de la cheminée étaient vite perdues, englouties par les hauts plafonds ou transformées en une inquiétante fantasmagorie par les tapisseries sombres accrochées aux murs et les épais rideaux autour des fenêtres ogivales.

Quand je me relevai du foyer de la cheminée, je trouvai Quentin affalé dans un fauteuil. La bouche ouverte et silencieux, il semblait fasciné par les ombres qui tantôt s'avançaient et tantôt reculaient dans les dessins compliqués du tapis d'Orient. La clarté du foyer, celle de la chandelle qu'il tenait encore mollement dans une main approfondissaient ses joues creuses comme des doigts rouges, prémonition de l'enfer. Je pris la bougie de sa main flasque et m'en servis pour allumer une lampe sur une table près de sa chaise. Debout devant lui, je contemplai avec stupeur et désarroi la macabre transformation qui s'était opérée en lui.

Car il était pitoyable et encore plus affligeant en regard de ce qu'il avait été moins de six mois auparavant. Alors, dans mon appartement en ville, nous nous étions assis comme les camarades d'école que nous avions été, à l'aise l'un dans un fauteuil et l'autre sur un canapé, discutant jusqu'avant dans la nuit, avec la joyeuse alacrité de jadis. Homme d'Église, disposant de moyens confortables dans le Sussex, Quentin était ce qu'il avait toujours été, un ardent défenseur de la foi, un apologiste de Newman, un disciple de Pusey, un ardent avocat des rituels suprêmes et du profond *mysterium*. Moi, médecin avec une pratique encore petite, mais grandissante sur Harley Street, j'étais également déterminé à défendre les couleurs de la science, à prêcher la Raison et l'Expérimentation en tant que clefs pour la compréhension des mécanismes internes de l'horloge de la vie. Avec quelle vivacité je me rappelle la passion que m'opposait Quentin, l'éclat de ses yeux, les vibrations dans sa voix quand il proclamait le miraculeux et le surnaturel comme nos guides les plus sûrs vers la vérité.

Là, et depuis moins d'une quinzaine qu'il était retourné à Ravenswood pour régler les affaires attenantes à la mort soudaine de son frère aîné et de sa belle-sœur, son visage fort et ouvert était devenu hâve et ridé, sa silhouette virile et élancée était aussi ruinée que les vestiges de la vieille abbaye qui se dressaient à l'extérieur de la Grange. En dépit de toute ma science, je ne pouvais imaginer d'autre remède à lui offrir qu'un verre de brandy. Et, grâce à ma main qui soutenait son poignet, il porta maladroitement le verre à ses lèvres.

Le remède fut efficace. Après une légère toux, il posa le verre vide près de la lampe, cligna les yeux et me regarda comme si c'était pour la première fois.

— Neville, dit-il, Dieu merci, tu es venu.

— Bien sûr que je suis venu, mon vieux, répondis-je d'un ton aussi désinvolte que possible. Dès que j'ai reçu ta lettre. Mais que diable se passe-t-il ? Tu as l'air d'avoir traversé l'Enfer.

À ces mots, quelque souvenir sembla ranimer la terreur dans ses yeux. Il détourna le visage et regarda le feu intense.

— Tu avais tort, tu sais, Neville.

— Tort ? À quel égard ?

— Tout. Tout, dit-il d'un ton désolé. Il *existe* un monde au-delà de celui que nous connaissons, et il est... il est...

Mais il n'acheva pas, ne put achever. Il leva les yeux vers moi une fois de plus et son expression était empreinte d'une telle lamentable épouvante qu'il n'était pas nécessaire d'en dire plus.

— Neville, murmura-t-il, soudain galvanisé et se penchant vers moi dans l'urgence. Neville, je l'ai vue. Je l'ai vue, *elle.*

— Elle ? Qui ? fis-je.

Je commençai à ressentir de l'irritation à cause du frisson qui me gagnait l'échine.

— De quoi diable parles-tu ? Qui as-tu vu ?

Là, son énergie sembla l'abandonner. Le malheureux se laissa retomber dans son fauteuil, le menton sur la poitrine, défait. Sa voix, quand elle résonna de nouveau, était aussi solennelle que l'écho d'une tombe vide :

— Annie la Noire ! fut tout ce qu'il articula.

Je ne savais pas s'il fallait rire ou se lamenter de cette preuve supplémentaire de son dérangement. À la fin, détournant le visage pour ne pas le laisser voir mes réactions, je dis simplement :

— Dis donc, crois-tu qu'il y ait quelque chose à manger dans ce mausolée ?

Par bonheur, c'était le cas. Car il apparaissait désormais que tous ses domestiques n'avaient pas déserté totalement les lieux. Une fille, par pitié pour son jeune maître, comme je l'avais soupçonné, était restée. Elle avait accepté de servir mon ami à la lumière du jour, mais à la condition qu'elle serait le plus loin possible de la maison avant le crépuscule. Ce fut ainsi que mes investigations aboutirent à la découverte d'un repas froid servi dans la salle à manger. Guère plus qu'une modeste portion d'agneau, un demi-pain et un bordeaux rouge plutôt déplorable, mais c'était néanmoins assez. Je portai ces victuailles dans l'étude et, devant le feu, nous leur fîmes un sort sans cérémonie.

Nous mangeâmes en silence. Pour être honnête, nous bûmes plus que nous ne mangeâmes. Sur mes instances, Quentin se saisit, mais sans enthousiasme, de sa côtelette. Quant à moi, je méditai sans gaieté, le nez dans mon verre, sur ce que j'avais entendu jusque-là.

Annie la Noire. Ce nom, prononcé d'un ton tellement affreux par mon compagnon, ne m'était pas entièrement inconnu. Il y avait, je m'en souvenais, une légende attachée à la Grange et concernant un tel personnage. Quentin lui-même m'en avait raconté l'histoire, une de ces nuits d'internat où, après le couvre-feu, nous tentions de troubler réciproquement notre sommeil en nous débitant des histoires d'épouvante d'un lit à l'autre.

Je quittai mon fauteuil pour aller à l'une des fenêtres. Regardant au travers des croisillons de plomb, je vis que la nuit avait complètement recouvert les lieux. Une lune gravide, visible par instants dans les déchirures des nuages galopant, étendait un linceul de clarté blême et maladive sur l'étendue désolée des champs à l'est. Là, tantôt distincte et tantôt ténébreuse selon les apparitions de la lune, se dressait une apparition à la fois sinistre et mélancolique : les ruines de l'abbaye de Ravenswood, un pan écroulé d'un mur de la chapelle, les monuments inclinés de son ancien cimetière.

Dans les jours antérieurs aux ravages perpétrés sur l'antique religion par notre huitième Henry, les terrains où s'élevait aujourd'hui la Grange avaient appartenu au domaine de l'abbaye. C'était à cette ancienne institution qu'était associée l'histoire d'*Annie la Noire*. Ce n'était guère une histoire originale. Je ne crois pas qu'il y ait des ruines pareilles dans toute l'Angleterre qui ne comptent quelque moine défunt ou autre personnage folâtrant alentour à minuit. Dans ce cas-ci, rapportait la légende, c'était le fantôme d'une nonne en capuche, Annie la Noire, donc, qui avait élu domicile dans les pierres décrépies. Vivante, elle avait été séduite par un chanoine des Augustins, l'un des chanoines que l'on disait noirs en raison de la couleur de leur vêtement. L'inévitable s'était ensuivi : la pauvre femme s'était promptement trouvée enceinte. Mais, avant que son péché apparût aux yeux de tous, elle disparut mystérieusement. Grâce à la complicité de ses sœurs, elle avait réussi à se cacher dans une chambre secrète de leur dortoir. Les sœurs lui apportaient là vivres et boissons, et montaient la garde durant les fréquentes visites de son amant.

Au fil des mois, il apparut que le subterfuge ne pourrait être maintenu indéfiniment. Et cela d'autant plus que l'abbaye était soumise aux pressions des émissaires du vicaire général ; ces derniers, en effet, parcouraient le pays sur ordre du roi en quête de preuves de corruption dans le clergé. Terrifié par l'éventualité d'une découverte, le chanoine persuada sa maîtresse de lui confier l'enfant. Il lui promit qu'il serait placé dans un endroit sûr et secret, aux soins d'une nourrice locale de sa connaissance. Mais, s'étant emparé de l'enfantelet et espérant celer son crime pour toujours au savoir des enquêteurs, le perfide chanoine égorgea la misérable créature et cacha son cadavre dans les domaines de l'abbaye. Inévitablement, la mère désemparée eut, dans sa cachette, vent du forfait. Quand les ministres royaux vinrent faire leur inspection, ils furent menés sur-le-champ à la chambre secrète où, à coup sûr enchantés, ils trouvèrent la malheureuse pendue à une corde épaisse nouée à l'une des poutres.

Telle était l'atroce histoire que Quentin m'avait contée en chuchotant un soir dans le dortoir de notre enfance. Et il avait ajouté, avec des inflexions dûment effrayantes, que le spectre encapuchonné de cette sœur tellement infortunée parcourait les ruines de l'abbaye jusqu'à nos jours.

Je crains d'avoir émis quelques bruits de dérision au souvenir de cette histoire mélodramatique. Car Quentin, comme s'il lisait mes pensées, demanda derrière moi :

— Tu te rappelles, n'est-ce pas ?

De la fenêtre, je fis un geste.

— Je me rappelle une histoire à dormir debout que tu m'avais racontée à l'école, mais...

— C'était vrai, Neville, tout était vrai ! s'écria-t-il.

Dans un nouvel accès d'agitation, il se leva vivement de son siège et fit les cent pas au centre de la pièce. Il se tenait devant une tapisserie représentant la chaste Suzanne, dont la chair ternie par le temps semblait se teinter des reflets du feu et revenir à la vie sous les regards concupiscents des vieillards. Les traits pâles et tourmentés de Quentin lui-même étaient soulignés par l'éclat du feu et les ombres, ce qui leur prêtait une vie propre, tandis qu'il pointait une main tremblante vers la fenêtre.

— Je l'ai *vue,* je te dis. Dehors. Près de l'abbaye. Et qui plus est...

Mais son bras retomba et il secoua la tête.

— Qui plus est ? insistai-je.

— Oh ! soupira-t-il avec un tel désespoir que mon impatience et mon scepticisme cédèrent à un mouvement de compassion. Je savais que tu ne me croirais pas, Neville. Toi avec ta Science et ta Raison, ta nouvelle religion si pressée de remplacer l'ancienne. Mais je te le dis, je l'ai vue et qui plus est... qui plus est je l'ai *entendue.*

Il tourna un regard oblique et tellement chargé d'appréhension vers la porte de chêne de la pièce que, pour la première fois, je commençai à soupçonner qu'il fût réellement devenu fou.

— Dans la maison, marmonna-t-il. Elle est venue dans cette maison.

Impressionné par son expression et son ton, j'essayai une fois de réagir par une note de chaleureuse désinvolture.

— Bon, peu importe que je te croie ou pas. Si elle t'est apparue, j'espère qu'elle n'hésitera pas à m'apparaître à moi aussi. J'aurai alors le témoignage vrai de mes yeux, et..., ajoutai-je plus bas, je n'aurai plus de doutes que nous pourrons commencer à explorer l'origine de cette affaire.

Quentin hocha la tête et se contenta de me tourner le dos et de retourner à sa place devant l'âtre brûlant.

— Fais attention à ce que tu dis, Neville, observa-t-il.

Puis il s'affala une fois de plus dans son fauteuil.

— Je n'ai pas peur, lui dis-je.

Ce n'était pas vrai. J'avais très peur, mais pas pour les raisons qu'il eût imaginées. C'était pour l'équilibre mental de mon ami que j'avais peur. Quelle que fût la vision qu'il eût eue, il était clair pour mon savoir de médecin que ce n'était pas « un esprit extraordinaire et errant », mais plutôt le fruit de ses facultés dérangées. Ce que je ne pouvais encore établir, c'était si ses facultés étaient encore susceptibles de traitement ou bien si, et j'avais vu de tels cas, Quentin s'enfonçait irrémédiablement dans la folie. Je m'attendais, pour ne pas dire que je le redoutais, à ce que cette nuit même me l'apprît pour de bon.

Nous veillâmes donc, lui et moi. Le feu s'alanguit et la lampe baissa. Les ombres descendirent lentement des poutres et nous enveloppèrent. Les personnages dans la tapisserie se fondirent dans la pénombre jusqu'à ce que seuls un œil, un sourire énigmatique, une main préhensile apparussent de temps à autre, pendant que les braises crépitaient.

J'eus le loisir pendant ces heures-là de réfléchir plus ou moins profondément à la situation de mon ami. Nonobstant mes propres convictions, je ne suis pas, je l'espère, hostile à la bonne foi. Et pourtant je ne pouvais m'empêcher de me demander si ce n'étaient pas les études spirituelles de Quentin qui l'avaient à ce point déséquilibré. La religion civilisée que nous pratiquons en ces temps modernes reste liée à des croyances antiques et à des superstitions à demi oubliées. Étaient-ce ces dernières, me demandai-je, qui hantaient les ruines de l'abbaye et que l'esprit enfiévré de mon ami avait modelées à la semblance d'Annie la Noire ?

Tandis que je méditais ainsi, la lampe s'éteignit. Les braises dans le foyer continuaient de s'effondrer et de cracher, et des ténèbres encore plus profondes nous entourèrent. J'observai mon ami à la dérobée et j'étais de plus en plus soucieux car l'état d'anxiété dans lequel nous avions commencé la veille le cédait à une tension et une attente croissantes. Quelque part au-delà de la pièce, une pendule tinta. Il était minuit.

Soudain, Quentin fut debout.

— C'est l'heure ! s'exclama-t-il. Elle est ici !

Avant que je pusse répondre, il avait traversé la pièce en direction de la fenêtre et pressait son visage contre le carreau. Un instant plus tard, je regardai par-dessus son épaule.

Son haleine embua la vitre quand il cria d'une voix rauque :

— Là-bas !

— Je ne vois rien, répondis-je. En effet, au-delà d'un mètre, je ne distinguais rien, que la nuit d'un noir épais.

Et puis le vent se leva. Je l'entendis dans la cheminée. Je le vis un moment plus tard dans les contorsions d'un orme dont les branches dénudées se penchaient et frémissaient. Tandis que le vent se levait, la lune se profilait à travers les lambeaux et les mèches folles des nuages qui couraient dans le ciel. Sa sépulcrale clarté d'argent exhuma le paysage des ténèbres. Là-bas, derrière la silhouette sinueuse de l'orme, se dressaient les ruines de l'abbaye, désolées, noires, et maussades. La lumière défaillante, entremêlée des ombres en fuite des nuages, conférait à la scène une qualité immatérielle, étrange et onirique. Nous semblions, par la fenêtre, plonger le regard dans un autre monde à travers une draperie qui se serait déchirée.

Et, tout à coup, je la vis. Une ombre encapuchonnée, d'un noir de corbeau tellement intense qu'elle semblait moins un être qu'une absence d'être, elle se déplaçait avec une lente et terrible majesté entre les pierres tombales du cimetière.

Je ne peux décrire l'horreur qui m'étreignit à ce spectacle extraordinaire. Je restai sans volonté, paralysé, la moelle des os gelée, les nerfs liquéfiés. Pendant de longues secondes, et tandis que cette chose glissait d'un pas régulier vers les vestiges des murs de la chapelle, je ne pus ni bouger, ni parler, je ne pouvais même pas respirer, je regardais sans ciller comme si j'avais été pétrifié sur-le-champ. La mort elle-même ne m'eût pas semblé aussi terrifiante que ce spectre d'ébène, messager d'un royaume au-delà de la mort, d'un royaume au-delà de la raison, d'un royaume, et c'était là le pire, au-delà de la pitié ou du pardon.

Ce fantôme silencieux et lugubre se dirigea avec une grâce funèbre vers l'extrémité du cimetière et ce qui subsistait de la chapelle. Là, près du mur délabré, là, et moi-même qui l'écris me fie difficilement à mes propres yeux, là, tandis que je l'observais, figé, stupéfié, cette absence de soi s'enfonça inexorablement dans la terre, sombrant de plus en plus bas jusqu'à ce que seule la tête encapuchonnée demeurât au-dessus de la surface. Puis cela aussi disparut, elle s'évanouit tout entière.

Presque au même moment, une masse de nuages poussée par le vent gémissant dévala au-dessus des ruines. En quelques secondes, elle avait obscurci la lune. La draperie déchirée se referma. La nuit la plus noire revint s'écraser contre la fenêtre.

Les secondes passaient mais je restais incapable de bouger, je regardais la nuit aveugle comme si la scène extraordinaire se déroulait toujours devant moi. Ce fut le cri étouffé de Quentin qui rompit la transe. Quand je me retournai, je vis qu'il était saisi de tremblements paroxystiques. Des sanglots secs, étouffés, s'échappaient de ses dents serrées. Je craignis le début d'une attaque d'apoplexie. Me faisant violence, je saisis son bras avec énergie.

— Tout va bien, criai-je plus fort que je n'en avais eu l'intention. Tout va bien, mon ami. Remets-toi. Elle est partie.

— Partie ?

La voix qu'exhala Quentin ne calma en rien mes appréhensions. Elle était étranglée et suraiguë, chargée des résonances d'un rire hystérique mal contenu.

— Elle n'est pas partie, dit-il en me regardant d'un œil brillant. Tu es naïf. Elle n'est pas partie. Il y a des souterrains, sais-tu. Là-dessous. Sous l'abbaye. Des tunnels, des passages pour les provisions. Ils sont maintenant recouverts. Ils sont tous recouverts. Mais il y a tout un réseau de tunnels et de passages. Et l'un d'eux... l'un d'eux conduit...

Avant qu'il eût pu achever, un bruit se fit entendre, un bruit qui venait *de l'intérieur de la maison* ! Discret, mais précis, insistant, il semblait s'élever d'en dessous et se répercuter à travers les murs jusqu'à ce qu'il emplît la salle de séjour ténébreuse.

Tic-tic. Tic-tic. Tic-tic.

J'ai entendu des gens dire que leurs cheveux s'étaient dressés sur leurs têtes, mais je n'en avais jamais fait l'expérience. Le son était comparable à celui d'une pendule, mais il était plus sonore ; plus faible qu'un coup à la porte, et pourtant aussi effroyablement délibéré. Il y eut un silence tandis que mes yeux parcouraient les formes et les visages confus sur les tapisseries. Et de nouveau :

Tic-tic. Tic-tic.

Je reportai mon attention vers Quentin. Il me souriait, mais c'était avec une détresse si folle que je désespérai de le remettre sur pied. Il se pencha en avant et chuchota de façon sarcastique :

— L'un d'eux mène au réduit du prêtre.

Tic-tic. Tic-tic. Tic-tic.

Il y avait souvent, je le savais, dans les abbayes et les bâtiments avoisinants, des chambres secrètes et des cachettes installées pour protéger les prêtres en danger durant les persécutions des Tudor. Il n'aurait donc pas été étonnant qu'un de ces « réduits de prêtres » fût relié au reste de l'abbaye par des passages secrets dont le roi Henry prétendait volontiers qu'ils servaient de repaires aux amours secrètes des chanoines.

— Un repaire de prêtre, dis-je, tandis que le faible tic-tac recommençait et que l'éclat fébrile des yeux de mon ami s'accentuait. Où est-il ? Pouvons-nous y accéder ? Allez viens, allons voir.

Pour la deuxième fois, cette nuit-là, Quentin lança vers la porte un regard bizarrement chargé de sous-entendus.

Tic-tic. Tic-tic. Tic-tic. Ce bruit infernal de nouveau. Qu'est-ce que c'était ?

— Dans l'étude, répondit Quentin.

Je n'hésitai pas ; le moindre scrupule eût eu raison de ma résolution. Je traversai la pièce avec plus de fermeté que je n'en ressentais pour aller vers la cheminée, pris une chandelle sur le manteau et me penchai pour en allumer la mèche à une braise. Quand la chandelle s'alluma, je la portai là où se tenait Quentin. Son visage se tendit dans la lumière vacillante, crispé de peur, tandis qu'il commençait à saisir mon intention.

— Neville, s'écria-t-il, nous ne pouvons pas, nous ne devons pas...

— Nous le ferons, coupai-je sèchement. Suis-moi.

Je l'arrachai à la fenêtre et le traînai presque vers la porte. Ce fut une thérapie brutale, mais efficace.

Arraché à sa terreur passive et forcé d'affronter une entreprise, une partie de sa vigueur d'antan sembla lui revenir. Ses tremblements cessèrent et, quand nous eûmes quitté la chambre pour nous engager dans le corridor, il me suivait de son plein gré.

À chaque pas, le son devenait plus fort et plus proche. Pourtant, il nous entourait constamment, sans relâche, vibrant sous les portraits, sous le plancher, au-dessus des poutres.

Tic-tic. Tic-tic.

À ma hauteur, Quentin se reprit à protester, son expression paraissant plus urgente dans la lueur de la chandelle, ses mots se chevauchaient.

— Neville. Neville, écoute... Pour l'amour de Dieu... Tu ne sais pas à quoi tu as affaire... Tu ne comprends pas... Écoute-moi... Écoute-moi avant qu'il soit trop tard...

Je continuai d'avancer, sourd à ses monitions, me protégeant mentalement contre elles pour ne pas changer d'avis. Les coups persistants et rythmés montaient tout autour de nous, de plus en plus forts, de plus en plus proches. J'avais l'impression qu'ils m'étaient entrés dans le cerveau et que c'était à l'intérieur de mon crâne qu'ils résonnaient.

Tic-tic. Tic-tic.

— Neville ! cria de nouveau Quentin.

— Est-ce la porte ? demandai-je quand nous fûmes devant l'étude.

Levant la chandelle, je saisis la poignée de fer. Quentin hocha la tête et j'appuyai sur la poignée. La porte s'ouvrit vers l'intérieur.

Nous pénétrâmes dans une petite pièce et la lumière de la chandelle baigna les fenêtres drapées de rideaux, des étagères couvertes de livres, un bureau, comme dans la salle de séjour, jonché de documents entassés ou étalés au hasard. On eût pu croire que la palpitation irrégulière de la flamme avait plongé le lieu dans un élément pareil à l'eau. Les objets semblaient onduler, apparaissant et disparaissant devant nous.

Je m'avançai prudemment, suivi par Quentin. C'était là, quoi que ce fût, c'était là ou près de là. Le son prenait apparemment sa source au cœur même de la pièce. Je ne pus m'empêcher de me crisper et la flamme de ma chandelle vacilla quand je l'écrasai en entendant le bruit.

Tic-tic. Tic-tic.

— Où est-ce ? chuchotai-je d'une voix rauque.

— Neville...

— *Où est-ce ?*

De la tête, il indiqua les rayonnages à ma gauche.

— Cette bibliothèque-là, dit-il à contrecœur.

J'y fus en deux pas. Le meuble était d'un bois sombre, les étagères couvertes de volumes à la reliure moisie. D'un geste hésitant, je tendis la main vers les reliures. Quentin continuait de protester derrière moi.

— Neville, allons-nous-en. Réfléchissons. J'ai davantage à t'en dire, d'autres choses que tu ne sais pas...

L'un des livres, un gros livre noir sans mention sur son dos nervuré, céda sous mes doigts. J'entendis le déclic d'un loquet qui tombait. La bibliothèque tout entière sembla se détacher du mur. Elle pivota vers moi sur une charnière invisible, dans un grincement modulé.

Je la tirai vers moi comme une porte et découvris un escalier étroit qui descendait vers des ténèbres souterraines.

Tic-tic. Tic-tic.

Maintenant, comme s'il était extrait des poutres de la maison, de l'air autour de nous, de ma propre cervelle, le son se concentra en un point unique. Il montait dans son tempo incessant et funèbre des ténèbres au bas de l'escalier.

Je m'apprêtai à y aller.

— Non, Neville !

Je descendis lentement, marche par marche, et les planches humides gémirent lourdement sous mes semelles. Les balbutiements incohérents de Quentin volèrent dans un tourbillon frénétique.

— Tu ne sais pas, tu n'as pas compris, tu dois me croire, j'ai réfléchi à ces choses pendant des semaines, j'ai essayé de comprendre...

Mon ombre se contorsionnait et sautait de façon bizarre sur les murs de pierre suintants autour de moi. Mon cœur battait la chamade et ma gorge était tellement serrée que j'en suffoquais presque.

Quand j'atteignis la dernière marche, un courant d'air glacial saisit mes chevilles. La flamme de la chandelle monta et, dans la clarté accrue, j'aperçus devant moi une porte de bois vermoulue tenue par des étais de fer forgé.

Tic-tic. Tic-tic.

Le son venait de derrière la porte. Me mordant nerveusement la lèvre, je contraignis ma main à saisir l'anneau qui la bloquait.

— Neville, pour l'amour de Dieu ! cria Quentin. Des semaines se sont écoulées avant sa mort. Des semaines pendant lesquelles elle quittait sa cachette la nuit, pour errer dans l'abbaye. Des semaines où elle se servait d'une pelle, ne vois-tu pas ! Dans son tourment, elle essayait de creuser la pierre avec une pelle de jardin ! Elle cherchait...

La porte s'ouvrit, grinçant sur le sol.

Tic-tic. Tic-tic. Tic-tic.

Puis le silence. Le bruit s'arrêta net. La flamme de la chandelle vacilla, se ranima et diffusa dans le repaire du prêtre sa lueur blême et liquide.

Mais le lieu était désert.

Nous nous tenions tous deux, Quentin et moi, sur le seuil, explorant du regard un réduit exigu, aux poutres basses et aux murs de pierres mal équarries.

Rien n'y bougeait et le calme était si total qu'il semblait anormal. Même pas un rat tentant de décamper tandis que nous restions là, bouche bée, les yeux écarquillés.

Puis Quentin s'écria :

— Là ! Regarde !

Je levai la chandelle. La lumière se répandit dans toute la pièce. Suivant le geste de Quentin, mon regard tomba sur un petit tas blanchâtre de fragments et de poussière qui s'était amassé sur le sol, au pied du mur. Il devint immédiatement apparent que ces débris provenaient de l'une des pierres au-dessus. Je vis bien là où la pierre avait été attaquée, les bords en étaient édentés et crayeux, comme si... comme si quelqu'un l'avait attaquée avec une pelle.

Avant de me laisser le temps de penser, j'avançai, tenant la chandelle en l'air d'une main et tâtant la pierre de l'autre. Quentin cria encore mon nom, mais mes doigts fouillaient déjà le bord que la pelle avait éraflé. Je le saisis et tirai. La pierre céda aisément, oscilla et pivota. Elle m'échappa et tomba au sol, à mes pieds, dans un grand fracas. Au même moment, l'air sembla vibrer. Quentin criait comme un fou. Je retins mon souffle. Mais ces bruits furent couverts par un hurlement indescriptiblement affreux. Il venait en même temps de partout et de nulle part : un hurlement rauque plein de rage infernale et d'un chagrin que l'éternité ne consolerait jamais. La maison entière sembla trembler et frémir jusque dans ses fondations, tandis que le hurlement se poursuivait, sans fin.

Car là, dans la niche révélée à l'emplacement de la pierre, préservée dans cet espace sans air de telle sorte que sa peau tannée et rétrécie tirait sa bouche grande ouverte et prêtait à ses orbites l'expression d'une agonie infinie, là, gorge tranchée, se trouvait le cadavre d'un enfantelet qui se désagrégea et tomba en poussière alors même que nous le regardions.

II

STORM, LEVANT SES YEUX TRAGIQUES

Un verre se brisa à l'extrémité de la pièce et Storm,
levant ses yeux tragiques, vit mais trop tard une
femme pour laquelle on eût donné sa vie.

Le livre des histoires de fantômes était encore
ouvert dans ses mains. Ses lèvres étaient restées
entrouvertes sur la dernière phrase *tomba en poussière
alors même que nous le regardions.* Mais la phrase
et l'histoire tout entière étaient sorties de son esprit.
Chassées par la femme, par sa beauté. La seule vue
de celle-ci avait suffi à le mettre debout.

C'était assez ridicule quand on y pensait. Qu'allait-
il faire ensuite ? Sauter comme un personnage de
bande dessinée, la langue pendante, les yeux pédon-
culés sur ressorts, le cœur palpitant à travers sa poitrine ? Storm était un type moderne après tout, un
prototype américain, genre Hollywood. Une vraie personne avec des poils dans le nez, des problèmes psy-
chiatriques, un anus. On était dans la vie, pas dans
un film. Il n'était pas possible, n'est-ce pas, qu'il fût
tombé amoureux au premier regard.

Peut-être pas, mais il continua de l'examiner. Elle
se tenait sous l'arcade de la salle de séjour ; c'était
l'une des invités qui s'était jointe aux autres quand il
avait commencé sa lecture à haute voix. Derrière elle,
il sembla à Storm que le grand pin écossais garni de

lampions de Noël faisait un fond pour la femme et lui conférait du relief. Une fille de quelque vingt ans. Pas le genre de starlette anorexique dont il avait l'habitude, pas une de ces poupées vides gonflées aux silicones et à l'ambition. Dans sa robe de velours noir largement décolletée, sa silhouette était vraie. Une taille et des hanches consistantes, féminines à l'extrême. Une poitrine comme à l'époque où les seins étaient des seins. Un col de cygne, des joues carminées, une peau d'ivoire, des cheveux d'un noir d'encre. Des yeux bruns, les yeux bruns les plus inimaginablement pâles, brillants, vifs, rapides. *Woof*, se dit-il ; *Seigneur*.

Autour d'elle, les autres, tous les Londoniens raffinés amis de Bolt, s'étaient mis à rire et à l'applaudir. Elle était figée, la main qui avait tenu le verre toujours tendue, le regard fixé sur les éclats de verre qui scintillaient sur le tapis havane. Une tache incolore qui grandissait. Le verre lui avait apparemment échappé des mains, il avait dû heurter le bord du plateau du serveur quand elle l'avait reposé.

— Oh, déclara-t-elle enfin. Comme je suis maladroite.

Storm eut un vertige et sentit sa poitrine se serrer. Quel accent, pensa-t-il. Le vrai truc anglais. Comme Julie Andrews dans *Mary Poppins*. Il se rappelait encore certaines de ses rêveries juvéniles sur Mary Poppins. Les mots qu'elle lui susurrait avec cet accent. *Oh, Richard. Oh, mon jeune maître !*

Je vous demande pardon, allait-il dire à haute voix, *je vous demande pardon si je vous ai effrayée. C'était juste une vieille histoire de fantômes idiote.* Mais il se ressaisissait déjà. Car Bolt se levait de son siège pour aller vers elle, et Bolt était l'hôte.

— Oh, Frederick, laissez-moi nettoyer cela, je suis une idiote, lui dit-elle.

— Non, non, fit-il en la prenant par le bras. J'en ai déjà chargé mes vassaux.

Les deux femmes qui s'étaient agenouillées pour ramasser les débris de verre lancèrent un regard furieux à cet homme qui abordait son âge mûr avec la grâce d'un obus, qui avait la forme d'un obus, le cul bas et le ventre en marmite dans son costume vert à gilet. Un visage reptilien et cynique profondément buriné par le whisky Bell et les cigarettes Rothman. Des cheveux gris filasse qui dispersaient des pellicules.

— Et de toute façon je suis locataire, continua-t-il.

Et il la conduisit gracieusement hors de la pièce.

Storm observait sans gaieté les deux personnages sortir de sa vue et traverser le hall d'entrée. Il pouvait entendre leurs voix qui s'éloignaient.

— Je regrette, Frederick, je n'aurais pas dû venir. Je me suis laissée aller. J'étais dans l'Ohio et à Berlin la semaine dernière...

— Ne soyez pas ridicule. Je n'attends que vos visites. Je mettrai les morceaux de côté comme des reliques. Je construirai un autel sur le lieu...

Quelqu'un posa une main lourde sur l'épaule de Storm. Quelqu'un d'autre dit :

— C'était bien lu. Un truc sinistre. De toute façon tu lui as fichu les jetons.

— Qui est-ce ? murmura Storm en fixant l'endroit où elle lui était apparue.

Et quelqu'un répondit :

— Oh, ça, c'est Sophia Endering. Son père possède la Galerie Endering sur New Bond Street. Pas une mocheté, hein ?

Storm hocha la tête. Il resta sur place quelques moments de plus, parcourant les lieux d'un regard vide. Une alcôve douillette, des chaises assemblées, de banales gravures pseudo-victoriennes accrochées au-dessus d'étagères basses couvertes de livres de poche écornés. Une large voûte menait à une longue pièce de séjour où l'arbre de Noël scintillait, où le chauffage au gaz gargouillait et où des lumières dissimulées se reflétaient sur les bouteilles de vin blanc. Le groupe qui s'était formé pour écouter sa lecture s'y dispersait déjà. Et les conversations de salon reprenaient leur cours.

Par-dessus les bavardages croissants, il entendit la porte d'entrée se refermer. Il pouvait le sentir : elle était partie. Il s'affala lentement dans son fauteuil.

Sophia Endering, pensa-t-il. Il resta assis là, le livre perché sur sa cuisse, le pouce fiché dans les pages, sans raison. *Sophia Endering.*

Mais quelle différence cela faisait-il ? Il n'était pas amoureux d'elle. Il ne pouvait pas être amoureux d'elle. Il ne pouvait être amoureux de personne.

Il demeura affalé, absorbé dans ses propres et mornes profondeurs.

2

Mais pourquoi ? songea Harper Albright. Pourquoi était-il si triste ?

De son observatoire sur les coussins brodés du fauteuil près de la fenêtre à l'extrême gauche, elle avait tout vu. Elle avait vu Storm se lever de son siège au premier regard sur Sophia. Elle avait vu les tourments de la passion animer ses traits et les avait vus s'évanouir tandis que les yeux de Storm redevenaient vides, et que son expression se revêtait du détachement lié au désespoir. Cela lui fit penser à certains crabes de terre qui peuvent « lâcher » leurs pinces, se défaire de leurs pinces pour échapper à la prise d'un prédateur. Il lui sembla que Storm, car c'était le nom ridicule qu'elle devait lui donner, ne fût-ce que par respect pour le miracle américain qui consiste à s'inventer soi-même, il lui semblait donc que Storm avait pareillement « lâché » son cœur, qu'il s'était défait de son cœur pour échapper à la prise de la vie.

Et elle y réfléchissait, assise là, les mains ridées nouées sur la tête de dragon sculptée qui servait de pommeau à sa canne. Harper était une personne maussade et singulière. Pas vraiment vieille, sans doute la soixantaine, mais néanmoins délitée. Ses cheveux gris et sans vie faisaient un chignon sur un front ridé. Les joues vides pendaient sous des poches lourdes et grises. Elle clignait intensément des yeux derrière des lunettes en hublots. Elle serrait entre ses dents jaunies une pipe au fourneau d'écume de mer sculpté représentant un crâne, dont s'échappait une fumée jaunâtre. Elle posa son menton rond sur le dos de ses mains. Et elle s'interrogea.

Pourquoi est-ce que Richard Storm ne *pourrait* pas aimer Sophia Endering ? Il était plus âgé qu'elle, à coup sûr, il comptait au moins la quarantaine. Mais il était encore jeune et il était beau. Élancé, musclé. Avec une tête bien garnie de cheveux couleur sable et des traits aussi rudes que les grandes terres occidentales dont il était originaire. Plus rudes sans doute, vu et considéré qu'il venait de Los Angeles. Et Harper savait qu'il n'était pas marié ; autant dire divorcé. Doté de sens de l'humour, d'un bon caractère et gracieux en présence des dames. Elle-même se rendait compte qu'elle avait conçu du sentiment à son égard depuis qu'il était venu la voir. Probablement. Un peu de sentiment. Alors, pourquoi se dégageait-il ? De Sophia. De tout le monde en vérité. Harper Albright retourna le problème dans tous les sens.

En dépit de sa chaleur d'Américain, pensa-t-elle, il était quand même assez mystérieux, en tout cas il avait des aspects obscurs. Un producteur, un producteur à grand succès de films hollywoodiens, certains bons, certains qu'elle avait vus et qui étaient à son goût à elle, des films d'horreur et de surnaturel, avec des fantômes, des loups-garous et un ou deux démons de latex. Et pourtant, un mois auparavant, il avait apparemment renoncé à sa carrière lucrative. Il était arrivé à Londres dans un parfait incognito. Il avait sonné à sa porte sans recommandation et avait offert de travailler gratis pour la petite revue qu'elle dirigeait, *Bizarre !* Il était las des films sur le paranormal, lui avait-il dit. Il voulait travailler avec elle, « sur le sujet réel ». Et c'était presque tout ce qu'il lui avait dit.

Mais il avait accepté sans protestations et bien que, une fois de plus, il ne fût pas payé, de la suivre comme un grand setter roux, dans ses enquêtes journalistiques sur des fantômes, la sorcellerie, le vampirisme, des enlèvements par des extraterrestres et sujets assortis. Et elle avait commencé à se poser des questions sur ce qu'il cherchait vraiment et sur les raisons pour lesquelles il faisait d'une certaine manière bande à part.

Sa rêverie fut toutefois interrompue quand Bolt passa de nouveau l'arcade.

— Bon, lança-t-il d'un ton sarcastique à Storm. C'était vraiment bien lu, je vous le concède.

C'était ce qui avait déclenché l'incident. L'histoire de fantômes. Une demi-heure plus tôt. Bolt avait péroré, émettant des jugements sur les histoires de fantômes : les réunions de Noël et de décembre, les histoires de fantômes et tout ça. Storm avait répondu qu'il en aimait la variété anglaise. Il les *aimait*, avait-il dit, et c'était cela qui avait été le point de départ, cet enthousiasme de Yankee. Ce n'était pas que Bolt n'aimât pas Storm en particulier ou les Américains en général. Mais il y avait en eux une vitalité qui offensait son pessimisme chéri. De toute façon, Bolt avait estimé tout de suite après qu'il devait jouer les experts. Il avait haussé le ton d'un cran, passant du critique au pontifiant. Et quand Storm avait ajouté qu'il trouvait la collection d'histoires de fantômes d'Oxford[1] sensationnelle, *absolument sensationnelle !*, c'en avait été trop pour le pauvre Bolt.

— Oui, je suppose, avait grincé le journaliste, si vous ne tenez pas compte du fait qu'ils ont omis d'y inclure *Thurnley Abbey*. Je n'attends pas d'eux qu'ils

---

1. Les éditions de l'université d'Oxford, Oxford University Press, publient des ouvrages encyclopédiques qui font autorité, sur des sujets aussi divers que la neurologie, l'histoire du Moyen Âge ou, dans ce cas, les fantômes *(N.d.T.)*.

soient exhaustifs, mais après tout, c'est l'*Oxford Book of English Ghost Stories,* ce qui leur confère une certaine responsabilité. Je veux dire, ils ont omis *Thurnley Abbey.*

— Oui, *Thurnley Abbey,* c'était une bonne histoire, avait répondu Storm. Je crois qu'ils l'ont incluse dans le recueil sur l'époque victorienne.

— Pff ! avait fait Frederick Bolt.

Et Storm avait habilement changé de sujet.

— Dites, avez-vous jamais lu *Annie la Noire* de Robert Hughes ?

C'était une réponse conciliante, pensa Harper Albright, destinée à apaiser l'irritation de Bolt. Mais elle n'avait fait qu'envenimer les choses. Parce qu'il devint rapidement évident que Bolt *n'avait pas lu Annie la Noire,* qu'il n'en avait jamais entendu parler. Ce qui signifiait que ça ne pouvait avoir d'intérêt. Et il l'avait dit.

— Oh non, vous avez tort ! s'était écrié Storm.

Et quittant son fauteuil, il était allé vers les étagères. Il y était allé d'une allure trop familière, comme si ç'avait été son appartement et non celui de Bolt. Il en tira *The Fourteenth Fontana Book of Great Ghost Stories.*

— C'est dedans. Vous devriez le lire, c'est vraiment bien.

Il avait tendu le livre à Bolt. Celui-ci l'avait regardé d'un air furieux.

— Quatorzième tome. Ils devaient réellement commencer à manquer de matière première.

Mais Storm tenait toujours le livre tendu. Et la bouche de Bolt s'incurva dans une expression cruelle.

— Pourquoi n'en feriez-*vous* pas la lecture ? dit-il d'un ton pointu. Allez-y, Noël au coin du feu, une réunion, une histoire de fantômes, faites-nous donc la lecture, Storm.

— Oh, pour l'amour de Dieu, avait marmonné Harper Albright.

Bolt pouvait devenir insupportable.

Mais elle se demanda par la suite si celui-ci n'était pas tombé dans le piège de l'Américain. Storm alla s'asseoir avec le livre en main et commença à lire *Annie la Noire* à haute voix. Soudain, Harper se souvint que le père de Storm avait été un acteur ; il lui avait au moins confié cela.

Storm avait donc entrepris une lecture à la fois intelligente et inquiétante du texte. Et au moment du récit où Quentin et Neville descendaient à la lueur de la chandelle dans les corridors sombres et mélancoliques de Ravenswood Grange, la plupart des invités de Bolt s'étaient regroupés dans la salle de séjour, captivés. À la dernière phrase, il y en avait même eu un ou deux qui avaient poussé un cri d'émotion.

Et puis la ravissante Sophia Endering avait laissé tomber son verre.

— C'était vraiment bien lu, concéda Bolt de nouveau. Et non sans intérêt. Sans originalité, sans ironie ni invention, ce n'était même pas bien écrit. Mais personne ne pourrait dire que c'était sans intérêt.

Storm tendit les bras et s'exprima avec tant de sincérité que Harper Albright pensa que cela achèverait Bolt sur-le-champ :

— Ah, oui, vous savez, je l'ai lu pour la première fois quand j'avais peut-être dix ans. Et puis cela m'a frappé, d'un coup ! les fameuses histoires anglaises de fantômes. Ç'a été d'une certaine façon mon point de départ. Le premier film que j'aie jamais fait, il y a vingt ans, j'avais, je ne sais pas, vingt-deux ans. Ça s'appelait *Spectre*. Je n'étais jamais allé en Angleterre. J'ai écrit, dirigé et tourné tout le film en Californie. Mais je l'ai situé ici, voyez-vous, entièrement dans ce monde que j'avais reconstitué à partir de l'histoire d'*Annie la Noire*. Elle m'a tout simplement... je ne sais pas... elle m'est toujours restée en mémoire...

Sa phrase resta inachevée. Il secoua la tête. Bon, se dit Harper, c'est un Américain et personne ne lui a appris à terminer ses phrases. Mais ce qu'il avait dit, ce qu'il avait plutôt essayé de dire, la fit réfléchir de nouveau. Mâchouillant sa pipe et s'appuyant sur sa canne à tête de dragon, elle cligna derrière ses lunettes en hublots. C'était vrai, songea-t-elle, qu'il *aimait* les histoires anglaises de fantômes, ce jeune Storm.

3

À l'extérieur, dans le morne décor urbain du milieu de l'hiver, Sophia Endering pressait le pas en gravissant la pente d'une étroite venelle, ses talons claquant sur les pavés. La poitrine que Storm avait admirée palpitait d'agitation. Cette histoire, pensa Sophia. Cet Américain idiot et cette histoire idiote.

Elle tenait son sac à main plaqué sous le coude contre son imperméable. Son autre bras se balançait librement dans le mouvement de la marche. Le visage résolument en avant, elle sentit le vent caresser sa joue ainsi que les prémices d'une pluie maigre et froide.

Tic-tic. Tic-tic.

C'était une coïncidence évidemment absurde. Cette histoire, ce bruit répété, cette course dans le corridor de la maison hantée. *Tic-tic.* La manière parfaite dont cela s'accordait à ses souvenirs. Ses tout premiers souvenirs. Ses pires souvenirs...

Au sommet de la venelle, juste avant une intersection, elle dut s'arrêter pour respirer dans la nuit froide, afin de se calmer. Au-dessus d'elle, une mer moutonneuse de nuages éclairés par la pleine lune déferlait rapidement vers le mur d'arbres là-bas, vers la lisière mystérieuse de Holland Park.

Tic-tic. Tic-tic.

Irritée et plus troublée qu'elle ne se l'admettait,

Sophia chercha du regard un taxi. Les lieux étaient exceptionnellement calmes. Pas d'autos. Pas de gens, pas de bruits de pas, pas d'autre son que celui de sa respiration. Il devait être tard, se dit-elle, minuit passé. Elle consulta sa montre ; il était en fait plus d'une heure. Elle pouvait maintenant sentir la venelle déserte derrière elle. À sa droite, il y avait un bruissement ininterrompu et énervant. Elle regarda vers sa gauche, vers la rue, la colline, l'angle de la rue. Un Jamaïcain aux cheveux nattés embrassait une blonde tavelée dans la lumière blafarde d'un réverbère. Quelques voitures filèrent. Un groupe de garçons dévala près d'elle en se bousculant les uns les autres. Leurs rires parvinrent jusqu'à elle, puis disparurent. Il lui faudrait aller jusqu'à l'avenue, pensa-t-elle. Appeler un taxi. Elle en trouverait certainement un. C'était le genre de femme pour lequel les taxis s'arrêtaient.

Tic-tic.

Sophia se figea. C'était presque réel cette fois-ci. Ou bien non ? Un claquement sur les pavés derrière elle ? Elle rassembla ses esprits. Regarda par-dessus son épaule. Pivota à moitié et affronta la venelle du regard.

Le passage descendait entre de vieux murs de pierre couverts de lierre mort. Non. Il était désert. La plupart des petites maisons étaient obscures. Même les fenêtres éclairées çà et là étaient drapées de rideaux épais. Sophia ravala sa salive. Cela devenait absurde. L'histoire, son agitation. Laisser tomber ce verre stupide devant tout le monde. Cet Américain avec ses simagrées...

Elle lança un dernier regard à la venelle, puis se retourna. Et cria :

— Oh !

Un homme se tenait devant elle. Près, trop près, la dominant, son visage s'imposant à elle dans les ténèbres.

Son premier réflexe fut d'essayer de le dépasser en courant. Ne parle pas. Ne l'accroche pas. Elle pencha la tête et fit un pas en avant. L'homme tendit la main. Ce qui fit bondir le cœur de Sophia. Et lui fit penser à crier au secours.

— Attendez, dit-il. Miss Endering. Sophia. N'ayez pas peur.

Cela l'arrêta. Le fait qu'il sût son nom. Le ton de sa voix. Le parfait anglais, l'imperceptible accent allemand, raffiné. Elle s'immobilisa. L'examina. Un jeune homme sérieux, emmitouflé dans un pardessus couleur de poix, le col relevé jusqu'aux oreilles. Très beau, très jeune. Incroyablement sérieux. Avec des cheveux blonds ondulés et un regard chaleureux qu'elle percevait même dans le noir. Mais un étranger, elle en était sûre.

Il sourit.

— Non, non, vous ne me connaissez pas. Je suis la Résurrection.

Le premier mouvement de surprise était passé. Sophia se maîtrisait de nouveau. Mais elle était toujours nerveuse, car il se tenait si près, et les ténèbres les enveloppaient si étroitement, et il était si grand, et si proche qu'elle sentait sa chaleur dans l'air froid. Deux minutes auparavant, elle se trouvait dans la chaleur et la lumière de la soirée de Bolt. Entourée par des bavardages et des rires, avec le goût du vin sur sa bouche. Tout cela lui manqua soudain cruellement, alors qu'elle était là, seule avec cet homme dans le froid. La Résurrection.

Mais elle savait qu'elle pouvait donner à sa voix des inflexions impassibles et fermes.

— Vous vous tenez trop près. C'est menaçant, dit-elle. Reculez, si vous voulez me parler.

Il s'exécuta sur-le-champ, mais apparemment à contrecœur. Il semblait mal à l'aise dans la clarté plus vive de la rue. Il jeta un regard rapide à droite, puis à gauche. Quand un taxi descendit l'avenue en accélérant, Sophia vit l'inconnu enfoncer son menton dans son col pour tenir son visage à l'écart de la lumière des phares.

— Très bien, reprit-elle alors. Parlez. Qu'est-ce qu'il y a ?

Le taxi était parti. L'avenue derrière lui était de nouveau calme. La lune était cachée par les nuages. Le jeune homme leva vers elle son regard sérieux. Il se passa nerveusement la langue sur les lèvres. Une mèche blonde frémit sur son front, un front d'une fraîcheur juvénile. Il y eut alors quelque chose de tellement désarmé dans son expression que Sophia se sentit attendrie, touchée.

— Je vais être assassiné ce soir, débita le jeune homme d'un trait.

Il ébaucha un petit rire, comme s'il était embarrassé par cette déclaration mélodramatique.

— C'est l'homme qui achètera *Les Mages* qui me tuera.

Sophia ouvrit la bouche, tout en hochant la tête prudemment. Elle enfonça maladroitement les mains dans les poches de son imperméable et serra les coudes contre son corps à cause du froid. Détournant les yeux du jeune homme, sans fixer son regard, elle s'efforçait de réfléchir.

— Miss Endering, vous devez..., commença-t-il.

— Marchons sur l'avenue, proposa-t-elle. Nous trouverons un café où nous pourrons avoir une conversation civilisée.

L'Allemand fit un geste pour se récuser.

— Je regrette. Je ne dois pas être vu. *Vous* ne devez pas être vue avec moi. Ce serait très dangereux. Je regrette... mais il faut que je me tienne à l'écart de la lumière.

Il s'était rapproché d'elle de nouveau, loin de la clarté grisâtre de la rue.

44

— Je ne vous menace pas, alors aidez-moi. Je veux simplement que vous compreniez rapidement ce que je vais dire pour que je puisse m'en aller.

Sophia soupira, reposa son regard vers lui, le cœur battant la chamade, mais l'expression calme.

— Bon, dit-elle. Allez-y. Qu'est-ce que c'est ?

— Mon nom est Jon Bremer. Vous vous le rappellerez ?

— Jon Bremer. Oui ?

— Et il achètera *Les Mages*.

— Vous êtes vraiment sérieux, n'est-ce pas ?

Le jeune homme mit la main sur son bras. Elle pouvait éprouver l'urgence du geste en dépit de la laine de l'imperméable.

— Il est le Diable de l'Enfer, bredouilla-t-il, les lèvres tremblantes à la manière d'un enfant. Tous les Hommes de la Résurrection sont morts. L'homme qui a examiné le panneau, torturé... mutilé... assassiné. Le couple qui a trouvé la boutique à l'Est. Torturés, tués. Même le propriétaire de la boutique... son corps a été repêché dans l'Elbe trois jours après la découverte du panneau. Ses yeux... horrible... Cela fait cinq personnes à ce jour... cinq personnes qui avaient tenu *Les Mages* dans leurs mains, miss Endering. Quatre sont morts, je suis le dernier.

— Grand Dieu, murmura Sophia.

Elle savait que c'était vrai, et pourtant cela rendait leur conversation tout à fait irréelle, cauchemardesque. Ces deux personnes l'une près de l'autre au bout de la venelle. Les mots qu'ils échangeaient furtivement, en hâte, en secret. C'était vraiment ridicule. Le Diable de l'Enfer...

— Eh bien alors, il faut que vous alliez à la police, reprit-elle d'un ton décidé.

— Non !

Le jeune homme renversa la tête en arrière et ses yeux s'arrondirent de peur.

— Il y compte ses alliés aussi bien. Ils sont partout. Vous êtes la seule en qui nous puissions avoir confiance.

Il resserra sa main sur son bras. Elle sentit le pouce du jeune homme s'enfoncer dans son avant-bras. C'était pénible et cela lui rendait encore plus sensible la peur de son interlocuteur. Elle le prit en pitié. Elle les prit tous en pitié.

— Il faut que ce soit vous, Sophia, insista-t-il. Ce sont *Les Mages*. Vous connaissez tous les acteurs. Vous pouvez être là, poser des questions sans éveiller aucun soupçon. Quand vous verrez qui l'achète, quand vous saurez... alors... prudemment... Vous vous rendrez auprès des autorités... Vos amis dans la presse... Quelqu'un...

Elle hocha la tête et il la lâcha. Sa voix devint plus douce et ses mots se firent plus rapides :

— Je me suis arrangé pour que le tableau soit vendu aux enchères au bénéfice d'une organisation philanthropique... une donation anonyme avec un bon titre de propriété, tout est arrangé. Le tableau sera chez Sotheby's à la mi-janvier. Je me suis aussi arrangé pour qu'il reste en transit jusqu'à ce moment-là, je pense donc qu'il sera en sécurité. C'est ce que je leur dirai. C'est ce que je leur dirai quand... (Sa pomme d'Adam roula entre les revers de sa veste.) Quand ils me trouveront, conclut-il, avant d'ajouter plus lentement : Il l'achètera, il l'achètera à n'importe quel prix. Voyez-vous ? À la vente, il se montrera enfin. Voyez-vous ?

Le vent tourbillonna. Les nuages roulèrent. Un croissant de la pleine lune surgit au-dessus de leurs bords effilochés. Les branches noires et crochues des arbres dénudés s'agitèrent contre le ciel.

— Non, répliqua Sophie, fixant les arbres sans les voir et fronçant les sourcils. Non, je ne comprends pas. Pourquoi paierait-il n'importe quel prix ? Pourquoi devrait-il tuer pour cela ? Ce tableau ne vaut pas plus de vingt-cinq mille livres, cinquante mille peut-être si l'on trouve les deux autres panneaux. Comment pouvez-vous être si sûr de ce qu'il fera ? Vos gens...

— Ils sont tous morts, coupa le jeune homme.

L'expression désarmée et sérieuse était revenue sur son visage.

— Ils sont tous morts. Et je suis sûr. J'ai appris à le connaître. Il n'a peur de rien, il ne laissera personne d'autre le faire pour lui. Il sera présent.

Pour la dernière fois, il recula. Sophia eut l'impression qu'une étreinte brûlante se défaisait. Le jeune homme jeta un vague coup d'œil aux deux extrémités de l'avenue.

— Je ne sais pas pourquoi il tue pour cela, ni pour quelle raison il paiera, dit-il. Mais il a tué et il paiera. Il paiera n'importe quoi, plus que quiconque. Donc l'homme qui achètera le tableau, ce sera lui. Le Diable de l'Enfer. C'est ce que vous devez vous rappeler. Quiconque achète le tableau...

Il semblait lui échapper pour se laisser dériver dans le courant de la nuit. Elle voulait l'arrêter, arrêter tout ça.

— Vous devez vraiment aller à la police. Je ne peux...

— Rappelez-vous, lança-t-il d'une voix rauque en commençant à s'éloigner. Quiconque achète le tableau m'aura assassiné, nous aura tous assassinés. Quiconque achète *Les Mages*...

Sophia l'observa ; il gagnait l'autre trottoir ; il avançait à l'ombre du mur du parc ; il était saisi par les ombres des branches, elles l'engloutissaient.

— Quiconque achète *Les Mages*...

Mais elle ne put l'entendre le murmurer de nouveau. Il avait déjà disparu.

Cette nuit-là fut affreuse, s'il en fut jamais. Quelques-uns des pires cauchemars qu'elle eût jamais eus, et elle y était encline. Tout se mélangea dans son esprit endormi. La silhouette encapuchonnée d'Annie la Noire devint les trois rois encapuchonnés des *Mages* de Rhinehart. Le corridor hanté de Ravenswood Grange devint un labyrinthe sans fin qui occupait Belham. Elle errait, elle tâtonnait. *Tic-tic. Tic-tic. Rappelez-vous, Sophia, quiconque achète* Les Mages... Elle se réveillait sans cesse, effrayée, réellement terrifiée, puis sombrait de nouveau dans le sommeil. *Tic-tic. Tic-tic.* Les rêves s'emparaient d'elle, comme des sables mouvants, Corridor après corridor ; elle cherchait dans le noir, et chaque tableau sur le mur était le panneau des *Mages. Rappelez-vous, Sophia...*

Enfin, exhalant un son causé par la colère autant que par la peur, elle s'en arracha. Elle demeura inerte et morose sur son lit, se frottant les bras pour se réchauffer. Un moment vide. Pas de souvenirs, une ambiance incertaine et vague. Les formes familières de sa chambre à coucher se figeaient : les grandes affiches d'expositions, les livres d'art sur une étagère basse, la courbe de son bureau à cylindre, la masse amicale de l'ordinateur, les piles de livres sur le plancher...

L'alarme du réveille-matin se déclencha. La radio. Ici la BBC, Radio Quatre. Il est sept heures... Et les coups de l'heure : bing, bing, bing...

La Résurrection. Sophie se rappela soudain. Son cœur s'arrêta de battre comme celui d'un pendu. *Je vais être assassiné ce soir...*

Et puis le speaker commença à parler : « Le corps de l'antiquaire allemand Jon Bremer a été trouvé flottant sur la Tamise ce matin. La police dit que son meurtre pourrait avoir été commis par des satanistes. Personnage respecté et de réputation grandissante dans le monde des antiquités européen, Bremer a été victime, avant sa mort, de ce qu'un porte-parole de la police a appelé une torture diabolique. Ses yeux avaient été crevés... »

Sophia s'assit sur son lit.

« ... et d'étranges symboles avaient été incisés sur sa poitrine. »

— Oh ! fit-elle.

Le speaker passa à d'autres sujets. Sophia porta la main à sa bouche. Elle regarda le jour se lever, puis les endroits où s'étaient trouvés son bureau, ses livres, son ordinateur. Mais elle n'y voyait plus que le visage juvénile de Jon Bremer, beau et chaleureux, son visage vivant. Qui l'observait de ces orbites macabres et ruisselantes où avaient logé ses yeux sérieux.

4

— Qui est cette Sophia Endering ? questionna tout à trac Richard Storm.

— Chut ! siffla Harper Albright.

Storm se força à un chuchotement théâtral :

— Je me demandais. Est-ce que vous la connaissez ?

Harper ne répondit pas, elle ne regarda même pas Storm. Il pensait donc toujours à elle, songea-t-elle, et presque deux semaines s'étaient écoulées depuis la réception de Bolt ; on était à la fin décembre.

Ils se tenaient tous deux dans un cimetière du Devon. À minuit, bien sûr, parce que c'était à cette heure-là que la bête rôdait, disait-on. Une neige piquante et cotonneuse avait recouvert les fougères jusqu'au pied des pierres tombales. Pis encore, elle avait transformé en un paquet informe et blanchâtre le quartier de venaison qu'ils avaient placé sur le mur du cimetière : un appât.

Cette étrange petite femme qu'était Harper avait recueilli un bon centimètre de glace sur le bord de son borsalino et les épaules de sa cape. Farouchement appuyée sur sa canne, elle sentait la laine grise du vêtement s'alourdir tandis que la neige fondue l'imprégnait. Elle sentait sa vieille chair devenir moite sous l'emprise du froid. Et le vent d'hiver, amer et râpeux, ne faiblissait guère non plus. Il l'assaillait sans relâche après avoir déferlé au-dessus de la haie et de la colline, avec un gémissement funèbre qui lui rappela les farfadets du Dart. On disait qu'ils avaient attiré un garçon de ferme vers la noyade dans la rivière en criant son nom : « *Jan Coo ! Jan Coo !* » Elle les entendait presque dans les lamentations du vent.

L'heure vient, pensa-t-elle avec irritation, mais pas la chose.

Et pourtant, en dépit du froid et de sa contrariété, elle était capable de rester immobile comme une pierre dans cette longue vigie, tellement immobile qu'elle eût pu passer pour l'un des monuments les plus excentriques du cimetière, n'étaient ses yeux rapides et féroces derrière les verres épais de ses lunettes.

Storm, lui, s'agitait comme une bouteille sur les vagues. Comme une bouteille orange néon : il portait un extravagant duvet, une sorte d'anorak boursouflé venant de Ski-Meisters of Hollywood ou un autre endroit de ce genre, garni de triangles vert vif et pourpre disposés au hasard sur le devant. Ce à quoi il ressemblait vraiment, se dit Harper, c'est à un ballon météo dégonflé. Mais il tenait les caméras prêtes, une pendue à chaque épaule et toutes deux serrées dans des sacs de plastique bleu, leurs lanières croisées sur sa poitrine comme des lanières de fusil. Avec un peu de chance, le prochain numéro de *Bizarre !* publierait le monstre en couverture.

Storm se frotta les épaules avec les mains, gonfla ses joues écarlates sous son bonnet de laine et continua de sautiller pour se réchauffer dans les rafales de neige.

— Pour l'amour de Dieu, murmura Harper.

Même ses lèvres restaient immobiles quand elle parlait.

— Qu-qu-quoi ? bafouilla Storm.

Harper émit un ou deux grognements. Puis elle s'adoucit :

— D'accord. D'accord. Je la connais. J'ai entendu parler d'elle.

— Sophia ? Cette fille Endering, je veux dire ?

— En fait, j'en sais pas mal sur elle. Est-ce qu'elle vous intéresse, jeune Richard ?

— Moi ? Non. Elle m'est seulement venue à l'esprit, parvint-il à articuler. Je réfléchissais. C'est tout. Vraiment.

Harper ne releva pas le mensonge. Ses yeux parcoururent lentement le paysage devant elle. Les stèles renversées, les tombes dentelées par la glace, la tour crénelée de l'église, tronquée et se dissolvant aux frontières du visible. Au-delà du mur de pierre bas du cimetière, la neige lui voilait la lande environnante.

— Son grand-père était un commerçant, si j'ai bien compris, dit-elle de sa voix rocailleuse.

— Son grand-père ?

— Vous vouliez des informations sur elle.

— Oui, oui. Son grand-père... Donc il était commerçant ?

— Antiquaire. Dans le Surrey, je crois. D'une certaine façon, c'est une histoire assez romanesque. Son fils Michael Endering est tombé amoureux de la fille d'un archidiacre, mais les parents de la fille ont estimé qu'il n'était pas un bon parti. Ils ont interdit l'union et la demoiselle, Ann, a été envoyée dans un collège en Suisse. Cinq ans plus tard, Michael a de nouveau demandé sa main. Entre-temps, il était devenu multi-millionnaire...

— Quoi, en cinq ans ? s'étonna Storm, bredouillant et sautillant tout à la fois.

— Ouais, et l'argent l'a emporté apparemment. Il a eu la fille, le manoir ancestral, Belham Grange, un titre de baronet, avec en plus la bénédiction et l'approbation de l'aristocratie. Pour autant que je sache, les rumeurs concernant les nazis n'ont jamais été évoquées.

Les sautillements de Storm s'arrêtèrent net. Pantois et haletant, il tira une manche orange néon vers son nez qui coulait.

— Les nazis ? Vous voulez dire les nazis *nazis* ? Les sales types de la Seconde Guerre mondiale ?

— Ceux-là mêmes.

Elle tourna la tête et lui fit face, et resta figée sous son manteau, telle une statue soudain animée.

— Ils avaient pillé une bonne partie des œuvres d'art en Europe, vous vous rappelez, assassinant à l'occasion pas mal de leurs propriétaires. Quelque temps après la guerre, les œuvres d'art volées ont inondé le marché noir. Les lois anglaises, qui sont très strictes en ce qui concerne les droits de propriété, rendaient leur commerce difficile et dangereux ici...

— Vous voulez dire que le père de Sophia était une couverture pour le pillage nazi.

— Je dis qu'il y avait des rumeurs en ce sens, à l'époque assez discréditées et depuis longtemps oubliées de nos jours. Le père a donc épousé Ann, ouvert sa galerie d'art à New Bond Street, s'est installé à Belham Grange et a eu trois enfants, Sophia étant la cadette. Sa vie fut alors exempte du moindre soupçon de scandale. Et cela a duré jusqu'à il y a dix-neuf ans, quand Ann s'est pendue.

La bouche de Storm s'agrandit. De petits nuages de buée s'échappèrent de ses lèvres, emportés par le vent furieux.

— Elle s'est pendue ?

— Heureusement, les enfants étaient à Londres avec leurs grands-parents quand cela s'est produit. Sophia avait cinq ans à l'époque.

— Seigneur. Les nazis et le suicide, murmura Storm.

— Exactement.

Un long moment passa. La vieille femme examina son compagnon de près.

— Jeune Richard, reprit-elle, si vous avez l'intention d'approcher miss Endering...

— Non, non, s'empressa-t-il de répondre.

— Mais si c'était le cas, vous devriez savoir...

— Je vous le dis, ce n'est pas du tout le cas, Harper. Je ne vais pas l'approcher, même pas à une lieue. Croyez-moi, ajouta-t-il en soutenant avec une pointe de défi le regard dur et tendu de Harper, je ne suis pas venu ici pour cela.

Derrière les verres embués de ses lunettes, les yeux vifs de Harper se plissèrent. Elle l'examina alors avec un regard tellement vrillé et insistant que Storm finit par détourner son visage. Il affronta le blizzard avec une grimace.

Mais quand Harper reprit la parole, son ton s'était adouci. Elle avait depuis longtemps acquis la conviction qu'il n'y avait rien de malveillant dans cet homme. En fait, et elle se voyait là contrainte de l'admettre, elle commençait même à ressentir une certaine tendresse à son égard.

— D'accord, admit-elle, plus conciliante. Alors, *pourquoi* êtes-vous venu ?

Il maîtrisa un frisson violent et fit un geste sec avant de se serrer de nouveau les épaules avec force ; il essayait d'indiquer ce paysage de pierres écroulées, l'église battue par le blizzard et la lande invisible autour d'eux. La déconcertante mélancolie de ses yeux était évidente. Et son ton aussi, releva Harper, était devenu triste.

— Je vous l'ai dit, c'est l'Angleterre. J'ai fait des films sur ce pays toute ma vie. Des endroits comme celui-ci. Regardez, c'est un décor de théâtre, je vous jure.

— Mmm. Oui. (Elle suivit son geste du regard avec un mince sourire.) Quelques-uns d'entre nous préfèrent le considérer comme une forteresse que la Nature s'est construite pour elle-même, contre l'infection et les atteintes de la guerre, mais un décor de film... oui... Et alors ?

Storm contemplait toujours les lieux avec ces mêmes yeux tristes de visionnaire. Il regarda un petit orme qui se penchait et s'agitait comme s'il se lamentait sur la corniche d'une crypte en ruine.

— Alors pour moi, c'est ici que vivent les fantômes.

Il l'avait murmuré, comme pour lui-même. Son visage ruisselait de neige, sa casquette de guet dégouttait, son anorak était détrempé, aplati, ayant perdu tout son bouffant.

Même cette statue qu'était Harper commençait à sentir les frissons monter des profondeurs de son corps. Pourtant elle restait là, ses mains ridées figées sur la tête de dragon de sa canne plantée dans la neige qui s'amassait, la neige qui s'infiltrait dans ses bottes, transperçait sa cape et son borsalino. Pourtant, elle se tenait immobile, les yeux rivés sur le mur du cimetière.

— Je suis venu ici, commença Storm, parce que je voulais voir...

— Chhh !

Il se tut. Harper s'était électrisée, tendue. Ils écoutèrent tous deux, leurs visages affrontant la morsure du blizzard. Il paraissait y avoir quelque chose... Ils écoutèrent, scrutant la tempête.

Oui. C'était là. Porté par le vent, presque tissé dans ses gémissements. Doux, mais perçant, un cri surnaturel. Plus qu'une voix. Un chœur. Un chœur de voix tourmentées, de lamentations souterraines qui fusait dans l'air tourbillonnaire. Maintenant, ils l'entendaient enfler, devenir un miaulement guttural, une stridence désespérée. Cela montait, s'épanouissait, culminait.

Puis éclatait de nouveau en fragments pour redevenir ce chœur pitoyable. Et cela reprenait, reprenait.

Maintenant je suis venu là où mainte voix plaintive m'a affligé l'oreille, se récita Harper Albright, tous les muscles bandés. *Là où les cris résonnent, là où les lamentations, les gémissements et les blasphèmes...*

Et même Storm murmura :

— Seigneur. On croirait entendre les damnés.

— Oui, répliqua-t-elle à haute voix. Une vocalisation très prometteuse.

Puis cela s'arrêta et se fondit dans le vent jusqu'à ce qu'ils ne pussent plus le distinguer. Jusqu'à ce que le vent criât seul, tout autour d'eux, dans sa désolation. Harper plissa les yeux derrière ses verres ruisselants, regarda au-delà de la crypte et de la statue, regarda et regarda encore ce paquet de neige, le bloc de venaison, sur le mur.

— Est-ce que vous croyez ?... bredouilla Storm.

Et puis la créature les prit complètement par surprise.

Il n'y eut pas de préliminaires. Un mouvement énorme et silencieux, un bond fluide comme s'il avait été engendré par la nuit elle-même, et c'était sur le mur. Pas là où se trouvait le quartier de venaison, pas là où ils s'étaient attendus à la voir. Elle était accroupie, dans l'expectative, à leur gauche, à moins de cinq mètres, juste au-dessus de leurs têtes. Ses yeux de carnivore scintillaient dans leur direction.

Storm se jeta devant Harper, les bras écartés pour la défendre. C'était un beau geste. Qui réchauffa les valvules cardiaques de Harper. Mais ce n'était guère le moment de se réchauffer les valvules. Elle leva sa canne. Sa main droite saisit la tête du dragon. Sa gauche attrapa la tige de la canne. Elle sépara les deux pour mettre à nu une lame d'acier étincelante.

— Ne vous occupez pas de moi, s'écria-t-elle. Prenez des photos !

56

Elle fut contente de le voir se mettre à l'œuvre. Plein de courage, en homme d'acier comme l'épée. Obéissant immédiatement aux ordres, il arracha le sac en plastique de l'un des appareils et ouvrit celui-ci tout en défaisant la lanière de son épaule.

Harper éprouva un moment d'anxiété. Les appareils photo, comme tous les objets mécaniques, étaient pour elle aussi mystérieux que le Cheval Blanc d'Uffington[1]. Mais Storm arma l'appareil avec dextérité, sa main protégeant la lentille.

Un éclair scintilla. Il saisit la créature. Celle-ci retroussa les babines, ses yeux réfléchirent des éclairs de mort blanche vers l'œil unique de l'objectif.

Harper émit le double aboiement qui lui servait de rire :

— Ha-ha. C'est notre couverture, je pense ! Très réussi, très réussi. « *Et l'on cherche l'amour, dont l'haleine est plus mortelle* »...

Elle avait un faible pour les citations.

La bête avança sa masse pantelante vers eux.

— Ho ! souffla Storm.

Mais, au grand plaisir de Harper, il ne cessa pas d'actionner l'appareil ni de régler le flash.

— Que diable cela peut-il être ?

— *Felis concolor,* mon garçon, dit-elle allègrement, enchantée. *Oregonensis,* à en juger par la taille et par la Loi de Bergmann. Le puma, la panthère, le cougar, le chatpard comme vous l'appelez, je crois, dans votre partie du monde qui est son milieu naturel, à propos, de Vancouver à la Patagonie.

— Parfait.

La chose gronda quand le flash se déclencha de nouveau.

1. Célèbre grand dessin de cheval gravé dans la craie de la colline herbeuse d'Uffington et demeuré tel quel depuis, suppose-t-on, l'époque néolithique (*N.d.T.*).

— Alors, qu'est-ce que ça fait ici ? murmura Storm.

— Je ne saurais dire. Il est probablement en train de se demander s'il va dévorer la venaison ou nous.

Sur quoi — et le flash scintilla encore —, l'énorme chat brun recula et retroussa de nouveau les babines, les crocs dénudés jusqu'aux gencives, une patte levée comme pour effacer les deux humains de la surface de la terre. Il aurait pu le faire, ils en étaient conscients. Ramassée comme elle l'était pour un bond musculeux, cette chose longue et lourde connaissait son affaire. Elle aurait pu les éliminer de la planète comme des biscuits à la cuiller qu'on découpe dans la pâte. Elle ne laisserait rien d'autre que des trous aux formes de Harper et de Storm dans le matériau de l'existence.

— Eh bien ! s'exclama Storm. Est-ce bien sage pour cette créature d'errer dans ces parages ?

— J'en doute. Bien sûr, elle préfère sauter sur une proie dans une embuscade que de la poursuivre à la course.

— Bon, nous y voilà...

— Mais elle peut faire des bonds de douze mètres.

— Oh là là !

— La question, enchaîna Harper, est de savoir si elle peut sentir la venaison par un temps pareil ?

Elle le pouvait ; elle le fit. Mais la bête prit tout son temps pour cela. Elle fit durer le plaisir jusqu'au point de rupture. Elle ébaucha une feinte vers les deux humains, levant de nouveau la patte. Elle recula, laissa tomber son regard du haut de ses hauteurs de géante. Et enfin, à loisir, avec insolence, elle s'étira, arqua son dos et, ayant jeté un regard malveillant par-dessus son épaule luisante, s'élança vers la venaison sur la crête du mur. De son appareil, Storm en suivit la démarche assurée, Harper, elle, la suivit de ses yeux brillants, avec un rire de gorge. Il y eut un autre mouvement énorme et fluide, un autre déplacement massif dans les ténèbres piquetées de neige. Puis, en un tournemain, le quartier de venaison fut dérobé et la créature bondit dans le néant.

L'appareil photo tomba des doigts tremblants de Storm, jusqu'à la limite de la lanière tendue autour de son cou, et ballotta sur son estomac. Harper, les membres enfin dégourdis, réassembla la tête de dragon et la tige de la canne, en glissant la lame dans son fourreau de chêne. Ils sentirent à nouveau le vent et la neige, comme si le son du monde environnant avait été coupé pendant la confrontation.

Storm et Harper se tournèrent l'un vers l'autre, stupéfaits.

— Vous disiez donc ? souffla Harper après un long moment.

— Hein ?

— Que vous étiez venu en Angleterre parce que vous vouliez voir... Voir quoi ?

Storm la fixa du regard. Puis il se mit à rire, d'un rire sauvage et sonore :

— Pour voir si les morts peuvent marcher, pouffat-il. Je veux voir si les morts peuvent marcher.

5

Les bureaux de la rédaction de *Bizarre !* étaient situés au second étage de la maison de Harper à World's End. Cette dernière était une plaisante résidence citadine de style edwardien, en pierre blanche, avec des chambres élégantes, aux plafonds hauts. Dans les bureaux, toutefois, le caractère de la demeure s'était perdu sous l'amas des installations du magazine. Les murs aux rayures jaunes étaient presque entièrement masqués par de vieilles couvertures punaisées n'importe où. Des bébés extraterrestres s'extirpaient d'entrailles insectiformes, des reptiles humanoïdes grouillaient sur les berges de fleuves brésiliens, des fantômes translucides flottaient dans des demeures ancestrales, et l'on voyait des Momo, Morag, Mokélé-Mbembé et même Mothman, l'homme-mouche, dans une photo floue, qui ouvraient la bouche, fumaient de colère et se faufilaient dans les recoins, les cachettes et les marécages de leurs divers habitats.

Ces faces grimaçantes présidaient une vaste pièce carrée encombrée de miscellanées aussi bizarres. Une patte conservée dans un bocal à poissons. Un pot dans lequel un truc écarquillait les yeux. Un vase dans lequel un cactus inconnu des manuels de botanique ouvrait de temps en temps un orifice baveux à l'approche d'une mouche. Un mobilier plus banal occupait les espaces libres. Une méridienne tapissée de tissu à rayures contre le mur percé de hautes fenêtres voilées. Un banc d'ordinateur appuyé à un mur aveugle. Une antique table à dessin, quelques fauteuils à fanfreluches. Plus une immense cheminée dont le manteau de marbre était soutenu par une paire d'atlantes grotesques aux faces velues et déformées par des tourments infernaux. Harper les trouvait charmantes.

Le magazine avait récemment acquis une plus grande audience, car il y avait toujours moyen de gagner sa subsistance dans le paranormal, comme Harper l'avait parfois fait observer, si du moins l'on pouvait tenir jusqu'à la fin du millénaire. Le magazine y avait gagné un éditeur, des couvertures et quelques pages internes en quadrichromie, un rythme de parution mensuel plus régulier et une diffusion mondiale dont on assurait qu'elle dépasserait les cent mille exemplaires. Néanmoins, la composition de l'équipe rédactionnelle demeurait ce qu'elle avait toujours été : réduite à deux personnes, Harper et Bernard, son jeune factotum. Il fallait aussi compter quelques poignées de correspondants ambitieux disséminés à travers le monde. Et l'interne non payé de circonstance, Richard Storm.

Storm méditait avec morosité près de la cheminée, en ce pluvieux après-midi du début de janvier. Harper était pelotonnée sur sa méridienne, et mâchonnait sa pipe en l'observant.

Comme toujours, Bernard était assis à son ordinateur, son torse sinueux courbé sur une étrange chaise à bascule sans dossier, son crâne rasé luisant dans la lumière diffuse. Il scrutait l'écran. Il avait imposé l'ordinateur quand il avait pris ses fonctions cinq ans plus tôt. La machine était depuis devenue le cerveau du magazine, en dépit de la résistance de Luddite[1] que lui opposait Harper. Pour celle-ci, la machine demeurait énigmatique, menaçante. Et, pourtant, Bernard paraissait capable de la dominer à la manière d'un sorcier. Il suffisait de quelques signes cabalistiques jetés sur les touches, et la machine éditait comme un crayon magique, coupait comme un rasoir, collait comme un touilleur de cire, puis s'envolait comme Puck pour faire le tour du monde, à la recherche de copies potentielles puisées dans la presse internationale.

Bernard leva de l'incompréhensible mécanique son visage esthétique et charmant.

— Une douairière du Lincolnshire propose de vendre l'expérience de son toucher rectal par des extraterrestres, déclara-t-il d'un ton languide.

— Vraiment ? Seigneur ! articula Harper sans lâcher sa pipe.

— « J'ai besoin d'argent pour mes pauvres chats, explique Mrs. Huddlestone de Theddlethorpe-St. Helen, poursuivit Bernard. Bien que je répugne à le vendre, c'est le souvenir d'une expérience tout à fait mémorable. »

— Ha-ha. C'est le moins qu'on puisse dire, gloussa Harper. D'accord. Pour « Informations de partout ». Je pense que nous devons l'acheter.

Appuyant son épaule sur un des atlantes défigurés et contemplant d'un air morose la flamme bleuâtre du gaz, Storm émit un hennissement et secoua la tête.

Harper lui jeta un coup d'œil. Elle lissa sa jupe grise de lycéenne sur ses genoux enflés. Tira une allumette de la poche de sa blouse blanche de lycéenne. Frotta l'allumette sur l'ongle noirci de son pouce avec

1. Allusion aux partisans du légendaire et sans doute mythique Ned Ludd, chef d'une insurrection d'ouvriers anglais qui eut lieu en 1811. Les Luddites se révoltaient contre l'abaissement des salaires et le chômage consécutifs à l'introduction des machines dans les usines, notamment les filatures, et contre les produits de mauvaise qualité fabriqués par ces machines (N.d.T.).

ce qu'elle espérait être une désinvolture princière et rapprocha la flamme du fourneau du crâne en écume de mer, aspirant la fumée. Puis elle se mit à l'étudier.

Comment ne pas penser au scarabée d'eau, avec son œil à moitié dans l'air, à moitié dans l'eau qui regarde au-dessus et au-dessous de la surface en même temps ? Elle estimait que c'était bien ce qu'elle faisait en ce moment. Mais que voyait-elle ? Le visage de cow-boy de Storm, rude, impassible et songeur. Son corps élancé vêtu d'un jean et d'une chemise de travail, détendu et négligé. Et sous la surface ? Une grande et bouillonnante tempête d'émotions ? Du chagrin ? De la frustration ? De la terreur ? Elle n'eût su dire.

— Êtes-vous vraiment venu ici pour chasser les fantômes ? lui demanda-t-elle, au centre d'un nuage opalescent. Espériez-vous vraiment en voir un ?

Il haussa une épaule, contemplant toujours les flammes.

— Je ne sais pas, répondit-il. Un fantôme. Une voix de l'au-delà. Quelque chose d'insolite, voyez-vous. N'importe quoi. Un petit quelque chose d'insolite. Ce n'était pas beaucoup demander.

— Des photos exclusives et récentes de John Fitzgerald Kennedy et de Lee Harvey Oswald les montrent rigolant ensemble de la mystification qui leur a permis de vivre leur amour en secret, déclara Bernard d'une voix traînante.

— Je ne crois pas. Non, décida Harper en dissipant la fumée de sa main.

Storm se détacha de l'atlante. Celui-ci, ahanant d'angoisse, le regarda fourrer ses mains dans les poches de son jean et fouler aux pieds le délicat dessin rose du tapis. Storm s'arrêta devant le bocal et considéra d'un air absent la patte formolée.

— Je veux dire, de nos jours, on essaie de croire

à quelque chose, n'importe quoi, et les gens pensent que vous êtes une sorte d'idiot. Il faut qu'on explique tout, rien ne peut plus être spirituel ou mystérieux. Les savants... ils veulent tout vous enlever. Ce type de l'ADN, Crick. Carl Sagan. Richard Dawkins. Tous ces savants. Ils vous disent que vous êtes une sorte de machine, que votre corps est un genre de machine, même votre âme... Et que l'amour est un phénomène hormonal. Dieu, un type de formule mathématique. Même si vous avez une expérience liminaire de la mort... Non, ce n'est qu'un mécanisme de défense mentale ou une hallucination, ou... je ne sais pas...

Harper déplaça son coude pensivement sur le coussin de sa méridienne. La lumière grise qui tombait sur elle à travers les franges des rideaux de soie semblait la vieillir davantage, effacer le dernier brillant de sa calotte de cheveux, creuser les demi-cercles sous ses lunettes, sillonner de rides la peau flétrie de ses joues molles. Mais elle pointa avec vigueur le tuyau de sa pipe vers Storm.

— Il n'y a rien de plus puissant qu'une idée dont l'heure a sonné, Richard, que cette idée soit vraie ou non. La notion qu'une explication scientifique anéantit le noyau mystérieux d'un phénomène, cela, c'est un préjugé de notre époque, aucune personne instruite ne peut s'en défaire. Pour citer Lecky[1], si nous croyions aux fantômes, une centième partie des preuves dont nous disposons suffirait à nous convaincre. Mais étant donné que nous n'y croyons pas, le centuple de ces preuves ne suffirait pas.

— Une bande de cannibales argentins a été arrêtée après avoir fait venir un livreur de pizza, annonça Bernard. Les autorités ont découvert sur les lieux un grand champignon, une pizza aux anchois et une paire de chaussures de jogging.

1. William Hartpole Lecky, 1838-1903, célèbre historien irlandais du rationalisme (N.d.T.).

— D'accord, appelez les Argentins pour confirmation, dit Harper. Ou bien adressez-leur un courrier électronique ou le genre de courrier dont vous avez l'habitude.

— Lecky, marmonna Storm d'un ton maussade. Lecky le mecky. Vous êtes comme les autres. (Il tendit le bras vers elle, vers les couvertures de monstres sur le mur.) Je veux dire, sans vous offenser... Je travaille ici depuis deux mois. Et tout ce que nous étudions se révèle être bidon. Nous allons chasser la Bête de Dartmoor, ce n'est qu'un vieux lion de montagne échappé d'un parc naturel qui a fermé. Nous obtenons une vidéo de l'autopsie d'un extraterrestre, vous prouvez qu'il s'agit d'un type qui découpe une poupée Ken[1] avec du papier d'étain sur la tête. Nom de nom ! Trois experts indépendants confirment qu'il y a une activité psychique dans ce sous-sol à Chipping Norton, vous y allez avec une pelle et vous découvrez un couple de blaireaux à dos rond. Vous êtes aussi perverse que les autres.

— Moi ? Jamais de la vie. *Alieni a me nihil humanum puto.* Ha-ha.

Mais la citation semblait avoir passé par-dessus la tête de son interlocuteur.

— Regardez toutes ces couvertures, insista-t-il. Toutes ces images, ces articles que vous publiez. Que des âneries ? Vous n'avez jamais vu quelque chose de réellement mystérieux ? Vous ne croyez à rien ?

— J'ai vu beaucoup de choses, je ne crois à rien, répliqua gravement Harper Albright. Rien du tout, vous comprenez. C'est presque un art perdu, mais j'y suis passée maîtresse.

— Bon, et comment y parvenez-vous ?

— L'histoire, Richard. L'histoire, déclara-t-elle d'un ton solennel. Ma vie m'y a conduite.

1. Contrepartie masculine de la poupée Barbie (*N.d.T.*).

Le crâne d'écume de mer rougeoya tandis qu'elle aspirait deux bouffées. Puis la fumée monta dans une spirale rapide :

— Votre problème, jeune Richard, est que vous confondez avec la réalité ces histoires romanesques de fantômes que vous admirez tant. L'histoire anglaise des fantômes a connu son heure de gloire entre 1850 et 1930, une période qui ressemble beaucoup à la nôtre parce que les bonds prodigieux franchis par des hommes tels que Darwin et Freud imposaient le matérialisme et le naturalisme, secouant les fondations de la croyance religieuse. L'Océan de la Foi refluait dans un long grondement mélancolique, et des consciences se firent entendre dans les magazines populaires pour poser cette question : « Homme de ce monde matériel, est-ce que tu crois en moi ou non ? » Ah ! L'histoire, Richard, l'histoire, c'est le domaine de votre véritable fantôme. Vous avez entendu parler de l'histoire, même à Hollywood, j'en suis sûre. Des gens qui écrivaient avec des plumes d'oie, portaient des justaucorps, etc.

— Deux garçons du Gloucestershire ont été hospitalisés en état de choc la semaine dernière, parce qu'ils avaient pris un policier local pour un fantôme, dit Bernard.

— Ha-ha, fit Harper. C'est charmant.

Storm leva les bras et se tourna vers le feu.

— Les garçons étaient entrés par défi sur les terres de Belham Abbey pour voir la Dame Grise, dont on dit qu'elle hante les ruines de l'abbaye avec un enfant assassiné dans les bras. Les garçons ont été terrifiés quand le spectre du policier Tim Bayliss est apparu pour les chasser. Le peu fantomatique gardien de la paix avait été convoqué par sir Michael Endering, propriétaire de la maison voisine, qui demandait...

— Non, non, coupa vivement Harper. Laissez tomber celle-là, laissez-la...

Mais c'était trop tard. Storm avait pivoté, le dos à la cheminée, un bras tendu.

— Attendez un instant ! s'écria-t-il.

— Storm, Storm..., gronda Harper.

— Laissez-moi voir ça. Michael Endering. C'est lui. C'est le père de Sophia, le père de cette fille.

Il franchit le tapis, changeant à peine de trajectoire quand le cactus tenta de le mordre au passage. L'instant suivant, il lisait sur l'écran par-dessus l'épaule de Bernard. Il marmonnait :

— Sir Michael Endering. Sûr. Et ce fantôme. Dans une abbaye. Avec un enfant assassiné...

— C'est une Dame Blanche, Richard ! s'exclama Harper, exagérément expansive, agitant sa pipe en l'air. Une Dame Grise, une Dame Noire, ce que vous voulez. Nous en avons dans tout le pays. Dans mes *Précisions insulaires,* je la relie à la déesse teutonique Berchta, qui était chargée de recueillir les âmes des enfants morts.

Storm ne leva pas les yeux. Elle continua, en haussant le ton :

— Les chrétiens l'avaient transformée en sorcière et s'en servaient comme d'une sorte de marchand de sable. Il était naturel qu'au terme de ce changement elle devînt un fantôme. Tout ça, c'est dans mon livre. Peut-être que vous devriez engager quelqu'un pour vous le lire...

Il l'ignorait complètement.

— C'est Annie la Noire, s'enflamma-t-il. Le diable m'emporte. C'est pourquoi elle a laissé tomber son verre. C'est pourquoi elle était si pâle, ce soir-là. Je lisais cette histoire et, dans la maison de son père, il y a justement un fantôme pareil à Annie la Noire...

— En ce qui concerne Annie la Noire, insista désespérément Harper, c'est une transformation de la légende d'Annis la Noire qui était une sorcière mangeuse d'enfants des Dane Hills, plus étroitement liée à la déesse celtique Anu que Berchta, mais qui était peut-être aussi une réminiscence populaire de la moinesse Agnes Scott. L'histoire, Richard, l'hist...

— Je suis sûr qu'elle l'a vue, poursuivit Storm, sans prêter attention à ce que disait Harper. Je parierais n'importe quoi. Vous avez remarqué son comportement, Harper. L'histoire l'a réellement secouée. Elle a lâché son verre. Elle est devenue toute pâle...

C'était sans espoir. Storm, tendu, contemplait de nouveau l'écran, son visage était presque à la même hauteur que celui de Bernard. Du point de vue de Harper, leurs profils se chevauchaient : un cow-boy de cinéma et un ange de la Renaissance, tous deux éclairés par la lumière laiteuse de l'écran. Elle ne pouvait leur accorder qu'un regard anxieux, triste, sinistre. Ils étaient tout ce qui lui restait dans ses derniers jours, tout ce qu'elle pourrait s'offrir de la compagnie chérie des hommes.

— Belham Abbey, reprit Storm. Belham Grange, c'est comme ça que vous avez dit que la maison s'appelle, n'est-ce pas ?

Harper Albright posa les pieds par terre avec un soupir de lassitude et parvint à se mettre debout.

— Richard, dit-elle doucement en se plaçant à son côté.

Cette inflexion poussa Storm à lui faire face. Mais il ne put soutenir le regard pénétrant de la vieille femme. Il détourna la tête.

— Il n'est pas nécessaire de l'approcher de cette façon-là, de l'interroger sur ça.

Storm ne répliqua pas.

— Vous pourriez simplement lui demander un rendez-vous.

— Ce n'est pas pour ça, répondit-il dans un murmure sans conviction. C'est simplement pour faire du bon journalisme, Harper. Il pourrait y avoir un lien. C'est une histoire substantielle...

Sa voix s'effilocha dans le silence.

Harper soupira de nouveau, et reprit sa pipe.

— Comme vous voudrez.

Elle fit un pas rapide en arrière, loin de lui.

— Mais, ajouta-t-elle, il y a quelque chose que vous devez savoir.

Storm se cabra et parut prêt à protester. Harper poursuivit néanmoins :

— Sophia Endering est le produit et la preuve de l'ascension sociale de son père. Je sais, vous pourriez penser que cela n'a pas beaucoup d'importance de nos jours, mais ça en a pour lui. Ça en a même beaucoup. L'éducation de Sophia, son statut social, son apparence, ce sont les quartiers de noblesse de son père. Elle a été élevée pour renforcer et protéger la position de son père. Et elle le fait très, très bien. Cette femme est lucide, avisée, discrète. On m'a dit qu'elle a une façon de regarder qui peut transformer un fâcheux en poussière. En dépit de sa beauté, elle n'a pas d'homme dans sa vie. Il n'y a personne à qui elle puisse confier ses secrets.

Storm pointa du menton vers Harper.

— Oui. Okay, fit-il. Et alors ?

— Alors, étant donné son histoire, il est raisonnable de penser que, si elle a vraiment un cœur, il est très fermement tenu en bride. Et si elle est jamais démunie de ses formidables défenses, mon opinion est que vous la trouverez fragile comme le bonheur, et tout aussi précieuse.

— L'histouèrre, Richard, l'histouèrre, clama Bernard pour imiter Harper quand Storm fut parti. Une histouèrre voilée par le mystère.

— Oh, la paix, grommela Harper.

Elle se tenait devant la fenêtre. Appuyée sur sa canne au dragon. Suçotant sa pipe d'un air méditatif. Fronçant les sourcils devant les vitres embuées.

Derrière elle, Bernard s'était reculé, face à l'ordinateur, les bras croisés sur son gros chandail de laine. Il la regardait avec une ironie exaspérée, elle le savait, n'en pensant pas moins dans sa tête de séraphin, avec un sourcil relevé.

— Vous ne lui avez pas tout dit, n'est-ce pas ? demanda-t-il.

Harper renifla bruyamment.

— Je lui ai dit ce qu'il devait savoir.

— Oh, pour l'amour de Dieu, insista Bernard.

Elle émit le même bruit. Se tourna résolument vers la fenêtre. Des fléchettes de pluie sur une couche de buée. Un échantillon brouillé du monde extérieur à travers une grosse rigole. La rue étroite en bas, les maisons de brique douillettement éclairées tout au long. L'entrée du *Signe de la Grue* au coin de la rue, exhalant une vapeur séductrice.

Mais Bernard n'entendait pas s'arrêter :

— Avez-vous vu son premier film ? *Spectre ?* L'avez-vous jamais vu ?

— Il y a longtemps, murmura Harper.

— Alors, vous voyez bien. *Il se trouve par hasard* qu'il franchit huit mille kilomètres pour venir travailler avec vous. *Il se trouve par hasard* qu'il lit cette histoire le soir où *il se trouve par hasard* qu'elle est présente. *Il se trouve par hasard* que c'est elle...

— Les coïncidences, mon petit...

— Oui, je sais, dit-il en étirant une longue jambe et en prenant appui sur sa chaise pour se balancer. Mais elles se produisent plus fréquemment et de façon plus significative quand nous approchons du but, que la piste redevient chaude. Les nombres récurrents, les rencontres accidentelles, les enchaînements insolites d'événements, c'est le chemin qui mène à notre domaine... Il n'y a pas moyen d'en sortir, ajouta-t-il en se penchant vers elle. C'est celui que nous attendions. Il a mis la machine en branle. Et vous le savez.

— Même si c'était le cas, ça n'aurait aucune importance. Je ne veux pas qu'il lui arrive du mal. Ce n'est pas son domaine de chasse. C'est le mien.

— C'est le nôtre, répliqua Bernard d'un ton pointu. Et j'aurais pensé qu'après plus d'un quart de siècle vous seriez un peu plus pressée de voir cette chasse reprendre. Nous ne pouvons pas protéger ce pauvre Richard contre son destin.

— Ne dites pas de bêtises. Le destin !

Elle retira la pipe de sa bouche. Tendit une main vers la fenêtre et un doigt vers la vitre. Des gouttelettes coulèrent au bout de son index tandis qu'elle dessinait lentement sur la buée.

— Vous ne lui avez pas dit, reprit son assistant dans son dos, qu'avant de se pendre la mère de Sophia s'est ouvert une veine...

— Un simple ragot. Le témoignage confus d'un policier.

— Elle s'est ouvert une veine...

— Jamais confirmé. La famille n'en parlera pas. Nous avons eu cent pistes meilleures que celle-ci, un millier...

— Elle s'est ouvert une veine, répéta Bernard, et elle a tracé avec son sang, sur le mur...

Harper laissa retomber sa main. Sur la vitre en buée, dégoulinait un fer à cheval encerclant une sorte de huit.

— Exactement, triompha Bernard. Elle a dessiné la marque de Iago.

6

Quelquefois, le spectacle du monde semblait assorti de sous-titres, comme un film étranger. Pour son malheur, Sophia sentait qu'elle pouvait parfois regarder et lire les motifs cachés des gens, leurs mensonges, leurs ratiocinations, tellement ils étaient minablement apparents. Chacun de leurs mots, de leurs gestes les révélait aussi clairement que des légendes au-dessous de la scène.

Elle se trouvait à Belham Grange pour le week-end. Elle prenait le café avec son frère et sa sœur, dans le salon du matin, une petite pièce opulente, confortable et bien éclairée. Les fenêtres qui allaient du plancher au plafond laissaient passer le fugitif soleil d'hiver. Le vaisselier en bois de rose et les guéridons brillaient doucement. Les murs ivoire étaient garnis de peintures représentant des danseurs d'Arcadie parmi des ruines romaines.

Les sièges étaient vaguement disposés en cercle sur le tapis. Elle, Sophia, occupait la chaise Adam à dossier-lyre. En blouse blanche et pantalon havane ; les jambes croisées, elle faisait face aux deux autres. Laura, sur le petit sofa, à gauche. Peter, affalé dans le fauteuil français, à droite. Le fauteuil de son père, son énorme Chippendale, trônait entre eux, vide, à la lisière de la trouée de lumière.

Le petit Simon, cinq ans, le fils de Laura et le neveu de Sophia, rampait sous la table. Il faisait courir sa Bat-mobile, cadeau de Noël, sur le tapis, ou mettait sa figurine Batman aux prises avec le pied de la table, représentant une serre crispée sur une sphère et d'apparence redoutable.

Sophia remua le sucre dans sa seconde tasse de café et les observa. Lasse, blasée. Trop de travail, se dit-elle, trop peu de sommeil. *Tic-tic, tic-tic.* Trop de soucis. Trop de cauchemars. La vente aux enchères était à moins d'une quinzaine de là. *Quiconque achète la peinture, Sophia...* La voix de ce pauvre Homme de la Résurrection n'arrêtait guère de résonner. *Il est le Diable de l'Enfer.* Et puis son cadavre dans la Tamise. *Tic-tic.* Son visage sérieux qui la regardait de ses orbites sanglantes, une image horrible sur laquelle s'éveiller, seule dans son lit.

Guère exubérante, même dans ses moments les plus heureux, Sophia craignait d'entrer dans une de ses crises d'humeur vraiment noire. Ce qui expliquait sans doute le cynisme avec lequel il lui semblait lire la vie entre les lignes.

— Mon chéri, veux-tu bien t'éloigner de la table, dit Laura pour la troisième fois.

Un visage charmant aux cheveux profondément soyeux, profondément blonds. Mais des yeux hagards et une bouche pincée.

— C'est un meuble ancien de grand-papa. Tu vas égratigner le vernis. Tu vas renverser la théière. Viens, avant de casser quelque chose. Pourquoi ne vas-tu pas jouer près de la fenêtre ?

Sous-titre : *je suis furieuse que tu préfères le Batman que tante Sophia t'a donné, alors que maman t'a offert un bateau de pirates tout à fait convenable et assez de modules d'assemblage pour construire le foutu Taj Mahal.*

— Pour l'amour de Dieu, veux-tu fiche la paix à ce pauvre gamin, Laura.

C'était Peter qui avait parlé. De derrière son *Gardian.* Qu'il lisait en balançant une jambe, en jean, sur l'accoudoir de son fauteuil de telle sorte que le bois de noyer ancien craquait. Le sous-titre étant : *je n'ai pas peur de père.* Alors qu'il en avait peur, bien sûr. Sophia, dégustant son café, pensa : et il a dû parcourir huit kilomètres en voiture avant le petit déjeuner pour acheter ce journal aussi. Comme si avoir quelques opinions et voter travailliste faisait de lui un Danton.

Laura, qui ne pouvait supporter la moindre désapprobation, lâcha immédiatement Simon, qui de toute façon l'ignorait, et passa à l'attaque directe :

— Tu es absolument ravissante ce matin, Sophia. Bien que je ne comprenne réellement pas comment on peut être ravissante à huit heures et demie du matin. Je dis toujours à Spencer que, s'il veut que je sois spectaculaire du soir au matin, il n'aurait pas dû me demander un fils et un héritier.

J'ai un mari et j'ai produit un rejeton, le petit-fils de notre père, et tu es une salope frigide et stérile.

Peter abaissa son journal et révéla un visage trop vieux pour sa coupe de cheveux. Des joues bouffies et des yeux fatigués sous des boucles ridicules.

— Qu'est-ce qui retient alors le Grand Homme ? C'est un petit pays que le nôtre, combien de temps faudra-t-il pour effacer toute trace d'originalité artistique ?

Et non seulement tu es frigide, mais ce que tu fais dans la vie est une parfaite foutaise.

Sophia plaça sa cuiller d'argent entre la tasse et la soucoupe. Elle sourit faiblement, les yeux mi-clos, les traits de son visage lisse sereins. Parce que c'était son rôle dans le scénario ; paraître hautaine, être inaccessible, être élégante, la preuve vivante de l'accession de son père à l'aristocratie. Son propre sous-titre, se dit-elle, pourrait être : *Quel que soit le nombre de rejetons que tu produiras, Laura, si audacieux et indépendant que tu prétendras être, Peter, c'est moi qui dirige la galerie. Je suis l'élue.*

Parce que, pour tous, tout tournait toujours autour de Daddy. Les romanciers font tant de mystère à propos de ces choses, songea Sophia, les psychiatres en font un gagne-pain. Mais, assise là, elle s'étonnait : comme c'était évident, comme c'était stupidement simple et incontournable. Ce fauteuil, celui de son père, pratiquement une cathèdre gothique en hêtre sculpté, aux motifs en volute entourant un arc nervuré, se dressait dans le soleil mourant au centre de leur cercle, tout comme son maître occupait le centre de leurs vies, et c'était comme ça. Pourquoi ne pas l'admettre ouvertement, se dit-elle, et l'imprimer en clair sous l'image ? Les voilà, ils « orbitent » autour de lui. Chaque année ils reprennent les mêmes sentiers. Laura se fait toute petite et présente le fruit de ses entrailles ; elle sait qu'elle est pathétique, mais qu'elle ne peut pas changer. Peter fait étalage de ses opinions de gauche de plus en plus âprement, pour se remonter l'estime qu'il a de lui tandis que ses entreprises professionnelles échouent les unes après les autres. Et Sophia garde son poste à la droite du pouvoir grâce au subterfuge simple qui consiste à être constamment parfaite, et fréquemment déprimée. Et ça, c'est le dernier épisode hebdomadaire du feuilleton *Les Endering*. La semaine prochaine, ce sera exactement le même.

— Gare à toi, Tête de Griffe ! s'écria le jeune Simon sous la table. Batman arrive !

Et tout à coup il était parmi eux. Sir Michael lui-même. S'avançant militairement dans le carré de lumière, du seuil de la porte à son fauteuil. Un mètre quatre-vingt-cinq, rougeaud, les traits forts, le torse en baril et de vastes épaules vêtues d'un gilet et d'une veste campagnarde de tweed vert. Des fils d'argent dans sa houppe en flèche. Le menton comme une proue. Sophia sourit. La dimension et la force de son père la faisaient sourire. Soixante-quatre ans d'âge, fort comme un taureau, la démarche d'un navire qui fend les flots.

— B'jour, vous.

Peter avait réussi à garder sa jambe sur l'accoudoir. Sophia se demanda si cette jambe-là ne s'était pas ankylosée. Ou si elle ne s'était pas détachée de son corps. Peter abaissa bruyamment son journal, s'assurant que le titre du *Guardian* demeurait bien visible.

— Le travail de la journée est achevé ? s'enquit-il. Les domestiques ont tous été réprimandés ? Les deniers ont été extorqués ? Les tendances au modernisme éradiquées ?

— Et les serfs ont été foulés par les sabots de mes chevaux, compléta sir Michael, en s'installant dans son fauteuil. Une matinée tout à fait satisfaisante.

— N'est-ce qu'une impression, ou bien Peter est-il bien devenu un triste sire ? demanda sir Michael un peu plus tard.

Il se promenait avec Sophia dans le jardin. Leurs pas accordés, ils descendaient lentement le sentier pavé entre les cornouillers et les robiniers. Des fragments de colonnes et des statues, effritées jusqu'à n'être plus que des masses informes, jalonnaient l'herbe folle tout au long du chemin : dans ce jardin s'était élevé le cloître de l'abbaye quelque cinq cents ans plus tôt.

— Cette supériorité morale et cette indignation, poursuivit-il d'une voix basse. Je suppose que c'est à cela qu'on se raccroche en guise de succès, mais quand même...

— Il ne le fait que pour te provoquer, plaida Sophia.

Elle lui prit le bras. Elle se comportait à dessein comme une épouse. Parce que cela apaisait sir Michael. Et que ce leur était à tous deux agréable.

— Tout ce discours sur le *peuple* ! s'exclama-t-il de son ton favori de châtelain. On croirait entendre un Américain. Nous, le *peuple.* C'est incroyablement sentimental, non ? Il pourrait faire mieux.

Sophia leva le visage contre le vent du nord qui accourait. Elle regarda les énormes cumulus qui croisaient comme un escadron de fantômes dans le ciel. Les cornouillers rouges et les robiniers s'inclinèrent autour d'elle. Elle sentit l'épais biceps de son père sous ses doigts et s'appuya à lui. L'existence lui semblait toujours plus tolérable au grand air du jardin.

— Le *peuple* a fait de ce siècle presque tout ce qu'il voulait, pour autant que je puisse le voir, poursuivait sir Michael. Et quel est le résultat ? Plus de massacres de masse que toutes les têtes couronnées de l'histoire l'auraient jamais rêvé. Des chambres à gaz et des révolutions culturelles, voilà le travail du peuple. Et quand un Churchill ou un Roosevelt règlent leurs problèmes, ils commencent à geindre. C'est nos chefs, ce sont nos chefs qui nous ont induits en erreur. Bon, qui étaient leurs chefs ? Des savetiers, des paysans, des peintres en bâtiment. Qu'en espéraient-ils ? Le peuple ! Tout ce qu'ils ne peuvent pas assassiner, ils le dégradent. Les télévisions, les fast-food...

L'art moderne, pensa rêveusement Sophia.

— L'art moderne, dit sir Michael. Le peuple est turbulent et changeant ; il est bien rare que son jugement ou ses décisions soient justes. Tu sais qui a dit ça ?

Elle caressa affectueusement la manche de son père, pensant : *Alexander Hamilton*[1].

— Alexander Hamilton, déclara sir Michael. Et il était dans le système nous-le-peuple bien avant notre Mao Tsé-Peter.

Près du mur au fond du jardin, elle tira son père un moment devant une sculpture qu'elle trouvait particulièrement jolie. C'était une petite madone sous les buissons de rosiers. Du moins, c'était ce qu'elle pensait. Le temps et les intempéries en avaient presque effacé les traits. Ne demeuraient que la courbe gracieuse de la cape sur la tête et la délicate et sinueuse courbe gothique de la silhouette. Père et fille s'arrêtèrent pour l'examiner, main et bras joints.

— Il doit t'avoir particulièrement agacé ce matin, reprit Sophia, pour que tu en sois venu à le blâmer pour les Chinois et les Américains combinés dans une seule phrase.

Le grand homme abaissa son grand menton contre sa grande poitrine pour dissimuler un sourire.

— Tu penses probablement que je suis un vieil emmerdeur, gloussa-t-il. Eh bien, je suis un vieil emmerdeur. Je suis dans la prime jeunesse de mon âge de vieil emmerdeur. Je l'ai gagné ! Je ne m'en laisserai pas déposséder.

Sophia se mit à rire de nouveau, la tête contre son père. Il y avait plus de sang et d'esprit dans son père, pensait-elle, que dans une demi-douzaine de Peter. *Il méritait,* se dit-elle, qu'on orbitât autour de lui.

— Tu sais, je me rappelle avoir un jour visité un site bombardé à Londres, enchaîna-t-il, au plus grand plaisir de Sophia, qui aimait réentendre cette histoire. Je n'avais pas beaucoup plus de vingt ans. Et il y avait un vrai brouillard à l'ancienne, de la purée de pois,

1. Célèbre homme d'État américain (1757-1804), qui passa de convictions libérales et révolutionnaires à un pessimisme autoritaire et au désenchantement à l'égard de la démocratie américaine (*N.d.T.*).

qui recouvrait tout. L'on ne voyait autour de soi que des ruines noyées dans la fumée. Des chambranles de fenêtres qui vous fixaient comme des yeux. Des seuils de portes noircis qui n'ouvraient sur rien. Des gravats. Un paysage lunaire. L'odeur aigre. Et ce silence surnaturel, comme si le monde avait tout simplement disparu.

Ils revinrent lentement sur leurs pas, par le même sentier, en direction de la maison.

— Et là, j'ai eu une révélation, continua sir Michael. Je me suis rendu compte que le monde que j'avais connu était fini, que le meilleur de la civilisation avait disparu. L'Europe était écœurée d'elle-même et fichue. Sa volonté de grandeur s'était évanouie. Et j'ai pensé : il n'y aura plus de Raphaël, plus jamais. Plus de peintures dignes de lui. On n'écrira plus de grands opéras, on ne composera plus de grandes symphonies. Pas d'odes comme celles de Keats, pas de pièces comme celles de Shakespeare. Jamais. Les gens oublieront comment les apprécier, me suis-je dit. Ils l'oublient déjà. Ils apprennent à aimer des choses plus petites, moins nobles, et ils deviennent eux-mêmes plus petits, moins nobles. Un jour, ils s'assoiront en rond sur le sol et ils manipuleront les reliques des vieux trésors et ils grommelleront : « Qu'est-ce que c'est que ça ? Qui a pensé que c'était bien ? » Comme des singes jouant avec une lyre cassée.

La Grange se dressait devant eux, au-delà du mur du jardin. Ce n'était certes pas une demeure imposante, mais un vénérable vieux manoir au pied des collines des Cotswolds. Une longue bâtisse à deux étages. Quelques-unes des pierres du XVe siècle étaient toujours en place. De larges et hautes fenêtres au rez-de-chaussée, et deux ravissantes fenêtres en ogive et à pignons flanquant le toit pentu. Ç'avait été la maison de sa mère, construite sur l'emplacement du grenier de Belham Abbey. Une allée de hêtres cuivrés dominait le chemin qui menait à la porte principale, au cintre large et plein. À travers les branches, Sophia pouvait distinguer les ruines de la chapelle de l'abbaye. Le triangle droit du mur écroulé. Les stèles du cimetière inclinées sur l'herbe.

— Cela m'a déprimé et j'ai commencé à marcher poursuivit sir Michael. Loin des ruines, dans la City. Dans le brouillard, perdu. Sans but. Et puis, comme dans un conte de fées, j'ai entendu des voix chanter. Un chœur qui clamait « Jérusalem ». Je l'ai cherché et bien, évidemment, je suis arrivé à une église. On l'appelait St. James, je me le rappellerai toujours. Je suis entré. À l'exception du chœur, le lieu était désert. C'était une répétition pour un grand événement qui aurait lieu à St. Paul. Je me suis dit que c'était une sorte de symbole d'espoir. Tu vois, la congrégation est partie, mais la musique continue. Puis ils ont changé de chant. Quelque chose avec des alléluias, « Reconnais le premier le royaume de Dieu... », et une fille s'est avancée pour chanter un solo. Une ravissante créature. Avec ces cheveux de jais, ce visage grave. Complètement transportée par la musique. Une voix superbe, superbe. Mezzo-soprano. Un timbre de perle. « Et tout cela te sera donné... »

Il s'arrêta, tapota le dos de la main de sa fille.

— C'était la première fois que je voyais ta mère.

Sophia essaya de sourire, mais cette fois, l'histoire changea son cœur en plomb. Elle détourna le visage, puis regarda vers la grange à outils du jardinier. Elle était vaguement consciente que le fossoyeur se trouvait là. Harry. Les jambes écartées sur le toit. Tirant des clous d'entre ses lèvres. Les fixant le long de la gouttière. *Tic-tic, tic-tic.*

Cela s'annonçait *décidément* comme l'un de ses passages au noir. L'un des pires de tous. Elle n'était pas sûre d'être en mesure de le supporter.

— À propos, pendant que j'y pense, reprit sir Michael. Tu sais que *Les Mages* seront mis en vente chez Sotheby's dans une quinzaine. Je pense que nous devrions l'acheter.

— Quoi ?

Elle se retourna d'un coup pour lui faire face, mais elle eut le temps de se rendre compte que c'était parfaitement normal. C'était exactement ce qu'il devait dire. *Les Mages* étaient un tableau romantique allemand. De la période dans laquelle ils s'étaient spécialisés. C'était tout à fait un tableau pour eux. On s'attendrait à leurs enchères.

— Oui, dit-elle prudemment. En effet. Si le prix est raisonnable. Trente ? Quarante, peut-être ?

— Non ! s'écria sir Michael en penchant en arrière sa tête impressionnante. Peu m'importe si c'est le double de ce prix. Le triple. Peu m'importe. Je veux acheter *Les Mages*. Achète-le, quel que soit le prix.

Le portrait de sa mère était accroché en face de son lit. Son vieux lit au premier étage de la Grange, le lit à colonnes de son enfance. Sous sa couette cette nuit-là, elle pouvait voir le tableau sous la frange du dais.

Le portrait avait été peint peu après le mariage de ses parents. Ann devait avoir exactement l'âge de Sophia. Dans une robe de bal de satin ivoire, la gorge nue dominant le décolleté, elle regardait d'un air conquérant par-dessus son épaule. Une pose banale de nos jours. Et le portrait était flatteur, voire flagorneur, éliminant toute originalité. Mais la ressemblance du modèle avec sa plus jeune fille était évidente : mêmes cheveux noirs, mêmes pommettes hautes, mêmes yeux bruns et même teint de perle. Seulement, chez sa mère, songeait Sophia, c'était plus chaleureux, plus doux, plus tendre. Le regard était plus amène, le sourire plus indulgent et plus amusé. La pose tout entière paraissait être celle d'une offrande.

À regarder ce tableau, Sophia trouvait la souffrance de la solitude presque insupportable.

Tout à coup, elle repoussa la couette. Elle se leva. Sans savoir ce qu'elle faisait, ni pourquoi elle pleurait. Elle sortit de la chambre et se retrouva dans l'obscurité du corridor. Il y avait une horloge de parquet à l'autre bout. *Tic-tic, tic-tic.* Le son était hallucinant. Obsédant. Tandis qu'elle se dirigeait vers l'escalier, le tapis usé lui râpant les pieds, la perspective du palier sembla obliquer. Les murs parurent se pencher au-dessus de sa tête. Les portraits qui y étaient accrochés la considérèrent de très haut, comme si elle était une enfant. Elle eut peur. Son cœur battit la chamade. Sa chemise de nuit, si blanche qu'elle semblait lumineuse, parut se soulever et flotter autour d'elle ; elle eut le sentiment d'y flotter tandis qu'elle descendait les marches.

Tic-tic, tic-tic. Oui, c'était exactement comme cela que cela s'était produit. Désormais, elle se rappelait tout. C'était pour cela qu'elle se sentait si petite et qu'elle avait peur. Comme une enfant. Elle avait été une enfant. Quatre ou cinq ans. Elle avait descendu l'escalier. Comme ça. *Tic-tic, tic-tic.* Elle appelait sa mère. Elle suivait le bruit. Excepté ce son, la maison était silencieuse, silencieuse et endormie comme elle l'était à présent. Et puis elle arriva au hall d'entrée et bifurqua. À gauche ? Oui. Elle bifurqua à gauche, et continua de marcher, s'essuyant les joues mouillées de la paume, un doigt sous son nez qui coulait.

Un autre corridor. Un corridor bordé de portes. Entre elles, des peintures et des guéridons ; des pendules, des chandeliers, des chaises vides. Au bout, une tapisserie représentant un dragon à plusieurs têtes, dressé, la queue dans les étoiles. *Tic-tic, tic-tic.* Elle était venue à la recherche de sa mère. La dernière porte. L'étude de son père. À gauche.

Elle poussa la porte, la referma derrière elle.

Alluma les lumières. Deux ampoules d'applique jaunâtres sous des abat-jour ; elles ne faisaient que rendre la pièce plus ténébreuse, plus impressionnante, plus sinistre. Des étagères couvertes de gros volumes s'étendaient à droite et à gauche. Devant elle trônait le bureau de son père, tel un mammouth austère ; ses têtes de bélier en acajou sculpté, au sommet de pilastres, la considéraient d'un air morne. Derrière, sur un fond de draperie de velours vert, se dressait le haut fauteuil de cuir, incliné par le long usage. Il semblait la toiser d'un œil soupçonneux, comme à travers des paupières mi-closes.

Elle savait que c'était stupide, mais elle avait vraiment peur. Elle eût souhaité que les rideaux fussent tirés. Elle savait que les ruines de la chapelle se trouvaient dehors, dans l'obscurité. Le vieux cimetière. Elle regarda son visage réfléchi dans la vitre, et eut peur que quelque chose ne se dégageât de la nuit pour se coller sur son reflet, de l'autre côté du carreau. Annie la Noire...

Tic-tic, tic-tic. Cela venait de la droite, du fond de l'une des étagères. C'était ce qui était advenu. Elle l'avait entendu. Elle avait appelé sa mère. Elle avait tendu la main vers la porte secrète. Elle sentait les livres sous ses doigts. Les reliures nervurées. Du cuir, charnel. Il y eut un déclic et les étagères s'animèrent sous ses doigts. Elles pivotaient dans le mur. S'ouvraient vers l'extérieur. *Tic-tic.*

Soudain, les étagères s'ouvrirent sur une chambre secrète et là se tenait son père, couvert de sang.

— Es-tu un assassin, Daddy ? hurla-t-elle.

— Oui, répondit-il, d'une voix rauque et haletante. Je crains de l'être.

Ce n'était qu'un cauchemar de plus, bien sûr. Mais il était terrifiant, et quand elle se réveilla, elle affronta le souvenir morbide de son père dans le jardin. *Achète Les Mages. Achète-le à tout prix...*

Elle s'assit sous le regard tendre de sa mère, essayant d'effacer le souvenir, le rêve, tout. Pliant les genoux sous la couette, s'accoudant dessus, se frottant le front de ses paumes.

Quiconque achète Les Mages, *c'est celui qui m'aura tué.* Les trous sanglants qui avaient été les yeux de Jon Bremer béèrent devant elle. *Quatre sont déjà morts. Il est le Diable de l'Enfer. Il paiera n'importe quoi, plus que* quiconque. *Quiconque achète* Les Mages, *Sophia...*

La mâchoire de Sophia lui fit mal. Elle grinçait des dents.

Achète Les Mages *à tout prix.*

Elle aurait simplement voulu être davantage surprise.

7

La veille de sa rencontre avec Sophia, Richard Storm se prépara par une méditation sur John Wayne.

Il possédait une photo autographiée de la star, enveloppée dans un plastique à bulles, à l'intérieur d'un placard. Il la sortit, la déballa et la posa sur la fragile table pliante de son appartement exigu. Il s'assit devant, sur une chaise branlante, entre des murs tapissés de papier marbré jaune, d'un miroir à dorure de toc et de gravures florales mêlées qui décoraient cette sorte de motel hors de prix. Il sirotait une tasse de café décaféiné, grignotant un sandwich régime Shapers insipide, acheté dans l'un de ces drugstores Boots : des crevettes et de la pêche avec de la crème de raifort ou quelque autre révoltant produit britannique. Tout en mangeant, il pratiquait la *pranapatisha,* une forme sacrée de respiration qu'une poupée blonde lui avait apprise à Big Sur. Elle lui avait dit qu'elle était supposée infuser de vie l'image de votre ancêtre protecteur. Tandis qu'il étudiait la photo, la *pranapatisha* lui fut aussi très utile pour refroidir son café.

Le cliché représentait le Duke[1] en pied, s'avançant vers la caméra. Plissant les yeux sous son chapeau à large bord, la Winchester à la main. C'était une photo

---

1 Surnom familier de John Wayne (*N.d.T.*).

de plateau de *Hondo,* l'un des films favoris de Wayne aussi bien que de Storm. Une histoire de vagabond chevronné qui va à l'autre bout du monde pour sauver une femme et son fils. Storm possédait la photo depuis qu'il avait neuf ans, mais elle était en parfait état. Il en avait toujours pris jalousement soin.

Parce que Wayne *était,* en effet, une sorte d'ancêtre protecteur.

Il avait donné à Storm son nom de famille. Le père de Storm s'était appelé Jack Morgenstern quand il avait quitté la quincaillerie de son père à lui, à Brooklyn, à la fin des années quarante, et qu'il était parti pour la côte Ouest. Peu après qu'il eut atteint Hollywood, sa séduction rugueuse lui avait valu un autre nom, Jack Stern. Qui avait figuré dans les génériques de ses premiers films, où il avait tenu des rôles de gangster, de serveur espagnol et du marchand de pop-corn qui crie : « Par ici ! » dans *Strangers on a train.* Puis il avait eu sa grande chance. Il était allé quelque part au Mexique pour jouer le rôle de Cade dans *Hondo.*

C'était James Arness, la covedette du film, qui avait présenté le nouveau venu au Duke. Là, sur les lieux du tournage, dans la poussière et les broussailles, au milieu des caméras aux oreilles de souris et des chaises de toile.

Wayne, engagé à l'époque dans la procédure d'un divorce tempétueux et enragé, était vêtu de son costume à franges d'éclaireur indien, en compagnie d'un groupe d'hommes qui suaient dans leurs vestons. Quand Arness l'appela, Wayne alla vers le père de Storm avec ce déhanchement breveté, à la fois menaçant et dansant. Il dirigea vers le vaste horizon un regard typique du Duke, puis se lança de côté dans une poignée de main, que le nouveau venu accepta avec ferveur.

— Duke, annonça Arness, c'est Jack Stern.

Le regard plissé de tireur de John Wayne explora le jeune homme de la tête aux pieds. Wayne parla, et la voix, le nasillement, l'élocution hachée et indifférente du Middlewest, tout ça c'était authentique :

— Storm, marmonna-t-il lentement, c'est le nom qu'il te faut.

Et l'autre avait donc été Jack Storm dans *Hondo,* dans *Rio Bravo,* et pour toujours.

Mais il y avait d'autres choses que Storm avait héritées de Wayne. Des gestes, des expressions, des phrases ; transmis par son père, qui avait tout imité en mettant son personnage au point, à l'écran aussi bien que hors de l'écran. Et, surtout, il y avait la photo, que le Duke en personne avait offerte à Storm pour son neuvième anniversaire.

Cher Rick, disait la dédicace, *vis droit, tire droit, marche droit et passe un bon anniversaire. Ton ami, John Wayne.*

D'accord, *tire droit,* c'était difficile de savoir ce que ça voulait dire dans le contexte moderne. Mais les autres conseils étaient assez clairs, et ce soir-là, Storm en éprouvait la valeur. Il était sûr qu'il n'avait ni vécu droit, ni marché particulièrement droit dans les années écoulées depuis son divorce. Il y avait eu de la drogue et quelques femmes qu'il avait traitées comme un mufle. Et un ou deux coups qui lui avaient aliéné plus d'un ami. Il s'était vanté durant ces années-là : « Non seulement je nage avec les requins, mais je couche avec les piranhas. » Grand mec. Il n'en était plus tellement fier.

Parce qu'il y avait eu le Jour du Jugement, cet affreux matin de septembre. Quelques nuits auparavant, il s'était envoyé des rails de coke, s'agitant dans le lit avec une femme metteur en scène qui pensait qu'il lui donnerait du boulot. Il s'était roulé sur lui-même, était tombé et s'était ouvert le crâne sur le coin du VCR. Avait suivi le court et atroce séjour à l'hôpital Cedars-Sinai. On l'avait ensuite relâché, avec des pansements, gris, halluciné. Tout avait changé. Il était allé en voiture au Mann's National Theater à Westwood. Il était sorti de sa Jag et s'était arrêté sous la gigantesque marquise de son dernier film. *Hellfire.* Avec une silhouette découpée de Jack Nicholson qui devait bien faire la hauteur de deux étages. Une affiche lumineuse qui représentait des flammes. Et les mots *Produced by Richard Storm* longs de deux mètres et son nom aussi gros que son corps. Et, pour la première fois, Storm avait songé que tout cela serait balayé. Pas seulement l'affiche, son nom, le succès. Mais lui aussi bien, Nicholson, le public, le cinéma, Westwood, toute la ville, Los Angeles, escagassée, bousillée dans sa cuvette fumeuse. Le décor de gratte-ciel au loin, les boucles des autoroutes dignes d'Escher, les villas et les taudis : les tremblements de terre auraient leur peau, et puis les vagues de l'océan. Avec le temps, l'Amérique elle-même s'écroulerait, les millénaires la réduiraient à l'état de ruines, comme Rome. Il vit tout cela : des cafards archéologues essayant de comprendre quelque chose aux gravats de Disneyland, des vaches vertes descendant des aphides broutant dans les décombres de l'arche de St. Louis, Charlton Heston mordant la poussière près de la statue de la Liberté écroulée, il pouvait imaginer tout cela.

Et que resterait-il alors de lui ? Le grand mec. Sa mère était morte, son père était mort, sa salope de femme cupide était partie et sa maison était partie avec elle. Il n'avait pas d'enfants, pas de vrais amis, pas de famille. Il ne connaissait même pas une seule ligne de poésie par cœur. Il était complètement seul.

Storm posa sa tasse de café. Ravala ses larmes pour ne pas faire honte au Duke. Vise droit, tire droit, marche droit, pensa-t-il. Le temps en était venu.

Demain, quand il verrait Sophia Endering, il se rappellerait la façon dont Harper Albright l'avait décrite :

Si elle a vraiment un cœur, il est tenu très fermement en bride. Et si elle est jamais démunie de ses formidables défenses, mon opinion est que vous la trouverez fragile comme le bonheur, et tout aussi précieuse.

Ce qui ne faisait que confirmer ce que Storm savait déjà : l'amour lui était interdit. Le sexe, le flirt et même un excès de tendresse lui étaient interdits, parce qu'il ne serait pas capable de la protéger contre les terribles conséquences. Il voulait savoir si Sophia avait vu le fantôme de Belham Abbey ? Très bien. C'était une recherche purement métaphysique. Il pourrait éprouver de la difficulté à se retenir. Il pourrait être tenté. Ça n'avait pas d'importance.

Il se leva de son fauteuil, les yeux plissés comme ceux d'un tireur. Il se sentait bien. Il se sentait fort. Il se sentait préparé à sa rencontre avec Sophia. Sa méditation avait été efficace, et il était désormais possédé de la vérité qu'il avait cherchée.

Un homme doit faire ce qu'il a à faire.

8

Mais elle était, oh, si belle. Dès l'instant où il la revit, vêtue de son admirable peau, il sentit toutes ses résolutions faiblir. Il avait fait le pied de grue à l'extérieur de la galerie Endering pendant plus d'une heure. Prétendant étudier les chemises dans la devanture d'un magasin en retrait de l'autre côté de la rue. Il ne savait pas quel magasin, il se fichait des chemises. Il essayait simplement de décider quelle était la meilleure manière de l'approcher, et il n'en finissait pas d'essayer.

Les problèmes logistiques paraissaient insurmontables. Devrait-il être direct avec elle ? Désinvolte ? Insidieux ? Avec son regard qui changeait les hommes en poussière et son cœur emballé sous pression, elle devait disposer d'un impressionnant arsenal contre les intrusions de fâcheux. Il ne voulait pas faire d'erreur.

Il était déjà quatre heures. La lumière d'hiver déclinait. Le temps était gris et froid et Storm avait froid, les poings serrés dans les poches de son trench-coat boutonné. Et il n'arrivait toujours pas à prendre une initiative.

Puis il la vit, ou plutôt, il aperçut son reflet dans la vitrine sombre. En se retournant, il la vit en chair et en os, poussant les portes de la galerie pour se lancer dans l'après-midi qui virait à l'indigo. Démarche excitante d'efficacité. Rapide, naturelle, contrôlée. Marchant sans hésitation sous les enseignes de couleur et devant les vitrines de New Bond Street. En dépit du ciel nuageux, en dépit du vent humide, elle ne portait qu'un chandail léger sur une blouse ouverte à la gorge. Des jambes fuselées et gainées de nylon sous le genou, une jupe plissée que Storm trouva juvénile et adorable. Il l'observa, se disant oh, oh, oh. Il avait oublié jusqu'alors à quel point il en était énamouré.

Il attendit qu'elle fût passée, puis il quitta sa planque et la suivit. Il allait vite pour ne pas la perdre. Se faufila entre une paire d'élégants qui faisaient des courses. Se glissa entre des touristes américains éléphantins. Se débattant pendant tout ce temps pour boucler la ceinture de son trench-coat, car la brise était tenace. Il n'avait jamais filé personne auparavant. Ça commençait à lui taper sur les nerfs. Du coin de l'œil, il pouvait discerner sa silhouette pressée dans les vitrines des joailliers et il se demanda tout à coup ce qu'il faisait là. Et si elle le voyait et le reconnaissait ? Que lui répondrait-il ?

Heureusement, ce ne fut pas trop long. La bannière vert et or de Sotheby's palpitait devant lui. Sophia se trouvait déjà dessous. Et, sans ralentir, elle avait poussé la porte et disparu à l'intérieur.

Storm s'arrêta un moment. Autre expérience nouvelle : il n'était jamais entré dans une maison de vente aux enchères. La façade du lieu paraissait impressionnante. Un huissier habillé comme un *marine* américain faisait les cent pas devant les colonnes de marbre rose de l'entrée. On distinguait à travers les portes vitrées une batterie de bureaux de réception, vraie course d'obstacles. Au-delà, une formidable paire de sphinx trônant sur d'épais tapis, gardant le grand escalier du hall d'entrée. L'ensemble semblait très officiel et intimidant. Storm regretta de ne pas porter un costume-cravate au lieu de son jean noir et de sa chemise de plouc à boutons de nacre.

Mais il entra. S'efforça d'avoir l'air à l'aise, sûr de lui. Trottina maladroitement sur les tapis persans étendus devant l'escalier. Passa les deux sphinx, s'engagea sur l'escalier. Où était Sophia ?

Il atteignit le palier. Il se dirigea vers les galeries d'exposition et se retrouva dans un labyrinthe de panneaux blancs sur lesquels étaient accrochés des tableaux. Ça avait l'air de jolies peintures, bien qu'il ne fît que les effleurer du regard. Des chairs cireuses. Des halos dorés. Des ailes plumeuses. Des yeux suppliants tournés vers le ciel. Il éprouvait le froid ecclésiastique de l'art ancien tandis qu'il passait d'un petit corridor à un autre, d'un tournant à un autre.

Il parcourut l'endroit du regard, cherchant la fille. Ça regorgeait d'argent, c'était évident. Des Américains renfermés, agressifs, avec des yeux métalliques. Des bruns, avec de grosses lèvres et des revers larges. Des Anglais aux cheveux argentés en costumes dont les rayures semblaient descendre jusqu'au centre de la terre. Ils circulaient tous tranquillement dans le labyrinthe, passant lentement devant les peintures, les étudiant d'un air vaguement prédateur. Des vendeurs dansaient autour d'eux des sortes de rigodons serviles, des jeunes messieurs impeccablement toilettés ou des sylphes en chandails. Mais pas de Sophia.

Storm parvint dans une pièce centrale et s'arrêta au pied d'une crucifixion rosâtre. Il pesta en silence, regarda de gauche et de droite. Il semblait l'avoir perdue.

Et puis, il la vit. Toute seule dans le coin le plus reculé. Immobile devant une peinture unique. Idéalement située...

Storm alla se placer derrière elle, les mains ballant maladroitement. Elle avait relevé ses cheveux et il voyait maintenant sa nuque duvetée. Il remarqua que les rampes d'éclairage destinées aux tableaux éveillaient des reflets acajou dans son chignon noir. Il était tout près d'elle et il capta son parfum et c'était comme... Il ne savait pas comme quoi, comme un jardin sans doute. Bouleversant. Interdit. Il voulut prendre la fuite avant qu'elle le vît disparaître.

Mais quelque chose attira son regard. La peinture qu'elle contemplait, la peinture isolée sur le mur blanc.

— Oh ! laissa-t-il échapper.

Sophia se retourna d'un coup et le dévisagea. Ne put retenir un soupir rapide, surprise.

Mais Storm continuait à examiner la peinture par-dessus l'épaule de Sophia.

C'était le portrait d'Annie la Noire.

La ressemblance le stupéfia. La peinture montrait la nuit tombant sur des arbres décharnés, dont les branches tourmentées penchaient au-dessus de pierres cassées, aux troncs d'un sinistre brun profond, qui semblait monter de la terre pour les engloutir. Dans ce décor de ruines se trouvait la chapelle. Un pan de mur. L'espace brisé d'un châssis de fenêtre ouvrant sur un ciel désolé. Et, dessous, une silhouette encapuchonnée, terriblement sombre, qui s'avançait sur un sol d'hiver dévasté. Annie la Noire.

Deux autres silhouettes se détachaient, à l'arrière-plan, deux autres fantômes encapuchonnés suivant le premier. Peut-être le tableau n'était-il pas conforme à l'histoire. Néanmoins, se dit Storm, il y avait bien peu de chances qu'ils se rencontrent tous deux, elle et lui, devant une pareille scène.

— Ce n'est pas du tout incroyable, réfuta Sophia avec fermeté, alors qu'ils remontaient ensemble New Bond Street.

La nuit était tombée. Vitrines et devantures étaient éclairées. Des bijoux scintillaient et des peintures rayonnaient dans une chaude clarté derrière les glaces. Au-dessus d'eux, les enseignes des boutiques se noyaient dans l'obscurité, donnant à la rue l'air plus étroit et plus intime. Les trottoirs étaient encombrés de curieux et de touristes qui les bousculaient de part et d'autre.

— Les romantiques allemands et les gothiques anglais se sont en fait inspirés librement des mêmes sources. C'était une sorte de réaction contre le siècle des Lumières, sa logique, sa science, son classicisme. Les romantiques allemands voulaient restaurer le mystère et la religion du Moyen Âge. C'est de là que viennent les abbayes et les cathédrales en ruine : une nostalgie pour les temps de la foi. Votre histoire de fantômes, *Annie la Noire,* si je me rappelle bien, a été publiée plus tard. C'était une version bon marché, commerciale, de l'idée selon laquelle le monde des esprits est réel, vous voyez ? Rhinehart essayait de montrer que le monde tel que nous le voyons n'est jamais une chose en soi, mais qu'il est toujours infusé, comme eût dit Kant, de notre conscience spirituelle.

— Ouais, dit Storm, dont la propre conscience spirituelle était infusée du V de chair crémeuse au-dessous du creux de la gorge de Sophia, du parfum qu'elle diffusait dans l'air froid et de cet accent cassant qui le réduisait en miettes.

Il ne pouvait cependant pas ignorer que cette conférence qu'elle venait de lui donner était plutôt expéditive et distante, comme une façon de lui donner congé. Il voulut lui poser mille questions, *Et le fantôme de Betham Abbey, près de la maison de votre père ? Et le fait que vous ayez laissé tomber le verre quand j'ai lu son histoire ?* Mais il devinait qu'elle le rejetterait. Il se contenta donc de dire :

— Je ne sais pas. Cette peinture, elle ressemblait vraiment pour moi à Annie la Noire.

Elle répliqua aussitôt, désinvolte et pourtant insistante :

— Je ne crois pas. C'est la version romantique des *Rois mages* par Rhinehart, tout simplement. C'est censé représenter les trois rois apportant leurs cadeaux au Christ enfant. Ce panneau fait partie d'un triptyque sur la Nativité. Le deuxième représente une sorte de madone folklorique, dans les bois, et l'autre le bébé dans son auge. Je crains que cela n'ait rien à voir avec des nonnes assassinées.

— Tout de même, n'est-ce pas une coïncidence ? Moi venant ici, vous, vous trouvant là...

— Pas du tout, coupa-t-elle d'un ton glacial. Nous projetons d'enchérir sur ce tableau à la vente de la semaine prochaine. Je ne vois là aucune coïncidence.

Et là-dessus, elle s'affaira à redresser la broche en or qu'elle portait sur son chandail : le dessin ressemblait à un fer à cheval renversé, à l'intérieur duquel se trouvait quelque chose comme un huit.

Storm n'osait insister.

— C'est joli, dit-il, faute de mieux. Jolie broche.

— Oh, merci. Elle appartenait à ma mère, répondit-elle en continuant à la tripoter sans même lever les yeux. Je ne l'ai pas mise depuis mon enfance.

— Ils atteignirent l'entrée de sa galerie. Ils se tenaient entre deux petits sapins dans des bacs en fonte, sous l'auvent rouge bordeaux portant en lettres d'or *Endering Gallery, à côté d'une vitrine ornée d'un paysage de collines rocheuses ouvrant sur des horizons brumeux. Sophia s'arrêta, la main sur la porte, le visage tourné vers Storm, hésitante. Il la dominait de ses épaules voûtées, les mains enfoncées dans les poches de son trench-coat, les yeux emplis de nostalgie et de tristesse.*

— Voulez-vous entrer ? proposa-t-elle enfin, à contrecœur sembla-t-il à Storm. Nous avons beaucoup de peintures de cette époque.

Elle tenait la porte ouverte. Storm entra.

Il se retrouva dans une longue salle aux murs couverts de boiseries sombres, sur lesquelles des peintures étaient accrochées sous un éclairage tamisé. Le mur de gauche était surmonté d'un balcon qui longeait une autre longue série de cimaises à l'étage.

Juste à l'entrée, une jolie blonde était assise derrière un bureau. Elle n'était guère plus jeune que Sophia, mais son sourire était empreint de déférence. Quand elle tendit quelques billets roses portant des messages, Sophia les prit sans même lui rendre un regard.

— Vous voyez ? C'est vraiment le style de peintures qui vous interpelle, dit Sophia à Storm. Regardez autour de vous. Vous en trouverez une demi-douzaine qui vous rappelleront votre histoire de fantômes.

Puis elle se pencha vers le bureau et les deux femmes s'entretinrent à mi-voix pendant que Storm s'avançait dans la salle. Il fit mine d'observer les tableaux sur les murs. Des rochers tourmentés déchirant des cieux turbulents. Des crucifix se dressant parmi des pins immenses. Des cathédrales drapées dans des crépuscules inquiétants. Et des lunes qui mouraient dans des mers brumeuses. Il n'en retira qu'un sentiment de brouillards et de ferveur, des fragments d'images et de climat tourmenté. Il était lui-même tourmenté. Se débattant dans les affres du regret. Tout ce bavardage sur des peintures et des théories. Et maintenant, il allait sortir de là et il ne la reverrait jamais.

— Cette toile se trouvait à Karinhall[1].

Sophia se trouvait soudain derrière lui. Il la vit regarder par-dessus son épaule la peinture devant

---

1. Vaste chalet où le maréchal Goering avait accumulé ses œuvres d'art (*N.d.T.*).

laquelle il s'était arrêté : un château qui se découpait sur une colline qui se découpait également sur le ciel.

— Karinhall ? répéta Storm en la fixant l'air absent.

— Elle appartenait à Goering durant la guerre, expliqua-t-elle. Les nazis adoraient ce genre de peinture. L'imagerie médiévale, le folklore, toutes ces revendications du Saint Empire romain, c'était leur tasse de thé. Certains disent que le romantisme allemand, le malaise allemand, a été responsable du Troisième Reich. Ils prétendent que cet art est imprégné du mal...

Storm haussa lentement les épaules. Il se rappela ce que Harper lui avait révélé à propos des nazis et du père de Sophia. Il pensa qu'il devait dire quelque chose pour rassurer Sophia :

— Ces types sont tous morts, de toute façon, dit-il au bout d'un moment.

Sophia le considéra avec attention et sourit sans entrain.

— Vous voulez dire que ce qui est passé est passé.

— Si le passé n'est pas passé, qu'est-ce qui l'est ?

Elle sembla sur le point de répondre, mais se ravisa et secoua la tête, les lèvres entrouvertes. Puis, comme si elle était troublée, elle détourna le regard en tripotant de nouveau sa broche.

— Je pense que rien ne meurt jamais, murmura-t-elle. Tout reste gravé sur l'écorce des choses.

Et quand elle leva les yeux vers lui de nouveau, à l'étonnement de Storm, tout fut différent. Ils eurent un « moment ». C'est comme cela qu'ils l'appellent dans le cinéma, un « moment ». *Nous avons besoin d'un moment entre le héros et la fille, là,* avait l'habitude de dire Storm quand un scénario ne collait pas. *Quand ils se rencontrent pour la première fois, il faut qu'il y ait un moment.* Un « moment » était un échange de regards, un geste, un frisson, *quelque chose* où passait entre deux personnes de l'émotion ou de l'information, sans paroles. Quand Sophia avait levé les yeux vers lui, la distance, leur inertie, leurs froideurs s'étaient dissipées. Son regard était profond et désespéré, et il y eut un « moment » entre eux. *Oh, mon vieux, elle a des ennuis. Elle a peur.*

Mais ce ne fut qu'un moment. Il s'évanouit si vite que Storm n'était même pas certain qu'il fût advenu. Elle renifla dédaigneusement et détourna la tête brusquement. Storm ne savait quoi dire. Il eut un petit rire nerveux assorti d'un geste mécanique :

— Je dois admettre que toutes ces peintures mises ensemble, comme ici, rendent l'atmosphère assez fantomatique, dit-il. N'êtes-vous jamais anxieuse quand vous vous trouvez ici toute seule ?

— Jamais, répondit-elle sur-le-champ, en lui faisant face de nouveau.

La violence avec laquelle elle articula ce qui suivit, toujours avec ce timbre cristallin, l'étonna :

— J'aime ce lieu. C'est ici que je veux mourir.

9

Un sentiment étrange s'empara de Storm tandis qu'il rentrait à pied chez lui, une sorte de pressentiment orageux. Rien ne lui paraissait en place. Rien n'était clair ni agréable. Cette sensation partait du centre de son corps et se diffusait alentour. Tout commença à lui paraître inerte et étrange.

Il rentra chez lui en empruntant les grandes avenues, Piccadilly, Knightsbridge. Les chaussées grondaient de taxis noirs et de bus à deux étages. Le ciel se convulsait de façon grandiose au-dessus de l'arche de Wellington et de la statue équestre et vigilante du Duc de Fer. Le dôme de Harrod's était éclairé de petites ampoules blanches, comme à la Noël, et les trottoirs venteux grouillaient de monde. Et pourtant, tout cela lui paraissait plat et mort, mort et étrange.

Il y avait sur Fulham Road un vieil hôpital, un monstre de bâtisse victorienne en brique, gigantesque et chargé d'histoire. Un mur également de brique s'élevait près de là, que dépassaient des branches de robiniers. Tandis que Storm passait, les mains dans les poches, les épaules voûtées, un chien noir aboya à son intention. Sa maîtresse, une vieille femme, essaya de l'écarter, mais le chien aussi tirait sur sa laisse en retroussant les babines. Storm se cala contre le mur. La vieille parvint enfin à éloigner le chien et lança des excuses à Storm, qui avait déjà tourné le dos. Il reprit sa marche. Mais l'incident l'avait contrarié. Il se sentait pourchassé, c'était cela.

Qu'est-ce qu'il faisait là ? Dans cette ville étrangère, avec tous ces étrangers ? Qu'était-il venu chercher ? Des fantômes ? Un garçon intelligent comme lui ? Il cherchait vraiment des fantômes ? Cela avait semblé plausible. Après tous les films qu'il avait tournés. Une évolution logique. Dans le sens de ce que Sophia avait dit du siècle des Lumières et des romantiques : c'était sa quête privée au nom de la foi et de l'esprit humain, sa réaction au rationalisme impitoyable, aux savants implacables, aux médecins froids et sans compassion. Il avait pensé qu'il devait vraiment le faire.

Maintenant, cela lui paraissait ridicule. Frivole, inutile, stupide. Il était là, à huit mille kilomètres de chez lui, dans la compagnie d'une vieille folle excentrique, se morfondant pour une fille qui avait la moitié de son âge, gaspillant ses jours précieux...

Il atteignit son immeuble, un énorme bloc de béton accroupi au coin comme un crapaud blanc. Il franchit les larges portes automatiques, passa devant la gardienne somnolente et les ascenseurs pour gagner les escaliers. Tandis qu'il gravissait lentement les marches, ses jambes flageolaient. Il se sentait traqué. Comme si quelque chose de terrible le rattrapait, quelque chose dont l'épaisse moquette verte étouffait les pas.

Il atteignit le troisième étage. Un long, long corridor. Il devait pousser d'épaisses portes coupe-feu, deux battants, puis encore deux autres. Ses bras aussi commençaient à trembloter. Tout son corps devint épais et lourd.

À mi-chemin du corridor, il atteignit sa porte. Chercha ses clefs. Entra dans le petit appartement et poussa les commutateurs avec le poing. Se défit de son trench-coat et le pendit au coin de la porte du placard. Le vêtement tomba par terre.

La loupiote clignotait sur son répondeur. Il l'ignora. Il passa à la cuisine, toujours tremblant. Se fit couler un verre d'eau. Le rapporta dans la salle de séjour, vers le sofa. Se laissa tomber avec lassitude sur les coussins. Ce ne fut qu'alors qu'il tendit faiblement le bras pour pousser le bouton de l'enregistreur de la machine.

« Allô ? Allô ? Est-ce que ça enregistre ? Merde avec ces appareils. »

Harper. Sa voix semblait lointaine. Creuse ; dans une chambre d'échos.

« Richard ? Je suis tombée sur quelque chose que je pense que vous devriez voir... voir... voir... »

Les mots lui parurent susciter des échos confus. Il regarda autour de lui les murs jaunes et le miroir à la fausse dorure. Les chaises incolores et le machin orange sur lequel il était assis. Tout était mort et étrange. Qu'est-ce qu'il faisait là ?

« C'est un petit truc... truc... truc... appelé *Le Château de l'Alchimiste...* »

Il porta le verre à sa bouche et l'eau en jaillit, se répandit sur sa chemise à boutons de nacre, mais il ne se rendait toujours pas compte de ce qui lui arrivait. Sa main tremblait, mais elle aussi semblait étrangère, lointaine, morte, étrange. Et puis le verre lui échappa. Il heurta le pied du sofa. Se brisa. Des fragments brillants sur le tapis. Une tache foncée qui s'étendait. *Sophia*, pensa-t-il. Son regard vide tomba sur la cuisse de son jean et il vit une autre tache qui s'y étendait. Une douleur pareille à un coup de rasoir lui fendit le front. Et il comprit. Il se saisit les tempes des deux mains. Il fulmina, plein de rage, contre la raison implacable, les savants sans compassion, les médecins du Cedars-Sinai Hospital avec leurs mines froides, impitoyables.

« Le Château de l'Alchimiste... Le Château de l'Alchimiste... »

Six mois, bande de salauds ! cria-t-il dans son cœur. *Vous m'avez dit que j'en avais encore pour six mois !*

Puis les convulsions le saisirent et il tomba sur le sol, inconscient.

III

LE CHÂTEAU DE L'ALCHIMISTE OU LE DESTIN DE LA VIERGE

Anna reposait dans le caveau moisi de la famille depuis une longue année, et le chagrin de son époux Conrad demeurait inconsolable. Les villageois avaient même commencé à murmurer que la folie héréditaire qui avait détruit le père de Conrad revendiquait désormais le fils et héritier, dernier de cette illustre lignée. L'on pouvait voir nuit après nuit le jeune homme à la fenêtre de son château solitaire et mélancolique. Ses traits hagards, marqués par la douleur, en faisaient une présence spectrale aux yeux du rude bûcheron ou du paysan qui passaient devant cette morne demeure gothique. L'air véhément et sauvage, Conrad contemplait pendant de longues heures le paysage accidenté qui menait aux confins enchevêtrés et hostiles de la Forêt noire ; il levait souvent un œil fébrile vers les ruines croulantes d'une tour voisine, dernier vestige du jadis magnifique château de Blaustein.

La population locale avait quelque peu espéré, surtout après l'arrivée de sa cousine Theresa, que Conrad retrouverait l'insouciance des jours anciens. L'enfant avait été confiée à Conrad après que l'un, puis l'autre de ses parents avaient succombé au mal qui avait ravagé le pays l'année précédente, n'épargnant ni le puissant ni le misérable.

Mais hélas, les espoirs du rétablissement de Conrad

se révélèrent aussi peu fondés qu'ils avaient été fervents. Theresa était une enfant ravissante et gaie, aux cheveux dorés et à la peau diaphane. On pouvait souvent la voir jouer seule à l'ombre des créneaux du château, dansant et chantant pour elle seule un air charmant, dans cette lugubre pénombre, ou bien cueillant les fleurs qui avaient l'audace de pousser sur cette terre rocailleuse et désolée. Malgré la présence allègre de la fille, Conrad continuait d'apparaître chaque soir à la fenêtre, disait-on, contemplant avec une tristesse furieuse la sinistre forêt et la tour qui se dressait, noire et délitée, sur le ciel turbulent.

2

Une nuit, peu après que Theresa eut atteint sa douzième année et alors que sa beauté juvénile se fondait doucement dans l'éclat plus tendre de la féminité en fleur, elle se réveilla soudain et trouva Conrad au pied de son lit. C'était une nuit d'orage ; le tonnerre retentissait à travers les voûtes et les corridors de la vieille et menaçante demeure, les éclairs suscitaient des formes fantastiques sur les tapisseries antiques pendues sur les murs moussus. Ce vacarme fit soudain ouvrir les yeux à la jeune fille ; elle se recroquevilla alors, au spectacle du visage livide de Conrad penché au-dessus d'elle. Une rougeur remplaça aussitôt la pâleur habituelle de ses joues. Son premier mouvement de modestie virginale naturelle fut de tirer le couvre-lit sur sa poitrine.

— Que se passe-t-il, cousin, dit-elle, pour que vous interrompiez mon sommeil à une heure aussi tardive et par une nuit si tumultueuse que mon cœur est près de défaillir de peur ?

D'une voix sombre qui n'eût convenu qu'à des soliloques angoissés dans un sépulcre, Conrad répliqua seulement :

— Il faut vous lever maintenant, enfant, et venir avec moi.

Habituée à obéir à son tuteur en toutes circonstances, Theresa s'abstint de toute question. Lorsque Conrad se fut retiré de sa chambre, elle se leva, tremblante et effrayée par la violence de la tempête. Elle s'habilla à la lumière d'une chandelle solitaire et effectua hâtivement ses ablutions, ensuite, elle rejoignit son cousin qui faisait les cent pas, absorbé dans ses ruminations, sous les arches sinistres et les macabres statues qui décoraient la massive salle d'entrée du château.

À son étonnement, Conrad, revêtu d'une houppelande, lui tendit son manteau le plus chaud.

— Je ne pense pas, très cher cousin, cria Theresa, croyant que son tuteur envisageait quelque divertissement bizarre à ses dépens, je ne pense pas que vous ayez l'intention de faire une excursion dans cette tourmente, car il semble que les cieux eux-mêmes soient menacés d'engloutissement dans un maelström final !

Il ne répondit rien, mais répétant son geste de façon plus insistante, il lui imposa le port du manteau, de telle sorte qu'elle ne pouvait qu'accepter le vêtement et s'en vêtir. Puis, avec un grommellement inarticulé qui emplit Theresa d'une terreur prémonitoire, Conrad ouvrit brutalement la lourde porte de la demeure et entraîna Theresa derrière lui dans la tempête.

Leurs silhouettes courbées contre les rafales, Conrad et Theresa traversèrent l'étendue désolée, par une nuit sans lune, illuminée seulement par les épées fourchues des éclairs qui fendaient le ciel en deux. Le vacarme furieux du tonnerre suivant chacune de ces manifestations incendiaires ne faisait qu'aggraver l'appréhension fébrile qui gagnait à chaque pas le cœur de Theresa, remplissant son innocente poitrine d'épouvantes imaginaires qu'elle ne savait définir.

— Où allons-nous, mon très cher, mon très respecté tuteur ? s'écria-t-elle. Au nom de cette épouse que vous aimiez jadis, avant qu'un Dieu bon et pitoyable juge nécessaire de la rappeler à sa paix éternelle, apaisez mes folles peurs virginales et dites-moi où nous allons !

Mais Conrad regardait devant lui avec cette expression défaite qui ne rassurait nullement sa pupille épouvantée. Il ne faisait que resserrer sa main autour de son bras pour s'élancer dans la nuit.

Levant les yeux, Theresa s'avisa qu'ils approchaient de la tour solitaire et croulante du château de Blaustein. Un petit cri, qui se perdit dans les fracas de la tempête, échappa de ses lèvres charnues quand elle aperçut les pierres en ruine, que la violente oscillation des arbres alentour semblait animer.

La donzelle effrayée regarde alors le sommet : pour la première fois elle distingue la lueur vacillante d'une lumière rouge à la plus haute fenêtre de la tour jusqu'alors plongée dans l'obscurité jalouse de l'abandon.

— Cousin, mon cousin, qu'est cela ? s'écrie-t-elle. Qui donc est venu s'installer dans ces lieux si désolés ?

Et finalement le tuteur tourne son regard brûlant vers le visage de Theresa et lui crie la réponse :

— C'est l'alchimiste ! clame-t-il avec une joie furieuse. C'est l'alchimiste qui est enfin revenu !

3

Comme elle fut violente l'horreur qui comprima la poitrine virginale de Theresa quand la porte délabrée de la tour se referma derrière elle dans un fracas tonitruant ! L'écho des mots mystérieux et pourtant effrayants de son cousin résonnait toujours dans ses oreilles, alors qu'une obscurité encore plus dense les entourait ; et ce linceul de poix suffoquait d'autant plus Theresa que des flammèches rougeâtres et papillotantes tombant d'une chambre inconnue révélaient vaguement les formes d'un escalier de pierre en spirale, devant elle. C'était vers cela que l'entraînait Conrad. Et, horreur, alors qu'ils commençaient à gravir les marches usées, un léger bruit leur parvint, désormais audible puisque les murs impénétrables isolaient la tour des hurlements de la tempête.

Tinc-tinc. Tinc-tinc.

— Doux et pitoyables cieux, gémit Theresa, s'accrochant dans les ténèbres à son cousin. Qu'est-ce que c'est, tuteur ?

— Ce n'est que l'alchimiste au travail, mon enfant, répondit Conrad.

Il continuait de gravir lentement les marches, traînant sa pupille derrière lui. La fuyante clarté au-dessus devenait plus vive ; le bruit énigmatique se renforçait alors qu'ils montaient.

Tinc-tinc. Tinc-tinc.

— Mais qu'est-ce donc, qu'est-ce donc ? cria Theresa. Qu'est-ce que c'est, cousin, qui fait ce bruit ? Chaque fois qu'il revient, mon cœur défaille ?

— Il enfonce simplement les anneaux de fer dans le mur, murmura Conrad. Soyez calme, mon enfant.

Des toiles d'araignée effleurèrent les douces joues de Theresa et s'emmêlèrent dans ses cheveux de soie, tandis que son cousin la tirait toujours, montant et montant l'escalier en spirale. Et la lumière papillotante devenait plus vive, et le martèlement plus sonore.

Tinc-tinc. Tinc-tinc.

— Et maintenant, et maintenant, mon cousin, mon tuteur, mon protecteur ? balbutia Theresa dans un paroxysme d'épouvante.

— Il forge les chaînes, il ne fait que forger les chaînes, dit Conrad, les yeux fixés sur les marches devant lui. N'ayez crainte, mon enfant.

Il montait et montait, il la tirait. La lueur des flammes, parce que c'était cela, sembla s'étendre sur les murs autour de Theresa ; les bruits d'une invisible forge étaient magnifiés dans l'imagination déchaînée de la jeune fille, au point qu'elle était près de s'évanouir d'épouvante à chaque répétition du bruit.

Tinc-tinc. Tinc-tinc.

— Oh, pour l'amour du doux ciel, qu'est-ce que c'est ? geignit-elle, se raccrochant au bras de son tuteur avec une vigueur renouvelée.

— Les fers, répondit-il d'une voix sinistre et distante. Il forge les fers, je pense. Garde tes esprits, mon enfant.

À ces mots, alors que le bruit effrayant se faisait de nouveau entendre, Theresa tomba à genoux sur la pierre humide des marches, elle s'agrippa de ses doigts tremblants à la main de son cousin et leva son visage ravissant, baigné de larmes, dans une imploration aveugle :

— Ô mon cousin, mon tuteur auquel mes parents m'ont confiée à l'heure de leur mort, au nom de tout ce qui t'est cher, ne m'emmène pas plus loin, ne me mets pas en présence de l'alchimiste, car je jure au nom du ciel que de penser à lui me terrifie à l'excès.

La peur chargeait ses membres frêles d'une force particulière et elle parvint à retenir Conrad qui se pencha vers elle, en proie à la confusion.

— Ne pas y aller ? Ne pas y aller ? ânonna-t-il. Alors que je l'ai envoyé chercher, que je l'ai attendu tout ce temps ? Qu'il a fait tout ce chemin vers moi depuis Rome ? Ne pas y aller ?

Il s'agenouilla près de sa cousine, serra ses épaules tendres de ses mains puissantes de telle sorte que, pendant un instant, elle crut qu'il allait lui témoigner quelque compassion familiale, afin d'apaiser les affres de son anxiété. Mais, dans un geste brutal, Conrad la remit sur pied et la poussa vers les flammes et le martèlement.

Tinc-tinc. Tinc-tinc.

— Ne pas y aller ? murmura Conrad à l'oreille de Theresa, tandis qu'il traînait de marche en marche le corps presque inerte de sa cousine jusqu'au sommet. Alors qu'il est réputé détenir le plus grand savoir des anciens mystères parmi les hommes vivants ? Ne pas aller vers lui, mon enfant ? Quand par amour pour moi, non, pour l'amour de ma chère Anna, qui depuis une année morne, désolée et interminable gît impitoyablement emprisonnée dans son tombeau. Cette chair qui jadis me donna mes plus grands plaisirs et que n'ont pas préservée les larmes que j'ai versées sur elle nuit après nuit. Quand pour l'amour d'elle, dis-je, il a composé une potion qui la rendra vivante à mes bras, à mon désir, à mon amour qui est si grand qu'il transcende la peur de la pourriture terrestre, n'attendant que la chance de la serrer dans mes bras comme aux jours heureux d'antan ? Ne pas y aller ? Comment peux-tu dire une chose pareille, ma chère petite Theresa ? Le travail est presque achevé ! La potion de la résurrection est toute fraîche !

Et, ce disant, Conrad porta la fille au sommet de l'escalier en spirale et s'arrêta devant une grande porte de fer. Celle-ci étant entrouverte, la lumière écarlate et les coups métalliques répétés parvenaient sur le palier où se tenaient les cousins. Avec un grand effort, Conrad ouvrit tout grand le battant d'une main, tandis que de l'autre il traînait dans la pièce Theresa presque inanimée.

Là se dresse l'établi de travail, encombré de tous les instruments et alambics macabres et innommables de l'art de l'alchimiste. Là se trouvent les chaînes et les menottes fixées dans la pierre épaisse des murs. Là, les flammes bondissent et meurent dans la cheminée et, dans un pot d'un noir d'encre, la potion blasphématoire bouillonne et écume.

Et là, aussi, devant les yeux égarés de la jeune fille, se tient l'alchimiste lui-même, le regard brillant sous son capuchon noir, les traits écarlates dans les reflets infernaux du feu. Et dans sa main, oh, dans sa main, il tient le plus terrible accessoire de tous, dont la lame fine et courbe étincelle et rougeoie.

— Oh, cousin, cousin ! hurla Theresa, pourquoi m'as-tu traînée dans ce lieu atroce ?

— Parce que nous avons besoin d'un ingrédient de plus ! cria Conrad.

Et il claqua la porte derrière elle.

4

Le château sur la lisière de la Forêt noire est désormais sans vie ; et la tour du château Blaustein est depuis longtemps tombée en poussière. Ni Conrad, ni sa jeune cousine Theresa n'ont été revus après cette nuit d'orage hivernal ; certains prétendent qu'ils se sont retirés dans une villa familiale du Sud, tandis que d'autres donnent des versions bien plus sinistres de leur sort. Quelle que soit la vérité en cette affaire, les villageois s'aventurent rarement près de la vieille demeure, craignant dans leurs cœurs simples que même le spectacle des créneaux en ruine ne porte malheur. Et pourtant, il y a des gens bien informés qui rapportent avec une totale assurance qu'une chambre des étages supérieurs du château est toujours occupée, sinon habitée ; et que celui qui serait assez téméraire pour braver les rats, les toiles d'araignée et les spectres du lieu pourrait voir de ses yeux l'antique lit nuptial sur les draps souillés et pourrissants duquel gît le squelette de Conrad, emmêlé pour toujours avec les os désagrégés d'Anna, son épouse chérie.

IV

SOPHIA, LE NŒUD AUTOUR DU COU

1

— Il y a quelque chose qui ne va pas du tout, grogna Harper, en tapotant l'œil du Kraken.

— Et quoi ? demanda Storm.

— Je. Ne. Sais. Absolument. Pas, martela-t-elle, chaque mot représentant une phrase, chaque phrase ponctuée par un coup d'ongle contre le verre.

Le bocal était posé entre eux sur un piédestal de pierre. Là, dans le liquide transparent, gisait la carcasse d'un énorme serpent dont le corps plat, blanc, gélatineux était enroulé en une spirale de la taille d'un tuyau d'incendie. Harper Albright se pencha près du bocal et regarda Storm au travers. La courbe du verre déformait ses traits. Le projecteur orange se réfléchissait sur les lentilles de ses lunettes.

— Chaque mot que vous a dit Sophia, chacun de ses gestes me révèle un message de détresse.

— Non, je veux dire qu'est-ce que c'est ? répéta Storm. Ce truc, dans le bocal.

Il tourna autour jusqu'à ce qu'il se trouvât près de Harper. Les mains derrière le dos, il se pencha au-dessus du bocal. Il examina le proboscis cornu du léviathan.

Harper, à son tour, leva la tête pour examiner Storm.

— La première description d'une telle créature a

117

été, je crois, tracée en 1555 par Olaus Magnus, l'archevêque-en-exil d'Uppsala, en Suède, murmura-t-elle pensivement. Les apparitions ultérieures d'un tel animal dans les eaux septentrionales pendant les deux siècles suivants induisirent quelques commentateurs modernes à supposer que c'étaient là les prototypes de Iormungand, le serpent de Midgard, qui enserre la Terre dans ses anneaux et que Thor aurait pu attirer à terre à l'aide d'une tête de bœuf comme appât, n'avait été la couardise du géant Hymir. ·

— N'ajoutez rien, laissez-moi deviner : ça ressemble vraiment à un grand rouleau de papier-toilette, ricana Storm en se dirigeant vers le cochon géant de Chalfont St. Giles.

Harper prit une mine sévère :

— Un ver némertien, déclara-t-elle, en piquant la pointe de sa canne dans le sol de terre. *Phylum Nemetinea.* Assez rare de cette taille. Ramené clandestinement d'Osaka, où il avait été jeté sur le rivage le premier de l'an 1995. Beaucoup de Japonais croient que son apparition annonce un tremblement de terre... La pointe sécrète un mucus venimeux, ajouta-t-elle dans l'espoir de retenir l'attention de Storm, mais il était passé sous le lustre.

Ils se trouvaient dans le Musée Secret, un réseau de voûtes médiévales sous une rue d'entrepôts à Southwark. Oubliées et présumées détruites, ces catacombes avaient été récupérées par un petit groupe de curieux pour l'exposition de leurs bizarreries. Sous les arches de pierre basses des corridors souterrains, des pots, des aquariums, des vitrines et des documents encadrés étaient disposés sur des socles, des tables, contre des sarcophages délabrés ou sur les murs. Ils n'étaient éclairés que par des torches qui crachotaient ici et là dans des embrasses de fer, remplissant le lieu d'une fumée huileuse. L'effet en était volontairement mélodramatique, mais quelques-uns des visiteurs les moins avisés semblaient l'apprécier.

Tandis que Storm s'avançait dans le corridor, Jorge Swade, le conservateur du musée et son seul guide, se sentait désagréablement déchiré entre sa cliente préférée et l'homme qu'il supposait être son chevalier servant. Ses yeux congestionnés clignaient furieusement et ses dents claquaient comme un jouet de dentiste, mais il ne savait que dire pour dissiper la tension. Il opta pour des inclinaisons du torse, ridicules et serviles, à l'intention de l'un et de l'autre. Ses longs cheveux retombaient sur sa veste de sport rouge, y laissant une tache huileuse.

Harper, quant à elle, suivit un moment la fuite de Storm d'un œil mécontent. De toutes les curiosités du lieu, elle estimait qu'il constituait la plus étrange. Il était visiblement entiché de la fille, assez visiblement pour qu'elle en ressentît un pincement de jalousie dans son cœur antique. Pourquoi feignait-il l'indifférence ? Et pourquoi s'y obstinait-il ?

D'un geste décidé, elle tira sur le bord de son borsalino, raffermit sa prise sur le pommeau de sa canne et partit à sa poursuite, le long du corridor, passant devant Swade crispé.

— Une femme telle que Sophia Endering n'appelle pas à l'aide, grommela-t-elle. Pas un parfait étranger. Personne, je pense.

Storm avait détourné son attention du cochon. Il contourna le cercle de rats dans un bocal d'alcool. N'accorda qu'un regard rapide au squelette de sirène. Elle le rattrapa alors qu'il s'engageait dans un petit cul-de-sac garni de photos encadrées et éclairé par une torche unique.

— Quel appel à l'aide ? murmura-t-il, prétendant s'intéresser de près à la photo de Popobawa, un nain homosexuel ailé et à un œil, de Zanzibar. Qui dit qu'elle appelle à l'aide ?

— Vous savez qu'elle appelle, répliqua Harper en agitant un index ridé en direction de Storm. Pour quelle autre raison tripoterait-elle sa broche ?

— Quoi ?

— Vous avez un œil de cinéaste, Storm. Et vous ne remarquez absolument rien d'important. (Elle secoua la tête d'un air réprobateur.) Quand vous avez exposé vos idées d'Américain, touchantes d'insignifiance, sur le côté évanescent de l'histoire, elle a ajusté la broche de sa mère, qu'elle n'avait jamais portée auparavant, et elle a exprimé son désaccord. Ce qui voulait dire que les problèmes concernant la mort de sa mère avaient resurgi d'une manière nouvelle et troublante.

— Harps. Réfléchissez un peu. Elle a simplement ajusté sa broche.

Sans lui accorder un regard, Storm continua d'avancer.

— Euh... le livre, chuchota Jorge Swade, le manuscrit.

Il avait trottiné à leur suite, se frottant anxieusement les paumes des mains. Ses nerfs ne supportaient tout simplement pas le désaccord.

— Je l'ai sorti pour vous. C'est tout préparé.

Il indiqua une alcôve d'un geste plein d'espoir.

— Dans un moment, cher ami, répondit Harper avec un geste majestueux. Jeune Richard...

Storm était à l'extrémité du cul-de-sac, secouant la tête devant la dernière photo de Nessie[1].

— Vous m'avez vous-même rapporté la conversation...

— Rapporté ? Vous m'avez pompé de vos questions pendant deux heures.

— Sophia a ajusté la broche qui appartenait à sa

1. Surnom familier du monstre du loch Ness (N.d.T.).

mère, laquelle s'est suicidée, puis elle vous a dit qu'elle voulait mourir.

— Elle ne m'a pas dit qu'elle voulait mourir, Harper ! gronda Storm sans se retourner. Elle m'a dit qu'elle voulait mourir dans la galerie.

— Et pourquoi voudrait-elle mourir, où que ce soit ?

— Oh, comme enquiqui... (Il leva les yeux au ciel.) Je vous en prie !

Harper gratta avec impatience le sol du bout de sa canne. Cela fit sursauter Jorge, qui se tenait juste derrière elle, mais ne sembla avoir aucun effet sur Storm.

— Qu'est-ce que vous avez, jeune Richard ? Vous admettez que vous l'avez vous-même senti. Cette femme vous appelle à l'aide, elle crie son appel.

Et là, à la surprise de Harper, à son effroi, il se tourna brutalement vers elle.

— Pas mon aide, Harper, marmonna-t-il entre ses dents. L'aide de quelqu'un, peut-être, mais pas la mienne.

Harper Albright leva vers lui un visage grisâtre. Il ne se comportait pas de façon naturelle, elle ne retrouvait pas l'homme désinvolte qu'elle connaissait. Elle voyait qu'il regrettait déjà son emportement. La manière dont il regardait ses chaussures, dont il reniflait, mécontent de lui. La manière dont il détournait son corps et son visage. Et soudain Harper se demanda s'il n'y avait pas sous tout cela une détestable logique. Une intuition lui vint et elle se demanda si ces emportements de Storm n'avaient pas quelque terrible signification. Ses yeux se plissèrent derrière ses lunettes, sous son chapeau à large bord. Son visage s'assombrit.

— De toute façon, reprit Storm avec embarras, comme je vous l'ai dit, nous avons surtout parlé d'art. Elle est vraiment intelligente, elle en connaît un paquet sur l'art, et c'est surtout ce dont nous avons parlé.

Il revenait vers elle, longeant les rangées de photos à la droite de Harper. Elle étudia son profil, noble front sur nez héroïque sur menton fendu. Elle remarqua pour la première fois, ou plutôt admit pour la première fois ce qu'elle voyait, le nouveau creux dans les joues, la fatigue nouvelle dans les yeux. La manière dont il se massait le bras gauche de temps en temps et le tenait contre lui. Mais elle fit taire son instinct. Elle n'était pas encore prête à accepter la vérité. Elle inspira et l'attaqua de nouveau comme si elle n'avait rien compris :

— Et la coïncidence ? Vous êtes allé vers elle juste alors qu'elle se tenait devant cette peinture...

— Quelle coïncidence ? (Il était encore irrité.) Je l'ai suivie. Il n'y a pas de coïncidence.

— Oui, et elle s'est efforcée de vous en convaincre. Il n'y avait pas de coïncidence, disait-elle, et c'était la seconde fois qu'elle touchait sa broche. Suggérant que la raison pour laquelle elle avait laissé tomber son verre quand vous lisiez *Annie la Noire* et la raison pour laquelle elle était troublée par ce tableau, et la raison pour laquelle elle envisage de se suicider...

— Elle n'envisage pas de se suicider, Harper. Pour l'amour de Dieu !

— ... sont toutes liées aux circonstances de la mort de sa mère.

— Vous me rendez fou, gronda-t-il en collant le nez sur une photo. Ce n'est qu'un malentendu. Elle a laissé tomber son verre. Le tableau se trouvait ressembler à l'histoire. Il n'y a pas de coïncidence. Il n'existe probablement rien qui s'appelle une coïncidence. J'ai lu ça autrefois. C'est une sorte de loi mathématique où des choses se trouvent ensemble et où chacun croit alors que c'est un cas de grand synchronisme, alors que ça n'existe pas. Hé, qui diantre est Iago ?

— Ah !

Il s'était arrêté, tout net, devant une photo fixée juste au-dessous de la torche. L'éclat et le papillotement des flammes faisaient vibrer la glaçure du papier de reflets qui se diffusaient également sur le visage de Storm.

La silhouette tassée de Harper traversa ombres et lumières jusqu'à ce qu'elle trouvât près de Storm. Le petit Jorge se tenait à distance, agité, faisant des gestes désespérés pour indiquer le lutrin dans l'alcôve près de lui.

Storm et Harper contemplèrent la photo ensemble.

— C'est une des raisons pour lesquelles je vous ai fait venir ici, lâcha-t-elle.

C'était une vieille photo en noir et blanc, très agrandie, déformée et brouillée par l'agrandissement. Le grain, plus le brouillard et la fumée de la scène représentée, lui conféraient une aura poétique, onirique. C'est du moins ce que sentait et avait toujours senti Harper. La photo montrait un ensemble de baraques de bois qui se consumaient. Au moment où l'obturateur avait cliqué, les flammes de tous les bâtiments se fondaient dans une seule fournaise jaillissante. La fumée était épaisse. Le ciel en était obscurci. Les baraques n'étaient plus que des esquisses spectrales au cœur de la scène. On ne distinguait qu'une seule silhouette humaine, au premier plan : une petite silhouette qui fonçait à travers l'incendie, à travers la haute porte de bois du camp des baraques, courant, semblait-il, vers le salut, serrant une petite forme à l'abri dans ses bras.

Jorge avait rédigé la légende :

LA FIN DE IAGO

Une adepte de saint Iago emporte un bébé à travers l'incendie qui a détruit le campement du chef du culte, au nord-est de l'Argentine. On éva-

lue à cent trente-trois le nombre des disciples de
Iago qui sont morts dans la fournaise. Quarante-
quatre victimes au moins étaient des enfants, dont
plusieurs pensaient qu'ils avaient été engendrés par
le chef du culte lui-même. À part cette photo
contestée, il n'existe pas d'autre preuve de l'événement. Le sort de la fugitive reste donc inconnu
(cat. no. 44).

— Ça..., murmura Storm.
— Oui, dit Harper.

Il montrait du doigt la haute traverse de la porte
au-dessus de la fugitive. Gravé au feu dans le bois,
et à peine visible à cause du grain de la photo et de
la fumée, se trouvait un symbole : quelque chose
comme un fer à cheval inversé au-dessus de ce qui
ressemblait à un huit.

— C'est le même que sa broche, remarqua Storm.
— Exactement, dit Harper.

Elle entendit Storm pester dans sa barbe.

— Qu'est-ce que vous essayez de me dire ? Que
cette photo a quelque chose à voir avec Sophia et sa
mère et tout le reste ?

— Je vous dis que c'est possible.

— Très bien, explosa-t-il en la fusillant du regard.
Et qui diable est Iago ?

La voix rauque de Harper, son accent brusque et
rocailleux paraissaient convenir plus à un récit qu'à
une conversation. Elle ne commençait jamais à raconter une longue histoire sans que la forme que prenaient
ses lèvres pâles et un certain éclat dans ses yeux tra-
hissent le plaisir qu'elle en retirait.

— Son nom, ou du moins celui qu'il s'attribuait,
était Jacob Hope, commença-t-elle. Il est extraordi-
nairement difficile de trouver quoi que ce soit d'autre
sur lui. Il était probablement anglais, bien qu'il semble
avoir beaucoup voyagé, non seulement à travers

l'Europe, mais également en Afrique, aux Amériques et au Moyen-Orient. Il est apparu sur la scène il y a une trentaine d'années. Un déraciné, errant avec d'autres déracinés, la nouvelle espèce de vagabonds, ils étaient légion à l'époque.

Elle s'éloigna de Storm, la tête penchée, pensive. Sa canne semblait battre la mesure devant elle tandis que son poignet se levait et s'abaissait.

— Hope prétendait posséder des pouvoirs mystiques. Le pouvoir de guérir, de faire des prophéties. Le secret de la vie éternelle. Il promettait la vie éternelle à ceux qui croiraient en lui, qui le suivraient. Et beaucoup de jeunes crurent en lui et le suivirent. Des femmes et des hommes aussi bien, mais surtout des femmes ; il possédait une énorme séduction. Des femmes, des filles, qui avaient quitté leurs foyers, qui étaient perdues et seules, des droguées, ou simplement désorientées, se donnaient à lui et étaient volontiers enceintes de lui.

Elle s'arrêta, se tourna, fit de nouveau face à Storm, les verres de ses lunettes étincelaient de la réflexion des flammes.

— Ce qu'il racontait sur lui-même et ce qu'il promettait à ses disciples devint de plus en plus énorme, de plus en plus grandiose. Il dit qu'il était un oracle, qu'il était le fils de Dieu. En fin de compte, il y a vingt-cinq ans, saint Iago, comme il s'appelait lui-même à cette époque, emmena ses gens hors d'Angleterre, dans un long pèlerinage. Quelques-uns de ses adeptes crurent que l'exode allait déclencher le cataclysme mondial final. Après quoi, je suppose, leur homme serait couronné roi des cieux, avec ses apôtres à sa droite. Le grand voyage emmena les disciples en Espagne, en Afrique du Nord et, pour finir, en Amérique du Sud. Là, dans la jungle du plateau de Paraná, saint Iago s'installa, sans doute pour attendre la fin.

Elle revint vers Storm.

Il la regarda, puis se remit à examiner la photo.

— Et comment en est-on arrivé à ça ? demanda-t-il.

— Il y avait quelqu'un, dit-elle. Dans la jungle, dans le camp, il y avait une disciple de ce fou qui finalement a commencé à deviner la vérité. En dépit de sa profonde dépendance envers Iago, elle a eu une lueur de compréhension. Elle soupçonna que les miracles et les prophéties de son maître, l'apocalypse qu'il annonçait n'étaient pas simplement des mensonges, mais des ruses destinées à dissimuler un autre programme, bien plus terrible. Les enfants du camp, les enfants de Iago, disparaissaient. Leurs mères aussi, parfois. Et une femme, devenue folle, s'était tuée avant que personne puisse l'arrêter. Une nuit, tandis que les adeptes dormaient, l'adepte soupçonneuse remarqua que certains membres quittaient le camp. Elle se glissa hors de son lit et les suivit dans la jungle environnante.

Storm fixa son regard sur Harper. Reprenant son haleine et se ressaisissant, elle poursuivit :

— Tremblante de peur, l'adepte soupçonneuse se faufila entre des arbres tellement denses qu'ils voilaient la clarté de la lune et condamnaient la femme à avancer dans les ténèbres, entre des cris effrayants d'animaux et des grattements menaçants. À la fin, le murmure de voix devant elle la guida vers la lisière d'une clairière enfumée. Écartant les branches, elle regarda. Et là, elle vit ses soupçons confirmés à la clarté d'une torche. Et bien pire.

Harper releva les épaules et cligna les yeux derrière le reflet des flammes sur ses lunettes.

— Iago se tenait devant un autel de pierre, dit-elle. Et, couché sur l'autel, était un enfant. Un de ses propres enfants, encore bébé, qui lançait à son père des regards ensommeillés et pleins de confiance. Alentour, ses gens observaient, debout, marmonnant un chant ésotérique. Et à la lisière opposée de la clairière, une jeune femme se débattait sauvagement dans les mains de deux puissants apôtres. C'était la mère de l'enfant, et son regard fou flambait au-dessus du bâillon qui étouffait ses cris. Alors, sous les yeux horrifiés de l'adepte soupçonneuse impuissante, Iago leva un poignard recourbé au-dessus de la poitrine nue de l'enfant. Et avec un sourire halluciné, il...

— Seigneur, murmura Storm. Seigneur Dieu. Ne m'en dites pas plus !

Harper poursuivit d'un ton plus calme :

— Les écailles tombèrent des yeux de l'adepte soupçonneuse après des années d'aveuglement. Elle s'élança vers le camp, pour donner l'alarme. Dans sa panique, malheureusement, elle trébucha et révéla sa présence. Elle parvint de justesse à éviter la capture en s'enfonçant dans la jungle, se frayant un chemin détourné jusqu'au camp, où son propre enfant dormait, pendant que les autres la pourchassaient. Ce fut alors que Iago, se rendant compte que les masques étaient tombés, mit le feu au camp, brûlant ses propres adeptes dans leurs lits et tirant même sur ses plus fidèles disciples qui essayaient de prendre la fuite.

Storm fit une grimace.

— Comme Waco. Comme Jonestown[1].

— Mais de nombreuses années avant l'un et l'autre. Certains spécialistes soutiennent que le révérend Jones a été très inspiré par son prédécesseur.

— Parfait. Il faut bien que les jeunes gens aient des modèles.

— Sans doute. De toute façon, personne n'a réchappé de Fort Iago.

— Et celle-là ? dit Storm en indiquant la photo. La femme avec l'enfant. Est-ce, comment vous l'appelez, l'adepte soupçonneuse ?

1. Sites de deux suicides collectifs de sectes, le premier aux États-Unis, le second en Guyane (*N.d.T.*).

— Peut-être. Personne ne sait ce qu'elle est devenue.

— Et pourquoi ? Je veux dire, avec tous ces morts, il faut bien que quelqu'un ait su quelque chose.

— Des gens disparaissent tout le temps, Richard. Surtout les déracinés, les vagabonds.

— Ouais, mais comment se fait-il que je n'aie jamais entendu parler de ça ? Et cette photo, qui l'a prise ?

— On dit que c'était un reporter du *Daily Telegraph* nommé Elton Yarwood. Qui a disparu par la suite sans jamais envoyer un texte. En fait, personne n'a jamais rien écrit là-dessus. Toutes les recherches qui ont été engagées sont le fait de publications comme *The Fortean Times* ou *Journal X* aux États-Unis. Et bien sûr, *Bizarre !* Mais pour la grande presse, en fait pour toutes le sources officielles, Iago n'a jamais existé et l'événement n'a jamais en lieu.

— Et comment la photo est-elle arrivée ici ?

— Ah ! (Harper haussa les épaules et sourit.) On ne pose pas de questions indiscrètes sur les méthodes d'acquisition du Musée Secret, jeune Richard. Notre ami Jorge ici, vous l'apprendrez, est un homme très débrouillard.

Jorge, qui portait à Harper un respect frisant l'idolâtrie, se rengorgea.

Storm se penchait de nouveau sur la photo. Il avait incliné la tête comme un oiseau, pour coller un œil plus près.

— Attendez un instant, dit-il. Ça se passait il y a vingt-cinq ans ?

— À peu près, oui.

— Et vous dites que Sophia avait quatre ou cinq ans quand sa mère s'est tuée... il y a moins de vingt ans sans doute.

— Dix-neuf, précisa Harper.

— Donc comment aurait-elle pu connaître ce Iago... ?

La bouche encore ouverte sur ce mot, Storm se tourna pour considérer Harper. Elle s'était de nouveau éloignée, à la frange de la lumière que diffusait la torche. Puis il revint à la photo, le nez presque contre le verre du cadre.

— C'est curieux, murmura-t-il, cette femme, là, celle qui essaie de s'enfuir, elle vous ressemble, Harper, Harper ?...

À sa surprise, quand il leva les yeux, elle avait disparu. Ne restait que Jorge Swade, secouant ses cheveux gras, s'agitant à l'intérieur de sa veste.

— Si vous voulez bien... Par ici, si vous voulez bien... Par ici..., dit-il, faisant des gestes vers l'alcôve dans le mur de pierre.

Plissant les yeux à cause de la lumière, protégeant son visage de la chaleur de la lampe à l'aide d'une main levée, Storm se dirigea dans le sens indiqué. Et là se trouvait sa bizarre vieille amie. Appuyée sur sa canne dans l'alcôve, dans la profonde pénombre. D'un geste cérémonieux, elle lui indiqua le support incliné du lutrin. Sur lequel était posé un grand livre mince à la reliure de cuir brun. Storm s'approcha. Harper ouvrit la couverture, qui tomba sur le lutrin avec un bruit sourd.

— Voici l'autre raison pour laquelle je vous ai fait venir ici, déclara-t-elle. *Tolle, lege,* jeune Richard.

Et comme il ouvrait la bouche, ne la comprenant pas, elle traduisit :

— Prends le livre, jeune homme, et lis.

Elle et Jorge s'écartèrent pour s'entretenir à mi-voix. Storm s'avança vers le livre. Saisissant le lutrin par les bords, comme s'il allait prêcher, il se pencha sur la page ouverte. Il suivit du doigt le texte, difficile à distinguer dans l'obscurité, et s'avisa qu'il était écrit dans une langue étrangère. Puis il trouva la traduction à côté, bien nette. Et il lut :

Anna reposait dans le caveau moisi de la famille depuis une longue année, et le chagrin de son époux Conrad demeurait inconsolable...

2

Il y avait un homme posté à l'angle, en face du *Signe de la Grue,* et Harper n'aimait pas du tout son apparence. Grand et voûté. Avec des yeux de porc sous une mèche brutalement coupée de couleur brunâtre. Il portait de plus une cicatrice au coin de la bouche qui lui faisait un rictus. Il se tenait en retrait, loin de la clarté de la rue. Il gardait la cigarette à l'envers, dans sa paume, pour en cacher le brasillement. Il était presque neuf heures et demie et il attendait là depuis plus de vingt minutes. Depuis que Harper et Storm étaient entrés dans le pub.

Harper continua de le surveiller de la fenêtre.

Elle mâchouilla le tuyau de sa pipe. Caressa de son pouce jauni par le tabac le crâne en écume de mer. Elle n'aurait pas cru qu'un cœur aussi blasé, aussi cousu de cicatrices que le sien serait encore capable de telles palpitations, de telles émotions contradictoires. Mais les émotions étaient là. Peur. Lassitude : elle se sentait beaucoup plus vieille qu'elle ne l'était. Et excitation aussi. Il fallait se l'avouer. L'adrénaline tendait ses nerfs, enflait son pouls. Était-il possible, après tous ces culs-de-sac, après un quart de siècle de traces vagues et de pistes floues, était-il vraiment possible que la chasse commençât enfin sérieusement et qu'elle eût débusqué son adversaire ?

Si c'était le cas, Bernard avait raison, c'était Storm qui avait tout déclenché. Sa venue. Sa lecture à haute voix de l'histoire de fantômes. D'une certaine façon, c'était ça qui avait tout mis en branle. Et cela aussi était un fardeau pour elle, un fardeau de peur et de tristesse.

Elle accommoda sa vision. L'homme au coin de la rue devint flou. Storm, dont l'image se reflétait dans la fenêtre, se précisa.

Il était assis à une petite table ronde derrière elle. Le menton sur la poitrine. Sa main gauche autour d'un verre de Coca light. Sa main droite massant son épaule gauche. Il ne savait pas qu'elle le regardait et contemplait la surface brune et pétillante de son verre, et tout le chagrin de ses yeux désolés était entièrement perceptible. Autour de lui, les boiseries sombres de la taverne se fondaient dans l'obscurité. Seul le laiton de l'appui du bar brillait. Deux types d'un certain âge s'appuyaient dessus, leurs pintes en main. Ils échangeaient parfois des propos mais la plupart du temps regardaient la flamme du gaz, qui montait, orange et bleu, dans la grande cheminée. À l'exception d'une machine vidéo à sous, rutilant d'insouciante idiotie dans un coin, ignorée, l'endroit était sombre, les appliques jaunes sur le mur étaient faibles. l'atmosphère était moelleuse et calme comme d'habitude.

Au bout d'un moment, Storm s'agita sur sa chaise.

— Bon, dit-il lentement. Revoyons tout cela ensemble.

Harper dut sortir de sa méditation brunâtre. Elle répondit avec un soupir. Sans se retourner. Gardant l'œil sur le type à la cicatrice, qui fumait dans la nuit :

— *Le Château de l'alchimiste* : il a été publié sans nom d'auteur en allemand, en 1798, environ un siècle avant l'histoire anglaise d'*Annie la Noire*. Quand j'ai évoqué la possibilité d'un lien entre *Annie la Noire* et le fantôme de Belham Abbey, Jorge s'est rappelé l'ouvrage allemand. Il a retrouvé le manuscrit de l'*Alchimiste* dans une collection privée à Dresde. À Dresde, relevez ça. Le collectionneur l'attribuait à un certain Hans Baumgarten, membre du même cercle d'artistes que Rhinehart. Baumgarten écrivit l'histoire à Dresde, peu après le début du XIXe siècle. Autrement dit, aux temps et lieux où Rhinehart peignit le triptyque dont *Les Mages* constituent le premier panneau.

— Bon. D'accord, acquiesça Storm tout en se pétrissant le bras. Et tout cela est extravagamment incroyable et fantastique, parce que *Le Château de l'alchimiste* et *Les Mages* n'ont rien à voir l'un avec l'autre.

— Précisément. *Les Mages,* avec ses personnages encapuchonnés devant un fragment de mur, évoquent *Annie la Noire.* Mais *Annie la Noire* avec son histoire d'infâme meurtre d'enfant et le bruit répétitif nous rappelle *Le Château de l'Alchimiste.* Nous pouvons en déduire que les trois œuvres ont une origine commune.

— Vous voulez dire que la peinture que j'ai vue dans la salle des ventes avec Sophia et le récit d'*Annie la Noire* pourraient être fondés sur la même histoire ?

— C'est ce que la lecture du *Château de l'Alchimiste* suggérerait.

Storm médita un instant en se massant le bras.

— Donc, j'avais raison quand j'ai dit que la peinture ressemblait à *Annie la Noire.* Et tout ce que Sophia racontait sur les romantiques allemands et les histoires anglaises de fantômes, c'était...

— Intéressant, mais sans rapport avec le point essentiel.

— Le diable m'emporte ! Vous pensez donc que Sophia essayait de m'égarer ? Mais pourquoi ?

Il répondit lui-même à sa question :

— Parce qu'il se peut qu'*Annie la Noire* et *Le Châ-*

teau de l'Alchimiste aient un lien avec le fantôme de la maison de Sophia. Ce qui expliquerait pourquoi Sophia a laissé tomber son verre quand je lisais cette histoire.

— Ah ! dit Harper.

— Et tout ça est censé avoir une relation avec ce saint Iago.

— Je dois avouer que votre perception des rapports est admirable.

— Ma perception des... J'adore quand vous parlez comme ça, gloussa Storm avec un rire détaché. Ce que je perçois ici, c'est que vous pensez que Sophia a des problèmes à cause d'un chef de culte mort, qui pourrait n'avoir jamais existé et de quelqu'un qui porte une cagoule, et qui faisait tic-tic il y a deux cents ans.

— Bon, mais c'est bien un fantôme que vous cherchez, rétorqua Harper Albright d'un ton morne. C'est un fantôme que vous êtes venu chercher ici.

À cet instant, elle se retourna et lui fit face. Elle abandonna le malandrin au coin de la rue, suspendit sa peur et son excitation, et fit carrément face à Storm.

Celui-ci s'était radossé et avait cessé de se masser le bras. Il avait levé les mains, dans un geste comique censé exprimer la confusion. Mais quand leurs regards se croisèrent, quand il vit ce que pensait Harper, ses mains retombèrent et il arrêta sa comédie.

— Hé, dit-il.

— Vous êtes en train de mourir, jeune Richard, n'est-ce pas ? murmura Harper Albright.

Elle sentit son cœur lourd choir dans sa poitrine tandis que Storm exhalait un soupir, qu'il posait les mains sur la table et s'inclinait par-dessus.

— Oui, compagnon, ouais, marmonna-t-il. C'est bien ce qu'il semble.

Harper, qui avait posé sa canne à tête de dragon dans un coin près du feu, dut s'appuyer au dossier du fauteuil le plus proche. De nouveau, le poids ancien et pénible de la pitié. Elle l'avait souvent ressenti dans la vie.

— Et c'est une certitude, je présume ? demanda-t-elle avec rudesse.

— Ouais. (Storm lui fit un clin d'œil.) C'est ce foutu vieux cerveau. Il est apparemment en train d'être bouffé. Mais vous savez, dans mon boulot, ce n'est même pas considéré comme un risque.

— Ils ne peuvent rien faire ?

Il plongea le nez dans son Coca. Détendit le poignet, et avala le contenu du verre. Puis il reposa brutalement celui-ci sur la table.

— Ouais, on verra. Tout est là. Non, il n'y a rien à faire, mais ce n'est pas cela qui allait les arrêter. D'abord, quand ils ont trouvé ça, ils ont tout craché. La tumeur est trop profonde, disaient-ils. Trop proche des fonctions vitales. Bla, bla, bla, et ceci et cela. Le scalpel leur démangeait les doigts. Nous *pourrions* faire une exploration. Nous *avons* une nouvelle technique. Nous *pourrions* introduire un tube dans votre tête et pomper le matériau radioactif. Ça n'allait pas m'empêcher de mourir, vous voyez. Ils voulaient seulement être sûrs qu'ils me rendraient la vie aussi misérable que possible avant que je m'en aille.

Harper ne voulait pas l'indisposer de ses larmes. Mais le sourire au coin de la bouche de Storm, l'éclat vif de l'humour dans ses yeux, le courage... Elle se détourna de lui et reprit son poste à la fenêtre. Elle lança un regard furieux vers le malandrin à la cicatrice, au coin de la rue. Elle ne ressentait plus qu'une colère sourde à son égard.

— Je suis donc parti, continua Storm. Ils ne voulaient pas s'arrêter. Des vrais Satan. À me tenter. Une petite chance de rémission. Bons résultats dans un test fait à Baltimore. J'avais peur de manquer de cran, de prendre le risque, ils m'auraient charcuté sans raison, ils auraient ruiné le reste de ma vie. Alors j'ai pris la fuite. Suis venu ici. Me suis dit, et merde. Je ne l'aurais même pas su si je ne m'étais pas cassé la tête une nuit. Ils ont dû faire un scanner et celui-ci montrait quelque chose. Ils ont fait ce machin avec l'imagerie magnétique. Sans ça, je ne l'aurais même pas su. Les médecins ont déclaré que j'en avais pour six mois ou un an sans ressentir le moindre symptôme...

La voix de Storm baissa, ce qui serra le cœur de Harper. Il se toucha le bras une fois de plus, légèrement, et elle comprit que les symptômes étaient déjà présents. Avant qu'elle pût dire quoi que ce fût, elle entendit sa chaise racler le plancher et aperçut dans la fenêtre son reflet qui se levait.

— De toute façon, vous voyez le problème. Avec Sophia, je veux dire.

Harper se retourna rapidement. Elle fronça les sourcils.

— Je ne vois pas. Si je ne me trompe, et elle a besoin d'aide... Si je ne me trompe, elle a témoigné d'une certaine inclination inconsciente à se confier et comme on sait qu'elle ne s'est jamais confiée à personne... Alors je refuse de voir le problème. Un homme et une femme devraient pouvoir s'entraider sans que cela devienne... excessivement compliqué.

Il se mit à rire et tira son trench-coat du dossier de sa chaise.

— Ça devrait être comme ça, sans aucun doute, admit-il. Mais ça n'est pas comme ça. Et même si cela l'était, je n'y serais pas, je ne serais pas avec elle. Quand je suis près d'elle, je suis comme de l'amadou. Ce n'est pas seulement sa beauté. Je ne sais pas ce que c'est. Chaque fois que je la vois. Je voudrais tuer un rhinocéros pour elle, ou construire un château... Et puis faire l'amour avec elle jusqu'à ce que le monde retourne à la boue.

Il secoua la tête et enfila l'imperméable. Il prit une

expression ironique. Il se tenait là, les mains dans les poches. Grand, sain, juvénile, vivant. L'image devint difficile à soutenir pour Harper.

— Chouette synchro, hein ?

Il se dirigea vers la double porte. Il s'arrêta près d'elle, la main posée nonchalamment sur la plaque en laiton d'un battant.

— Ne me regardez pas comme ça, supplia-t-il. Qu'est-ce que je peux faire ?

— Ce n'est pas à moi de le dire, répondit lentement Harper. Je peux simplement vous répéter que cette jeune femme me paraît en difficulté. À en juger par l'ardeur qu'elle a mise à le démentir, je penserais que cela a quelque chose à voir avec *Les Mages*. Peut-être la vente aux enchères représente-t-elle une sorte de point de crise...

— Ne dites rien, rien, rien. (Il ferma les yeux un moment et leva un bras dans sa direction.) Ne dites rien. Si elle s'est vraiment attachée à moi comme vous le pensez, pour une raison ou une autre, si elle a vraiment besoin de mon aide, si elle est fragile, ça rend les choses encore plus difficiles, Harper. Dans le meilleur des scénarios, je lui brise le cœur. Alors, je vous en prie. Je n'ai pas été un saint. Je veux m'en aller les mains propres.

Sur ce, il partit, il prit la fuite dans la nuit d'hiver. Et de la fenêtre, elle le regarda des yeux, triste et pleine d'appréhension.

Un moment terrible suivit. Sous les yeux de Harper. Comme Storm arrivait au milieu de la rue étroite, regardant de part et d'autre si un taxi passait, le malandrin à l'angle jeta sa cigarette dans le caniveau. Il se redressa. Deux autres silhouettes massives surgirent des ténèbres environnantes et s'élancèrent vers Storm. Harper se pétrifia. Trouvant la rue déserte, Storm avait commencé à se diriger vers l'angle. Le malfrat à la cicatrice fit un signe de la tête à ses deux acolytes.

Et ils se retirèrent. Quand Storm passa devant eux, ils se reculèrent dans les ténèbres.

Harper se détendit. Elle hocha la tête pour elle-même. C'était ce qu'elle avait pensé qui se passerait, c'était aussi ce qu'elle avait pensé qui devrait se passer. Quel que fût le rôle mystique de l'arrivée de Storm, quel que fût le rôle que lui-même jouerait dans les événements à venir, ce n'était pas sa chasse, pas sa bataille. C'était celle de Harper.

Et c'était après elle qu'ils en avaient.

3

Le siège dura.

Le malfrat à la cicatrice quitta l'angle de la rue, aussitôt remplacé par l'un de ses acolytes. Un véritable Frankenstein, celui-là, tête d'enclume, bras de gorille, et le reste. Harper devinait qu'il y en avait d'autres qui guettaient là, hors de sa vue. Elle allait avoir besoin de renfort.

Elle appela Bernard au téléphone, deux fois, de la cabine du bar. Il était évidemment absent. Elle n'avait pas de raison de l'attendre. Il vivait au-dessus du bureau, dans sa maison à elle de l'autre côté de la rue, mais il rentrait rarement avant l'aube. Elle comprenait que ses nuits se passaient en débauches aventureuses dont elle espérait seulement qu'elles dépassaient son imagination la plus fiévreuse. Pour le cas où il appellerait chez lui, comme il le faisait parfois, elle essaya de laisser un message sur son répondeur. Toutefois, étant donné que celui-ci était une machine et qu'elle, Harper, était ce qu'elle était, elle n'était pas sûre d'y être parvenue.

Elle se replia donc vers le feu. S'assit à une table. Sirota une pinte de Guinness tiède. Fuma sa pipe, la ralluma nerveusement, la laissa s'éteindre sur la table près de son borsalino. Et elle pria qu'un secours vînt d'une manière ou de l'autre.

Peu avant onze heures, les deux vieux messieurs du bar levèrent le camp et rentrèrent chez eux. Harper se retrouva seule avec le barman. Robert. Un garçon agréable, souple, en chemise écossaise, avec des cheveux en brosse de la couleur du blé et un anneau de jade qui se balançait à une oreille. Mais elle ne pouvait pas plus le mettre en danger qu'elle ne l'eût fait pour Storm. Elle était sans recours. Elle accepta finalement le fait qu'elle devait appeler la police.

— Le téléphone est en dérangement, lui annonça Robert.

Elle l'avait déjà décroché et avait déjà goûté la saveur acide de la peur quand elle n'avait obtenu que le silence à l'autre bout de la ligne.

— Il s'est détraqué il y a une vingtaine de minutes.

— Vous avez un téléphone privé ?

— Celui-là aussi est en panne. Bizarre, non ? (Il haussa une épaule et feuilleta un magazine.) Il y a une autre cabine téléphonique au coin de la rue. Vous pourriez l'essayer.

— Non. Ça ira.

— Dernière tournée, à propos. Nous fermons dans dix minutes.

— Je finis seulement ma pinte, répondit Harper.

Elle trottina vers la fenêtre. Regarda dehors. Le type à la cicatrice avait repris son poste. Levait sa main renversée à la hauteur de sa bouche, tirant sur sa cigarette. Il s'était enhardi. Il la regardait en face. Son rictus s'agrandit quand il la vit.

Elle lui tourna le dos et revint à sa place près de la fenêtre.

Les dernières minutes avant la fermeture s'écoulaient. Elle observait sombrement la *stout* devant elle. Peut-être avait-ce été une erreur de laisser Storm l'abandonner ici. Il serait resté volontiers si elle le lui avait demandé. Il aurait insisté pour le faire. Et il avait le courage pour cela, elle l'avait vu.

Mais non. Ce n'était pas son affaire, pas son rôle. En dépit de tous ces discours sur les fantômes et le paranormal, il était un enfant de ce siècle. Il en partageait les préjugés plus qu'il ne le croyait. Psychologie. Science. Matérialisme. Il ne pouvait comprendre qu'avec l'intelligence de son époque. Non. Ç'aurait été une erreur, ç'aurait été une faute en raison de sa maladie, d'engager Storm dans le combat contre un ennemi qu'il ne pouvait absolument pas saisir. Le fardeau de l'Insolite lui incombait à elle, Harper.

Peu de gens savent approfondir l'étrange. Elle en faisait partie. Pour les autres, il ne pouvait y avoir que scepticisme ou crédulité ; il pouvait y avoir des credos, des sciences, des religions ; des théories ou des philosophies ; de la politique ; bref, un point de vue. Pour Harper, il n'y avait que ce long et constant tâtonnement dans l'obscurité, et son long cortège de récits. Si l'heure de sa fin avait sonné, si aucun secours n'arrivait, si le barman fermait et la renvoyait seule dans la rue, alors elle se laisserait aller dans l'inconnu. Ce serait ce qu'elle ferait quand l'heure sonnerait. Parce que la non-connaissance était dans sa nature, la première règle de son jeu. Oui, le fardeau de l'Insolite lui incombait.

Toutefois, alors que la pendule sonnait onze heures, Bernard arriva. Les paupières lourdes, les yeux brumeux, il sortit comme par magie des toilettes. Robert le barman en fut stupéfait. Mais Bernard se contenta d'agiter les doigts dans sa direction, tandis que sa forme sinueuse se dandinait comme la fumée.

Il prit le siège en face de Harper. Elle le huma.

— Hmm, fit-elle, dans un souffle qui rida la surface de sa Guinness. Vous puez de l'odeur de vos perversités.

Elle avait réellement eu peur et maintenant son cœur battait la chamade.

— Et de l'alcool, ou quoi que ce soit que vous avez absorbé.

Il eut un geste indolent d'indifférence. S'affala, dans son coupe-vent noir et son jean, les jambes tendues sous la table, les bras en direction du feu. Son crâne rasé luisait dans la lumière.

— Et je suis également ici, ce qui fait que vous devriez m'être foutument reconnaissante, enchaîna-t-il. Combien sont-ils, dehors, vingt-sept ?

— J'en ai vu trois jusqu'ici.

— J'ai dû me glisser par la fenêtre des toilettes, comme un serpent. Ne vous en offensez pas, mais je ne crois pas que vous y arriveriez. Qu'est-ce que vous comptiez faire ? Vous battre à coups de sac à main jusqu'à la maison ?

— D'accord, d'accord, je suis contente de vous voir. (Son pouls ralentissait.) Je suis comblée par cette preuve de notre lien mystique. Vous semblez avoir senti mes difficultés par télépathie...

— Ouais, ça m'est venu comme dans un rêve. J'avais appelé chez moi pour prendre mes messages et j'ai entendu soudain un marmonnement étranglé suivi par un juron, pendant que deux croulants parlaient de football dans l'arrière-fond. Une image s'est formée dans ma tête, et j'ai vu devant moi une Luddite idiosyncratique et incompétente s'échinant à communiquer avec mon répondeur-enregistreur depuis un pub.

— Ah.

— On ferme ! cria le barman.

Harper leva haut sa Guinness et la vida jusqu'au fond mousseux. Reposa le bock avec autorité.

— On ferme, dit-elle.

Bernard hocha la tête. Ils se levèrent tous deux.

Le jeune homme décrocha la cape de Harper du portemanteau dans un coin et l'aida à l'enfiler. Il en lissa le dos tandis qu'elle la boutonnait. Harper glissa sa pipe dans son sac et passa la bandoulière sur son épaule. Elle coiffa le borsalino d'un coup sec, ajusta ses lunettes. Bernard prit sa canne dans l'angle de la cheminée et la lui tendit. Tout à fait remise, elle lui tapota la joue.

— Merci d'être venu, jeune homme. Je n'aurais pas apprécié qu'on dispose de moi comme d'un sac de linge.

Il lui serra la main.

— Nous partirons comme nous avons vécu, ma chère, le fouet en main.

— Ha-ha.

Elle leva la tête de dragon vers le barman. S'avança vers la double porte avec Bernard. Ils s'arrêtèrent là, scrutant l'extérieur à travers la grue gravée sur la vitre. Le malfrat n'était plus à son poste. Personne d'autre n'était visible. La rue était vide. Ou du moins, le semblait.

— Bon, dit Bernard dans sa barbe. Il n'y a que trente pas jusqu'à la maison.

Mais ils n'en firent pas plus de dix.

Elle poussa la porte de son côté, lui de la sienne. Ils arrivèrent à l'angle de la rue, sous le réverbère. Commencèrent à traverser la chaussée. Bernard se tenait près de Harper, à sa gauche. Ils regardaient de part et d'autre. Bernard regardait derrière lui. Personne.

Ils traversèrent la rue en diagonale, du réverbère au porche de leur maison. À mi-chemin, ils quittèrent la lumière pour entrer dans la pénombre.

Et l'homme à la cicatrice s'avança, surgissant de nulle part.

Il s'approcha sans ralentir son allure. Il indiqua son poignet. Il souriait, mais la cicatrice changeait le sourire en un ricanement plein de dents.

— T'as une minute, poupée ? gloussa-t-il.

Il accourait vers eux, il chargeait. D'autres bruits

de pas se firent entendre, courant, tout autour d'eux, les cernant.

— L'heure, haleta Harper, n'est pas encore venue.

Elle tenait sa canne de la main gauche, la droite en tira le dragon, libérant la lame du fourreau. Elle décrivit au-dessus de sa tête un grand arc avec la lame d'acier, fendant l'air vers un point immobile. L'homme à la cicatrice dut freiner sec, sur les talons, mais l'épée se ficha méchamment dans le creux de son cou, là où le pardessus s'ouvrait. Bernard se faufila derrière Harper. Il se mit dos à dos avec elle, juste à temps. Car il y en avait quatre autres qui accouraient de tous les côtés.

Bernard lâcha un sifflement rauque et écumant tandis qu'il exhalait son souffle *ibuki* de l'estomac tendu. Sa main droite décrivit dans l'air un joli *shuto-uchi,* le coup du tranchant de la main. Aussitôt, il se mit en posture de combat.

— *Oi-ya !* ajouta-t-il pour l'effet.

Cela sembla efficace. Les quatre hommes s'arrêtèrent net. Ils se placèrent en demi-cercle autour de lui. Chacun regardait les autres, attendant que quelqu'un brisât le cercle de peur. L'homme à la cicatrice leva les mains d'un geste de comédie. Malgré la pointe de la lame sur son cou, il souriait. Ses yeux brillaient d'une rage meurtrière.

— Pas besoin de tout ça, marmonna-t-il. Je veux juste te susurrer un mot à l'oreille, ma jolie. C'est tout ce que je veux.

Mais les quatre autres se mouvaient, feintant, cherchant une faille dans les défenses de Bernard. Celui-ci gardait les bras en mouvement devant lui, tournant la tête et les yeux de droite à gauche.

— Eh bien, vas-y ! aboya Harper, trop fort pour ne pas être terrifiée.

Elle se maudit d'être une vieille peau.

— Vas-y, et dis ce que tu as à dire !

Le monstre de Frankenstein à sa gauche feignit une attaque. Bernard cria. Cette fois, son *shuto-uchi* vrilla l'air si vite qu'il parut être un sifflement. Le monstre recula.

— Vous êtes en infériorité, ricana l'homme à la cicatrice.

— Le premier qui me touche gagne un fauteuil roulant, lui lança Bernard par-dessus l'épaule de Harper.

Les quatre malfrats continuaient à danser, avançant, reculant, rusant. L'un d'eux brandit un cutter. Un autre une matraque de vilain aloi, noire et flexible. Le Frankenstein se contenta de serrer les poings. Bernard s'agitait aussi, toujours adossé à Harper.

— Le jeu n'en vaut pas la chandelle, grogna l'homme à la cicatrice.

Penchant la tête en arrière pour s'écarter de l'épée qui le tenait en respect, il parvint à fixer Harper de ses yeux porcins et furieux.

— Je ne bluffe pas, tu sais ? C'est que tu tiens un petit fil, ma jolie. Je suis ici pour te dire de laisser tomber. Laisse tomber, et nous rentrerons tous contents à la maison.

— Un petit fil, répéta-t-elle. Mais peut-être bien que je vais le tirer et voir ce qui va se dérouler...

Ce fut alors que les quatre malfrats attaquèrent.

Le cutter étincela et frôla le coupe-vent de Bernard qui se recula. Bernard saisit le poignet de l'attaquant et le tordit. L'homme hurla, son cutter tomba sur l'asphalte, suivi de peu par son propriétaire. Puis Bernard se pencha pendant qu'il expédiait un coup de *kansetsu,* juste au-dessus du tibia de Frankenstein. L'énorme monstre vacilla et s'effondra sur le côté pendant que Bernard lançait vivement son poing renversé, *uraken,* dans l'autre direction. Le dernier coup défonça le nez du troisième assaillant, dans des éclaboussures de cartilage et de sang.

Mais la matraque du quatrième homme fit son effet.

Un revers de main que Bernard ne put qu'à moitié bloquer de son bras libre. L'arme rebondit sur son front. Bernard vit le ciel danser et se retrouva brusquement à genoux. Le salopard à la matraque avança d'un pas pour se poster au-dessus de lui. Avec un râle d'effort, le malandrin leva son arme, prêt à l'abattre de toutes ses forces sur le crâne exposé de Bernard.

Toujours agenouillé, toujours étourdi, Bernard tendit sa main ouverte entre les jambes de l'homme et la referma.

— Ouf ! fit l'homme

Il se recroquevilla comme du papier brûlé et tomba sur le pavé.

Bernard se releva en vacillant et se remit dos à dos avec Harper. Il retrouva l'usage de ses pieds, s'arcboutant contre elle. Frankenstein et le malfrat au nez écrabouillé s'étaient également relevés. Ils tournoyaient devant lui, mais ne paraissaient pas vraiment prêts à attaquer de nouveau. Les deux autres se roulaient par terre, râlant en se serrant le poignet et le pubis.

L'homme à la cicatrice eut un mouvement de colère. Harper l'éperonna, le releva sur la pointe de ses pieds à la pointe de son épée.

— Vous savez, je suis assez toquée pour vous tuer, gronda-t-elle.

— Espèce de vieille morve stupide, grogna-t-il.

Cloué à la pointe de l'épée, il laissa ses yeux roses cracher des éclairs.

— Tu sais avec qui tu traites. Il a été bon avec toi, non ? En souvenir du temps passé. Tu penses qu'il ne peut pas terminer ça quand il le veut ? *Quand il le veut ?* T'inquiète pas, chienne.

La terreur, la fureur et la frénésie s'emparèrent brusquement de Harper. Levant la pointe de son épée, elle lui fendit d'un coup le menton.

L'homme à la cicatrice poussa un cri, trébucha en

arrière et porta ses deux mains à son visage. Il regarda le sang sur ses doigts. Poussa des jurons et lui adressa un regard chargé de haine.

— Puisque je suis une chienne, rugit-elle, fais gaffe à mes crocs.

Elle avait un faible pour la métaphore.

L'homme à la cicatrice se tut. Il saignait. Tout ce qu'il pouvait faire était de pointer son doigt vers elle. De pointer un doigt menaçant, une fois, deux fois, trois fois, tout en s'enfonçant à reculons dans la nuit. Les autres, le voyant disparaître, commencèrent aussi à battre en retraite. Les deux qui gisaient au sol se ramassèrent en tremblant, et se joignirent à la déroute. Tous lancèrent des avertissements silencieux et sinistres à Bernard qui, haletant, tenait toujours ses mains tendues devant lui.

Et le cercle des assaillants se fondit dans les ténèbres. Ils devinrent de plus en plus flous, l'homme à la cicatrice pointant toujours son index vers Harper, le pointant encore et encore.

Harper laissa lentement retomber son épée. Fatiguée. Elle était soudain très fatiguée. Ses yeux, son bras, tout son corps. Lourde, lasse. Et effrayée. Vraiment terrifiée. Elle se mit à trembler violemment. Elle entendait Bernard derrière, qui tentait de reprendre son souffle. Elle sentait son dos étroit s'appuyer contre elle. Elle aussi dut s'appuyer à lui pour rester droite.

Pendant un moment interminable, elle put encore distinguer l'homme à la cicatrice qui battait en retraite. Elle put voir son regard porcin et rose, son index. Un moment interminable de plus.

Et puis ils ne furent plus que tous les deux, Bernard et elle, seuls dans les ténèbres.

4

Le soir de la vente aux enchères arriva et, tout comme Harper l'avait craint, Sophia se pendit. Pour elle, c'était la fin d'une longue journée rêveuse.

La première chose qu'elle fit le matin fut de brûler toutes les photos de sa mère. Assise chez elle, très femme d'affaires à son écritoire. Habillée de l'un de ses uniformes ordinaires : jupe grise plissée et chandail bleu sur une blouse blanche. Elle jetait de temps à autre un regard à travers les portes-fenêtres, vers les toits à pignons de South Kensington, les cheminées et les fenêtres de soupentes, le clocher de pierre d'une église contre le ciel d'un gris uni, calme et charmant. L'une après l'autre, sous ses doigts, dans le cendrier, les photos brûlaient, calcinant les traits qui ressemblaient tellement aux siens.

Sophia opérait avec le plus grand détachement. L'esprit clair et distant. Elle avait décidé ce qu'elle allait faire, il lui semblait qu'une ligne très droite, d'une parfaite clarté, la menait vers l'accomplissement de l'acte, un corridor dégagé qui traversait des étapes précises, logiques et prévisibles vers l'image de son propre corps en train de pendre. C'était le monde autour de ce corridor qui lui paraissait brumeux, voilé, incertain. C'était cette périphérie indécise qui conférait à la journée sa qualité rêveuse.

Quand elle en eut fini avec les photos, elle ouvrit les portes donnant sur le balcon et aéra la pièce, chassant la fumée vers Little Boltons du revers de la main. Puis elle se dirigea vers la salle de bains. Vida le séchoir du reste du linge. Plia ces vêtements dans sa chambre, sur son lit. Les mit dans des valises. Comme si elle partait en voyage. Elle pensait que cela serait plus simple pour tout le monde, que cela laisserait moins de désordre.

Elle avait choisi huit heures, huit heures du soir. Elle pensait que ce serait le moment où le commissaire-priseur en arriverait aux *Mages*. Où la situation deviendrait impossible pour elle. Son père achèterait le panneau et elle serait forcée de choisir entre lui et sa promesse à l'homme de la Résurrection assassiné. Ce qui n'était pas du tout un choix. Les deux termes de l'alternative étaient intolérables. Comment pourrait-elle trahir son propre père ? Et comment pourrait-elle garder un secret mêlé à une telle monstruosité ? *Celui qui achète* Les Mages... *C'est le Diable de l'Enfer...* Sophia était certes portée au courage, mais il y avait un point où il était absurde de souffrir. Ce serait à huit heures. Quand ils vendraient *Les Mages,* quand son père l'achèterait. Elle en avait décidé ainsi.

En ayant fini avec ses vêtements, elle empaqueta ses CD dans des enveloppes sur lesquelles elle traça des adresses d'une main minutieuse. Ses pièces classiques, du Bach pour la plupart et un peu de Mozart, iraient à sa sœur Laura. La musique populaire américaine qu'elle aimait, Sinatra, Louis Armstrong, Ella Fitzgerald, irait à son ami Tony ; son frère Peter détestait ça. Elle lui enverrait quelques albums de rock, plus l'affiche de Lucian Freud, qu'il appréciait.

Elle mit son appartement en ordre, puis porta les paquets au bureau de poste de Fulham Road. Il était plus loin que celui d'Earl's Court, mais elle trouvait déprimants les dealers et les fast-foods près de la station de métro. Le trajet était beaucoup plus agréable. Le long des maisons blanchies à la chaux, sous les murs de leurs jardins et les branches de cerisiers et de noyers. Des forsythias qui fleuriraient si jaune quand le printemps viendrait. L'air était froid, humide et vivifiant, il lui rafraîchissait les joues et les cheveux.

Chemin faisant, elle repensa au visage des photos qu'elle avait brûlées. C'était encore plus évident que dans le portrait de la Grange : si les traits de sa mère *avaient* été très semblables aux siens, son attitude et son expression avaient été, elles, tout à fait différentes. Elles étaient plus chaleureuses, meilleures, pensait Sophia. Cette manière exquise qu'elle avait de pencher la tête de côté. Et la légère contrariété qu'on lisait toujours dans ses yeux, comme si elle avait omis de rendre quelque service ou de témoigner quelque affection. Son sourire aussi, si anxieux de plaire. Même dans le Kodachrome d'antan, sa générosité sautait aux yeux de sa fille. Sophia le ressentit avec un pincement au cœur. On se demandait parfois comment les choses auraient pu être, autrement...

Après qu'elle eut posté ses paquets, elle prit un taxi pour se rendre à la galerie.

— Voudriez-vous être un amour et me remplacer à la vente ce soir ? demanda-t-elle à son assistante Jessica. Je ne me sens vraiment pas en état d'y aller.

— Vous n'êtes pas malade ? s'inquiéta Jessica, clignant ses yeux limpides de faon.

— Ça va aller. Vous êtes une chouette fille.

Sophia serra les épaules de son assistante dans son chandail de tendre cachemire. C'était très étrange, mais son esprit était si clair qu'elle pouvait lire à travers Jessica, la comprendre jusqu'à la moelle et même entrevoir son avenir. Blonde avec des joues de chérubin, vulnérable, respectueuse et pas terriblement intelligente, Jessica choisirait son brelan parmi les clients les plus riches de la galerie. Elle en épouserait un, bénéficierait de son opulence, souffrirait de ses infidélités et apprendrait à vivre pour ses enfants et son propre bien-être, résignée et à peine impatiente. C'était vraiment très étrange ; Sophia regarda dans les grands yeux de Jessica et y vit tout cela. Elle serra de nouveau les épaules de la jeune fille, cette fois avec compassion.

— Sir Michael veut *Les Mages,* poursuivit-elle, et elle imita de manière amusante la voix de baryton solennel de son père, à tout prix !

Jessica sourit sans assurance.

— Ça n'ira pas au-delà de cinquante, mais il a dit qu'il triplerait cette mise, nous avons donc les moyens. Soyez ferme, surenchérissez vite et vous effraierez les autres.

— Oui... oui, très bien, répondit Jessica sans fermeté aucune. Si vous avez réellement besoin de moi.

Sophia lui adressa un sourire encourageant. Ce serait pour la secrétaire un grand moment, pensat-elle. Quelque chose dont elle se souviendrait plus tard. Sur une impulsion, elle décrocha sa broche et l'accrocha sur le pull de Jessica.

— Maintenant, écoutez. Si Antonio est là, je veux que vous flirtiez un peu avec lui, d'accord ? Surtout quand les lots d'Anvers seront présentés, détournez son attention. Dites-lui que j'ai un excellent *Pan* de Rubens pour lui et que je ne veux pas qu'il dépense tout son argent avant que je mette la main sur une partie de ces lots. Dites-lui que j'ai été très ferme à ce sujet. Il aime ça ; ça l'excite et ça lui fait croire qu'il est anglais. D'accord ?

— N'est-ce pas la broche de votre mère ?

— Elle vous va bien. Les petits lapis allument des étincelles dans vos yeux.

— Oh, mais je ne peux vraiment pas...

— Je veux que vous la portiez, insista Sophia. Elle

vous va beaucoup mieux qu'elle ne m'a jamais été. Je considérerai qu'elle est à vous jusqu'à ce que je vous revoie. Entendu ?

Là-dessus, Jessica parut tellement confuse, reconnaissante et admirative que le cœur de Sophia s'emplit de pitié pour elle et son humiliant avenir. Mais elle se borna à un sourire sceptique. Dans sa lucidité, elle comprenait que ce qui devait être serait. Et elle poursuivit son chemin le long de son corridor clair, à travers sa rêveuse journée.

Elle finit par se retrouver, ce soir-là, seule dans son bureau à l'étage. La galerie fermée, sombre et calme au-dessous. Elle se balança paresseusement dans son fauteuil noir, dans la seule lumière de la lampe sur son bureau à cylindre. La pendulette électrique, au coin du buvard, indiquait que c'était le dernier quart d'heure avant huit heures. Et Sophia attendit, à présent nerveuse, impatiente que le temps passât. Elle tambourina deux fois le rebord en faux cuir du buvard avec son ongle. Deux fois, rapidement, puis encore deux fois. *Tic-tic, tic-tic.*

Elle jeta un coup d'œil vers la porte ouverte, là où s'étendaient les derniers rayons de la lampe, là aussi où le balcon intérieur s'incurvait le long du mur jusqu'à s'y fondre. Elle imagina son corps qui pendrait, là. Pendrait, tournoierait. Les peintures sur les murs au-dessus d'elle : les montagnes au clair de lune, les clairières pareilles à des cryptes, les ruines charmantes sur l'herbe. Le corps tournait et tournait et se retournait vers elle, et elle en imagina le visage. Le même visage qui lui souriait ce matin du fond du cendrier, qui s'était recroquevillé, noirci, et qui était tombé en cendres.

— Ta mère se préoccupait profondément des souffrances des autres, lui avait confié un jour son père. Trop profondément, me suis-je parfois dit. Elle voulait que le monde fût meilleur qu'il n'était. Elle se

152

sentait beaucoup trop responsable : l'injustice, la pauvreté... Nous ne pouvons faire que ce que nous pouvons, après tout, nous occuper de notre propre jardin, tu comprends. Nous ne pouvons pas résoudre les problèmes de l'univers, n'est-ce pas ?

Et Sophia avait répondu non, nous ne le pouvons pas. Et pourtant, on se le demandait. Si les choses avaient pu être différentes. Elle tapota le buvard d'une main. L'autre main arriva lentement au centre de son corps. Ce visage, le visage de sa mère, était tellement charitable, soucieux, ouvert et pourtant tellement semblable au sien qu'on se disait qu'elle, Sophia, aurait pu ressembler davantage à sa mère. Si elle avait été là, pour apprendre à Sophia comment faire.

Cette pensée ne fit qu'aggraver sa mélancolie et sa solitude, qu'approfondir le trou qui se creusait en elle. De toute façon, on était à quelques minutes de huit heures. Elle se leva, éteignit la lampe. Son pardessus bleu marine pendait à une patère près de la porte. Elle en retira la ceinture avant d'aller sur le balcon.

Elle s'avança lentement. Une main glissait le long de l'appui et l'autre tenait la ceinture, qui traînait par terre. L'agitation du trafic de Bond Street lui parvenait étouffée. Les lumières coulaient sur le mur d'en face. Par-dessus les peintures, par-dessus un amas désolé de rochers, il y avait un crépuscule, un personnage qui regardait le point de fuite. Puis il disparut. La galerie était plongée dans la pénombre et le calme. Le calme, à l'exception de ses propres pas sur le sol dur. *Tic-tic, tic-tic.* Elle se rappela comme elle avait entendu ce bruit dans son lit, comment elle était descendue à l'étage au-dessous, appelant sa mère, et s'était dirigée vers la porte au bout du corridor, la dernière porte... Après cela, elle ne pouvait rien se rappeler.

Elle s'arrêta au milieu du balcon. Il semblait être l'endroit approprié. Elle attacha la ceinture à la rambarde et tira dessus. Elle fit un simple nœud coulant à l'autre bout et le glissa sur ses cheveux noirs. Cette tâche et celle qui consistait à enjamber la rambarde, à s'asseoir sur le bord du balcon, étaient le pire de la chose, le moment le plus déprimant. Cela paraissait à la fin minable et misérable. Et une fois assise là, saisissant la rambarde et regardant en bas, elle pensa tristement que l'on aurait dû apprendre à aimer, alors l'amour serait venu au secours.

Puis elle regarda sa montre. Il était exactement huit heures, huit heures tapantes. En ce moment, ils devaient être en train de vendre *Les Mages*.

Ce fut sa dernière pensée lorsqu'elle s'écarta de la rambarde.

5

En fait, *Les Mages* avaient été offerts à la vente
environ quatorze minutes plus tôt. Et ce fut à ce
moment précis, tandis qu'on présentait le panneau sur
un chevalet, que Richard Storm pénétra dans la salle
de ventes de Sotheby's.

Son arrivée suscita bien plus de remous que la présentation du panneau. La vaste salle, largement éclairée, était bondée. Les files de chaises pliantes étaient
toutes occupées. Des acheteurs étaient debout contre
les murs blancs, parfois sur deux rangées, les allées
étaient bloquées. D'autres s'entassaient à l'arrière. Il
y en avait même qui se tenaient derrière les jeunes
femmes impeccables, assises devant les tables chargées de téléphones et attendant les enchères à distance.
Et tout le monde fut aux aguets quand Storm entra
par la double porte à l'arrière de la salle. L'effet fut
subtil, mais certain. La foule amassée devant les
portes s'écarta pour le laisser passer. Les têtes se tournèrent brièvement. Les femmes l'évaluèrent ; les
hommes l'examinèrent d'un œil critique. Toutes les
jolies dames ajustèrent leurs coiffures du bout des
doigts. Un industriel français plein de morgue redressa
inconsciemment sa posture ; un pétrolier arabe fit une
grimace ; un tout jeune industriel de Silicon Valley
souffla de dérision, puis dut essuyer la morve de son

col. Les filles aux téléphones tournèrent leurs têtes à l'unisson, comme des oiseaux, pour saisir le spectacle. Le commissaire-priseur lui-même regarda du haut de son estrade, ressentant comme une condensation de fric dans l'atmosphère.

Tout cela à cause de Storm. Et il le savait. Il faut le dire, le zèbre était cette fois-ci en tenue de combat. Les larges épaules mises en valeur par les volumes bien coupés d'un costume Armani. Ses Gucci noirs cirés à en aveugler. Un éclat d'or élégant sur ses manchettes et sa cravate. Une cravate de soie, une pochette idem. Cent cinquante livres de style disséminées dans sa coiffure couleur sable, des livres sterling. Dans la salle, certaines personnes jugeaient de ces choses-là, comme des ordinateurs, définissant les amours potentielles, les clients, les rivaux. Mais, même pour un regard profane, même pour un regard négligent, le gars avait l'air d'un grand nabab, d'un Américain multimillionnaire à l'aise avec la puissance, la séduction et la gloire. Ce qu'était exactement Storm, bien sûr.

Il franchit le seuil toutes voiles dehors. Visiblement en mission. Car Storm se sentait bien de nouveau, il se sentait même neuf, réinventé. Sa révolte contre son attaque s'était dissipée. De même que la faiblesse physique qui s'en était suivie. Et sa force morale lui était revenue, dans une réaction à la réaction. C'est ainsi que depuis les jours qui s'étaient écoulés après sa dernière rencontre avec Harper, depuis qu'il avait fui *Le Signe de la Grue* et le jugement qu'il avait cru lire dans les yeux de la vieille femme, il s'était enfermé seul dans sa chambre minable. Il s'était battu contre les démons intérieurs de sa mort. Une distribution comprenant des milliers d'acteurs. Un spectacle épique, désolant et sanglant, en gestation depuis quarante ans. Jour après jour, il avait été déchiré par les griffes noires de sa mortalité. Nuit après nuit, il s'était brûlé les joues de larmes. Assis en tailleur sur la moquette. Les yeux égarés, levés vers le plafond. La vie ! Oh, la vie ! avait-il hurlé aux dieux.

Et puis cela avait pris fin. En fait, quelques heures plus tôt. Alors qu'il gisait, épuisé. La réponse qu'il cherchait lui était brusquement apparue, comme une aube tourmentée se levant devant ses yeux. Et la réponse : Irv Philbin. Ou, plus exactement, les paroles immortelles d'Irv Philbin, le plus foutu meilleur publiciste de cinéma du Canyon à la Côte. Irv qui, sept ans plus tôt, avait sauvé la plus mauvaise production de Storm, *Castle Misery,* en faisant gober au public ce film sépulcral et comateux grâce à l'une des plus grandes campagnes de publicité de tous les temps. C'étaient les termes de cette campagne qui, en cet instant, avaient resurgi devant Storm, les mots inscrits sur les affiches de *Castle* dans les halls de tous les multiplex de l'Amérique. C'étaient ces mots qui brillaient dans l'esprit de Storm à travers la forêt de ses doutes, à la sortie de la vallée des ombres :

Dans la bataille entre l'Amour et la Mort, un seul peut survivre !

Storm était là pour retrouver Sophia.

Devant l'estrade, un homme en bleu de travail ajustait les crampons du chevalet sur lequel on présentait les peintures. Il reculait. Et voilà le panneau : l'abbaye en ruine, la fenêtre brisée, les arbres hivernaux, les ombres, les silhouettes encapuchonnées et fantomatiques glissant au pied de la chapelle. Descendant du plafond, un énorme tableau d'affichage électrique se remit à zéro. Livres, dollars, deutsche Mark, yens, tout était à zéro. Son scintillement attira le regard de Storm, qui perçut les froissements des sièges tandis que les acheteurs changeaient de position, croisaient les poignets sur leurs jambes et dirigeaient leurs regards blasés sur le Rhinehart.

— *Les Mages,* annonça le commissaire-priseur sur

son estrade, derrière le vaste socle blanc, en bois, qui portait en lettres dorées *Sotheby's*.

Jeune, bien habillé, droit comme un I. Les lèvres pincées, précieux et arrogant. Un garçon que ses collègues disaient plein d'avenir.

— Lot quatre-vingt-quatorze, un panneau du triptyque de la Nativité de Rhinehart, récemment redécouvert dans l'ancienne Allemagne de l'Est et offert en donation anonyme au Fonds d'aide à l'enfance.

Il était huit heures moins treize.

Storm parcourut la foule du regard. Toujours debout près de la porte, il balaya lentement des yeux les acheteurs adossés au mur blanc, à sa gauche. Passant aux gens, assis, il vérifia les coiffures les unes après les autres. Enfin, il examina les filles aux tables des téléphones, une par une. Pas de Sophia.

— Je prends une offre d'ouverture à vingt-cinq mille livres.

Le commissaire-priseur entama son boniment de professionnel. Voix nasale, hypnotique, faussement bredouillante car, d'une précision surprenante, les mots coulaient de ses lèvres minces.

— J'ouvre à vingt-cinq mille, vingt-cinq, j'ai vingt-cinq mille, quelqu'un à trente ? Trente, trente mille au téléphone. Trente-cinq. J'ai trente-cinq mille.

Les choses commencèrent à se précipiter. Storm essaya de repérer l'endroit d'où venaient les enchères. Il se rappela que Sophia avait dit que sa galerie pourrait acheter le panneau. Il voulut suivre le regard du commissaire-priseur, mais celui-ci était presque immobile. Et pourtant, ce type semblait voir tout et partout dans la salle.

— Quarante, j'ai quarante mille au téléphone, dit-il.

Au téléphone. Il regarda à droite, juste à temps pour saisir un signe imperceptible. Une femme qui avait la noblesse d'un cygne et qui était vêtue du chandail réglementaire détacha les yeux de l'écouteur pour lever un sourcil et un doigt.

— Quarante-cinq mille, reprit le commissaire-priseur. J'ai quarante-cinq, quarante-cinq mille, quarante-cinq, j'ai cinquante...

Les signes verts sur le panneau d'affichage clignotèrent tout le long de la colonne. Cinquante mille livres, soixante-quinze mille dollars, cent dix mille deutsche Mark, des yens incalculables, huit millions ou quelque chose du genre. Il était huit heures moins onze.

Le commissaire-priseur frotta son marteau, un lourd cylindre de bois, tout en annonçant les chiffres. Un mouvement infinitésimal de son menton fit que Storm dirigea son attention vers le mur gauche. Oui, une autre enchère. La palpitation d'une main blanche et fine, l'éclat d'un bracelet d'or tandis que le prix du panneau montait encore. Storm se fraya un passage parmi la foule. Il se faufila derrière la dernière rangée de chaises à droite. Essaya de repérer l'enchérisseur du moment.

Il l'aperçut de profil. Non, ce n'était pas Sophia. Une blonde pouponne qui avait tout juste atteint la vingtaine. Une moue de concentration, le front luisant un peu trop sous les lumières.

Storm allait se détourner quand il la reconnut. La fille de la galerie de Sophia, la secrétaire.

— Cinquante mille, ai-je entendu soixante mille, soixante, soixante...

Le commissaire-priseur, avec cette habileté pour laquelle ses amis le détestaient, avait dopé la salle et fait monter les enchères.

— Soixante, j'ai soixante à l'arrière, soixante mille.

Machinalement, Storm jeta un coup d'œil à l'arrière de la salle. Il aperçut fugitivement le mouvement d'un panneau numéroté. Un autre enchérisseur, un homme cette fois.

Grand, mince, en costume blanc. Portant des gants verts, assez bizarres. Les cheveux noirs sur les épaules. Un visage mince, anguleux, presque en losange, un peu chat, un peu renard. Au cœur de l'action, il gardait l'air détendu, les yeux amusés, ironiques. Il se tenait en retrait, loin de la lumière. Mais, même ainsi, il suffit d'un regard à Storm pour comprendre que cet homme allait emporter le lot. Storm en avait vu assez pour le savoir. Il les avait rencontrés à des enchères pour des livres ou des scénarios qui avaient atteint des sommes stratosphériques ; il comprenait leur psychologie. Ce type-là pratiquait la politique de la terre brûlée, il ne prenait pas de prisonniers. À moins qu'il n'y eût le Trésor américain au téléphone, *Les Mages* lui appartenaient déjà. La copine blonde de Sophia n'était même pas dans le coup.

— Soixante-dix, soixante-dix, quatre-vingt mille, quatre-vingt mille, quatre-vingt-dix...

Hou là là, pensa Storm, qui commençait à s'intéresser aux enchères. Les chiffres lumineux sur le tableau d'affichage cavalaient pour garder le rythme. Même à Hollywood, les choses n'allaient pas aussi vite.

D'après l'horloge juste à côté du tableau d'affichage, il était huit heures moins neuf.

Storm regarda de nouveau la blonde contre le mur, la blonde de la galerie Endering. Ouais, comme il l'avait pressenti, elle commençait à craquer. Les commissures de ses lèvres rouges s'étaient abaissées, son regard était fiévreux. Chaque fois que son enchère était dépassée, elle clignait les yeux, se repliait, désorientée.

Elle agita de nouveau la main.

— Cent mille livres, annonça le commissaire-priseur. Cent vingt-cinq mille du monsieur à l'arrière, ajouta-t-il aussitôt.

Un frisson parcourut l'audience, suscitant une réaction à mi-chemin entre le silence et le bruit. Plusieurs visages se retournèrent à la dérobée pour voir le monsieur à l'arrière. Et Storm vit l'assistante de Sophia jeter un regard hagard par-dessus son épaule, si rapide que ses cheveux en volèrent.

Cela fit sourire Storm. Puis son sourire se figea. Quand elle s'était retournée, il avait pu la voir de face. Il s'aperçut qu'elle portait la broche de Sophia.

Les enchères reprirent dans le triangle. La table des téléphones, la blonde et le monsieur à l'arrière. Le commissaire-priseur, avec une perception presque tactile de l'atmosphère, avait encore fait monter les enchères. Il avait reculé de sa table, les paupières baissées, enfin gagné par la passion.

— Cent cinquante, cent cinquante, cent soixante-quinze, cent soixante-quinze mille, deux cents. Deux cent mille...

Minute, se dit Storm. Ça ne colle pas.

Il était huit heures moins sept.

Pourquoi portait-elle la broche de Sophia ? Étaient-ils tous membres de ce culte maléfique dont Harper lui avait parlé ? C'était insensé. Absurde. La broche de sa mère. Qu'elle n'avait jamais portée avant l'autre jour. Elle ne l'aurait pas prêtée à cette fille. Une sueur froide perla sur la nuque de Storm. Il entendit Harper lui chuchoter comme si elle était derrière lui : *Il y a quelque chose qui ne colle horriblement pas.*

— Deux cents, deux cents, j'ai deux cents à l'arrière, est-ce que j'ai deux cent cinquante, est-ce que j'ai deux cent cinquante mille livres, deux cent cinquante, deux cent cinquante...

Le brouhaha dans la salle était tout à fait perceptible. La dame au banc des téléphones qui ressemblait à un cygne trancha l'air de sa main, dans un geste bref et horizontal. L'acheteur au téléphone s'était retiré de la bagarre. Ça se passait entre la blonde et le type bizarre en costume blanc. La petite main de la blonde trembla comme une feuille au vent.

— J'ai deux cent cinquante mille... Trois cents, reprit le commissaire-priseur instantanément. Trois cent mille du monsieur à l'arrière.

Tandis que croissait le murmure d'excitation dans l'audience, Storm commença à bouger, jouant du coude entre les acheteurs debout, contournant les derniers sièges à l'arrière, pour tenter de se diriger vers l'allée.

Les lumières du tableau d'affichage clignotèrent. Trois cent mille livres. Quatre cent cinquante mille dollars. Près de sept cent mille deutsche Mark. Des yens au-delà de l'imagination. Storm voyait la blonde contre le mur terrifiée d'indécision. Ses lèvres tremblaient, ses yeux larmoyaient, ses mains s'agitaient confusément devant elle.

Il la perdit de vue alors qu'il approchait d'elle. Il entendit le commissaire-priseur annoncer :

— Trois cents, trois cents, trois cents, trois cent cinqu... quatre cents. L'enchère est de quatre cent mille livres du monsieur à l'arrière.

Seigneur, se dit Storm en se frayant un passage dans l'allée. Ce type en blanc est un tueur. Il regarda pardessus son épaule et l'examina à nouveau. De plus près, maintenant. Un tueur, pas de doute. Quelque chose dans les méplats brutalement taillés dans sa face... quelque chose dans les profondeurs étrangement fumeuses de ses yeux fit frissonner Storm. Il détourna les yeux, regarda le tableau d'affichage sans le voir, mais remarqua plutôt la pendule : huit heures moins cinq. *Il y a quelque chose qui ne colle horriblement pas.*

Offrant de brèves excuses, Storm s'inséra entre deux personnes qui bloquaient l'allée. Puis entre deux autres. Puis il poussa de l'avant pour apercevoir la blonde contre le mur, juste devant lui. Il était suffisamment près pour remarquer ses narines gonfler de panique tandis que sa main s'agitait en l'air comme une marionnette.

— Quatre cent cinquante mi... cinq cent mille livres du monsieur à l'arrière.

Storm posa la main sur le bras de la blonde. Elle se tourna brusquement vers lui, les yeux écarquillés, la bouche ouverte, la peau luisante.

— Où est Sophia ? souffla-t-il.

— Je... je... je..., bredouilla-t-elle.

Puis elle sembla le reconnaître et chuchota d'une voix rauque, désespérée :

— Elle a dit cinquante. Je ne sais pas ce que je dois faire !

— Cinq cents, l'enchère est à cinq cent mille, l'enchère est à un demi-million de livres...

Storm hocha la tête et serra le bras de la fille :

— Laissez tomber. Vous êtes cuite. Le type a des milliasses. Où est Sophia ?

— Cinq cents, cinq cents, cinq cents...

Le commissaire-priseur saisit son marteau. La blonde se retourna vers lui, la main levée, comme si elle allait enchérir encore.

— Croyez-moi. Laissez tomber, répéta Storm. Où est Sophia ?

Elle le regarda, hoqueta comme si elle sortait d'un cauchemar. Les yeux de Storm tombèrent sur la broche accrochée au chandail. Puis revinrent au visage poupin, abruti par la terreur.

— Je ne sais pas, balbutia-t-elle. Elle m'a dit de venir ici à sa place...

— Elle vous a dit..., commença Storm.

Cette femme demande votre aide, souffla la voix de Harper Albright, *elle crie son appel.*

— Vendu ! Pour cinq cent mille livres, clama le commissaire-priseur.

L'avant-bras de Storm retomba. Le marteau heurta la table. Pouf ! Storm sentit la blonde sursauter.

Peut-être la vente représente-t-elle une sorte de point critique...

L'assemblée éclata en applaudissements bruyants, en rires et en conversations sonores. Storm parcourut la salle du regard. Aperçut l'homme en blanc. Tenant son panneau numéro 313, de ses mains gantées de vert. Souriant de ses dents de prédateur. Les gens assis agitaient les mains, et se regroupaient. Le tableau d'affichage indiqua les cinq cent mille.

Sophia disant : *C'est ici que je veux mourir.*

— Oh, mon Dieu ! suffoqua Richard Storm.

Il était huit heures moins une.

Des personnes s'imaginèrent sans doute qu'il avait volé un sac à main ou un collier dès qu'ils aperçurent Storm se frayer furieusement un passage vers l'arrière. Jouant à gauche et à droite de ses larges épaules. Poussant sans relâche les gens de côté.

Enfin il parvint à la porte et nul ne criait « Au voleur ! », tout allait donc bien. On retirait déjà le panneau de Rhinehart du chevalet de présentation. Une autre peinture prenait déjà sa place. L'assemblée se retourna et oublia Richard Storm. La vente aux enchères continuait.

Storm sortit comme une fusée de Sotheby's et se retrouva sur New Bond Street. Il ne croyait pas ce qu'il pensait. Il n'osait pas. Il courait. Il courait, comme on le lui avait appris à l'université : les jambes tendues, le torse droit, les coudes en pistons. Les devantures défilaient à ses côtés, les enseignes au-dessus de lui. Les gens s'écartaient sur son passage et se retournaient pour le regarder : dans son beau costume, ses belles chaussures, courant comme s'il avait le diable aux trousses. Il n'y pensait pas. Il n'osait rien penser. Il courait tout simplement.

Il arriva en trente secondes à la porte de la galerie

Endering. Sous l'auvent, entre les deux sapins. Collé à la vitre comme un insecte sur le pare-brise. Il scruta l'intérieur à travers la buée que son haleine collait sur la porte. La buée s'étalait et diminuait au rythme de son halètement. La galerie était calme. Le bureau de l'entrée vide. Les peintures en ordre sur les murs. Tout était normal, à sa place. Il pensa que ça allait.

Et puis il leva les yeux et la vit, assise sur la rambarde du balcon. Il aperçut la ceinture autour de son cou.

Storm crut qu'on avait jeté de l'essence sur les braises qui brûlaient en lui. Le doute, le soupçon, l'anxiété, tout flamba d'un seul coup dans un brasier de peur. Il saisit la poignée de la porte, la secoua. Elle était verrouillée. Il la secoua encore.

— Merde !

Il lâcha la poignée. Il frappa la vitre de ses deux paumes. Une fois, deux fois. Il eut l'impression que c'était lui, là-haut, avec la corde autour du cou.

— Sophia ! Sophia !

Elle ne l'entendit pas, ne réagit pas.

— *Sophia !*

Storm était plaqué impuissant contre la surface lisse. Elle resta assise un moment de plus. Il se retourna, l'esprit désespérément vide, les yeux cherchant partout, quelque chose.

Le sapin dans le bac de fonte. Il se pencha, saisit le bac et l'empoigna. Le bac fut trop facile à soulever et, l'espace d'un instant, Storm craignit qu'il ne fût trop léger pour briser la vitre épaisse de la porte. Mais tel était l'effet de l'adrénaline : il aurait pu déplacer l'immeuble. Il recula. Dressa l'arbre et le bac au-dessus de sa tête. De la terre et des mégots tombèrent sur sa coupe de cheveux de luxe. Il projeta le bac sur la porte et la vitre se fracassa.

Les cascades de terre noire et de verre blanc devinrent bleues quand la lumière d'alarme de la galerie se mit à clignoter et que la sirène commença à hurler vers le ciel. Storm fonça à travers l'ouverture étoilée. Les éclats de la porte craquèrent sous ses pieds. Le bac bascula tandis qu'il l'enjambait. Il s'élança vers l'escalier en criant :

— Sophia !

Mais elle s'était déjà laissée tomber de la rambarde. Tandis qu'il soulevait le bac, dehors, elle l'avait déjà fait. Son corps pendait, se balançant à l'extrémité de la ceinture.

Storm poussa un cri de rage et saisit la rambarde. Il la voyait se débattre, griffant la ceinture. Ses sens crépitèrent dans une connexion électrique commune, comme si c'était lui qui suffoquait, qui mourait. Il gravit trois marches, puis trois autres. Elle se débattait encore, elle était encore vivante. Il atteignit le palier. Ne vit que les flashes de la lumière bleue, n'entendit dans sa tête vide que la sirène.

— Sophia !

Le corps tendu par-dessus la rambarde, il se pencha vers elle. Il pouvait l'atteindre. Il l'avait. Par le bras. Il cria encore, sauvagement. La remonta à la force des muscles. Tomba en arrière sous le poids de la jeune femme.

Il l'avait entraînée, avec lui. Instantanément, il se mit à genoux. La saisit. Elle étouffait. Il saisit le nœud autour de son cou. Le passa par-dessus sa tête, brutalement, en jurant furieusement. Sophia retomba en arrière, toussant, suffoquant.

Storm s'agenouilla près d'elle, écumant et fou de rage. Il aurait voulu la gifler. Il brandit une main ; elle demeura en l'air, tremblante. Il la referma, serra les deux poings et les secoua vers elle.

— Oh ! hurla-t-il de fureur. Oh !

Sophia inspira une fois de manière rocailleuse. Puis une autre. Elle poussa un cri rauque, désespéré, animal, et donna des coups de poing à Storm. Elle lui en administra un faiblement, sur la poitrine. Ses cheveux retombaient sur son visage ; elle donna encore un coup, à l'aveuglette, atteignant la joue de Storm. Il poussa un juron et lui saisit le poignet.

Mais elle était vidée. Elle s'effondra sur le sol, émettant des sons hachés, informes, les cheveux sur le visage, son corps vaincu paraissant palpiter au rythme de la lumière bleue. Tandis que les cris de la sirène enflaient et diminuaient tour à tour, Storm l'entendit sangloter misérablement. Il tendit vers elle une main tremblante et la toucha aussi doucement que possible. Mais elle rejeta son bras et le repoussa.

Des gens s'étaient engouffrés dans la galerie. Des voix appelaient. Des silhouettes couraient vers le pied de l'escalier. La sirène hurlait. La lumière bleue ne cessait de clignoter.

Haletant, Storm s'agenouilla, les paumes à plat sur ses cuisses, la tête inclinée.

Sophia s'était assise près de lui et pleurait, pleurait.

V

LA BALLADE DU JEUNE WILLIAM

« Qui donc frappe là ? »
Dit la veuve Annie.
« Et qui donc viendrait si tard à ma porte
Par une nuit si lugubre ? »

Tap-tap. « C'est moi, ton fils, le jeune Will,
Qui jadis jouait près de toi.
Oh, ouvre, mère, et laisse-moi entrer,
Car j'ai froid et je suis las. »

« Est-ce toi, perdu depuis tant de jours ?
Est-ce toi, mon enfant chéri,
Qui frappe à ma porte au cœur de la nuit,
Et suscite la peur en moi ? »

« C'est moi, c'est moi, ton enfant perdu jadis,
Le jeune William, ta fierté et ta joie. »
Tap-tap. « Ouvre, mère, et laisse-moi entrer,
Car j'ai froid et je suis las. »

« Et où donc as-tu été pendant tous ces jours ?
Mon deuil a été si pénible,
Je pensais que tu avais abandonné ta mère,
Pour quelque jolie donzelle. »

« J'ai été près du château du vieux Juif,
Que tu m'avais toujours dit d'éviter. »
Tap-tap. « Ouvre, mère, et laisse-moi entrer,
Car j'ai froid et je suis las. »

« Et qu'as-tu fait là, mon seul enfant,
Mon fils, ma joie, ma fierté ?
Et comment reviens-tu après si longtemps
Par une nuit si lugubre ? »

« Oh, j'ai parlé à la fille du vieux Juif,
Et elle m'a invité chez elle
D'une voix si douce que je dus obéir.
Oh, j'ai froid et je suis las. »

« Et qu'a-t-elle fait alors, mon seul enfant,
Revenu après si longtemps ?
Car mon cœur craint d'entendre le récit
Et mes yeux s'emplissent de larmes. »

« Oh, elle a plongé son couteau précieux dans mon
[cœur
Et ma vie s'en est allée,
Et je suis froid comme une pierre sur la route
Si froid et mort et triste.

Et elle s'est servie de mon sang pour faire son vin,
Et de ma chair pour faire son pain. »
Tap-tap. « Ouvre, mère, et laisse-moi entrer,
Car j'ai froid et je suis las. »

Et la veuve Annie cria très fort,
Et sauta de son lit solitaire,
Et elle ouvrit la porte, mais ne vit rien,
Sinon la nuit si froide et si lugubre.

Et elle erra seule dans les rues du village,
Jusqu'à ce qu'elle entendît, à l'aube, un son,
Tap-tap, dans la terre près des murs de l'abbaye :
Tap-tap, si solitaire, si las.

Et ils fouillèrent en ce lieu jusqu'à
Ce qu'ils trouvent les os du jeune William,
Qui furent mis au tombeau dans le cimetière,
Par une journée si triste et si lugubre.

VI

HARPER ALBRIGHT
ET
L'HORLOGE DE L'HISTOIRE

Un cercle de pierres levées. Le murmure des incantations. Le noir de la nuit.

C'était au centre des prairies du Sussex, à la croisée des chemins des sourciers. Des rivières souterraines se rencontraient là. La puissance tourbillonnait et vibrait dans l'air même. On savait que sept spirales de forces chtoniques s'élevaient de la terre pour monter dans les hautes herbes et s'enrouler autour des sept mystérieux menhirs qui se dressaient dans leur cercle antique, rayonnant d'intensité.

C'était la Chandeleur, un sabbat de sorcières, et l'homme avait apporté avec lui une victime sacrificielle.

L'herbe bruissa, les feuilles tombées caquetèrent à son arrivée. Une lumière argentée et l'ombre noire tournaient alternativement sur le sol. L'homme les suivait rapidement. Il était seul. Il était complètement nu. Son visage était bouffi, ses seins blancs étaient flasques, son ventre était ballonné. Son phallus était rabougri par le froid.

Il murmura pour lui-même :

— Surgis, créature infernale. Hel, Hécate, déesse du Carrefour, Gorgo, Mormo, Lune...

Le sac de toile sur son flanc s'agitait. Un gémissement effrayé en sortait. Les lèvres du vieil homme étaient sèches, ses yeux, vitreux. De la main gauche, il tenait l'athamé, le couteau sacrificiel.

Il était parvenu au cercle préhistorique formé par les sept blocs de taille humaine se dressant sur le ciel turbulent. On disait que c'étaient sept vierges qui avaient été maudites pour avoir dansé un dimanche. Leurs formes ondulaient. Les formes tourmentées de la pierre étaient, en effet, animées par la lumière qui filtrait lors des passages ininterrompus des nuages sur la pleine lune.

Le vieil homme se plaça au centre du cercle. Il sentait la cadence de l'énergie occulte, les émanations des eaux qui convergeaient au-dessous. Il pouvait presque entendre pulser la musique des vierges. Il s'agenouilla devant le bûcher qu'il avait bâti en une petite pyramide. Son genou nu éprouva le contact des cailloux et de la terre.

L'air s'emplit de murmures. Les feuilles captives du bûcher bruissèrent doucement. Le vent hanta le périmètre du lieu, cherchant à y entrer, se lamentant.

— Toi qui vas et qui viens par la nuit, torche en main, ennemie du jour, amie et amante des ténèbres. Toi qui te réjouis quand les chiennes hurlent et qu'on verse le sang chaud...

Il posa le sac par terre devant lui et l'athamé sur la terre dure, devant le briquet. Il saisit le tas qui gigotait dans le sac. Haletant, il sortit l'animal qui frissonna dans le froid.

Le petit chien regarda le vieil homme d'un regard plein d'espoir. Il lui lécha le pouce, le pouce qui le tenait prisonnier.

Le vieil homme tint le chiot de la main gauche et le briquet de la droite. Il actionna la roulette et la flamme jaillit. Il loucha dessus, les pupilles dilatées.

L'animal jappa, priant qu'on le libérât, pour jouer. Le vieil homme se pencha par-dessus et approcha le briquet des flammes.

— Toi qui marches parmi les fantômes, là où gisent les tombeaux... Allez, allez, flamme.

Une feuille prit feu. Un grommellement sourd accompagna les flammes qui s'étendaient. Une lumière rouge monta lentement de la pyramide et s'étendit sur la terre.

— Bien. Bien, dit le vieil homme.

Le chiot aboya, battit le sol de sa queue.

Le vieil homme leva l'athamé.

— Maintenant.

Il leva le couteau à hauteur de ses fins cheveux d'argent. Sa voix s'enfla :

— Toi qui as soif de sang, toi qui instilles la peur glacée dans le cœur des mortels. Hel, Hécate, Gorgo, Mormo. Abaisse ton regard bienveillant sur notre sacrifice.

Sur quoi un effort lui fit trembler les seins. Le couteau monta haut, vers les nuages, vers la lune.

Il y eut soudain un courant d'air enfumé. La pyramide de petit bois explosa dans un champignon d'étincelles et de flammèches. Parmi les vierges de pierre, derrière les flammes bourgeonnantes, sortie de la nuit glacée, une silhouette en noir apparut.

Le vieil homme cria de terreur.

La silhouette parla. Tonitrua :

— Ne porte pas la main sur ce chien ! Ne lui fais rien !

La lame de l'athamé n'émit qu'une seule note quand elle glissa des doigts du vieil homme et heurta la pierre poussiéreuse.

— Harper ?

— Laisse cette pauvre créature, Jervis, vieux bouc stupide !

Elle avança, contourna le feu, s'appuyant sur sa canne. Abaissa une main impérieuse.

— Maintenant.

179

Le vieil homme fit une grimace, piteux, dépité. Mais il lui tendit le chiot. Harper le tint contre son épaule, sur sa cape. Il lui lécha joyeusement les joues, les lunettes et le borsalino.

— Et enfilez donc un caleçon, mon brave, gloussa-t-elle. Mon cœur de vierge est en émoi.

Elle se plaça derrière le feu. Elle détourna les yeux de la nudité du vieil homme, communiquant museau contre museau avec le petit chien.

Tout en grommelant, Jervis porta ses fesses gélatineuses hors du cercle de pierre et alla chercher ses vêtements dans l'herbe.

— Ha-ha ! cria Harper, ravie de l'enthousiasme du chiot qui lui grimpait sur l'épaule pour lécher le côté de la tête. Quelle race ? demanda-t-elle à la cantonade. Bâtard d'épagneul ?

Jervis revint dans le cercle, portant un tas de vêtements. Il ne garda que le slip et jeta le reste à terre. Il enfila le slip d'un air agacé et en fit claquer l'élastique sous sa bedaine pendante.

— Comment le saurais-je ? marmonna-t-il d'un ton maussade. (Il déplia un maillot de corps en laine.) Il appartenait à une fille, je ne sais pas qui. (Il enfila le maillot et sa tête jaillit de l'encolure.) La petite crétine l'avait laissé pendant qu'elle allait acheter des journaux. Alors je l'ai emprunté.

— Oh, Jervis, Jervis ! Vous rendez les insultes superflues.

Elle ne pouvait fixer le vieux pendard que d'un œil, son autre verre de lunette étant couvert de la salive du chiot. Elle s'efforçait de garder son chapeau de la main qui tenait la canne. Mais elle poursuivit :

— Et qu'est-ce qui se passe ? Seul par un aussi grand jour de fête ? Où sont Granny et Oncle Bob et tous les enfants ? Ne devraient-ils pas être réunis sous l'arbre du Sabbat Noir, chantant des hymnes du Sabbat Noir ? Ou quelque chose du genre.

180

Le feu mourant crépita entre eux. Jervis s'éclaircit la voix et cracha un mollard dans les flammes. Leva un sourcil malin.

— Les fils de pute m'ont abandonné. Tous. Je ne comprenais pas pourquoi jusqu'à présent.

Il récupéra son pantalon au pied d'une pierre. Sans le lâcher, il pressa un doigt contre une aile de son nez.

— Vous les avez mis en fuite, n'est-ce pas ? Vous les avez prévenus que vous viendriez.

— J'ai pensé que nous devrions avoir une conversation en tête à tête. Et vous pouvez être difficile à trouver.

Il émit un grondement animal, du fond de sa gorge. Même le chiot s'interrompit pour le regarder.

— Arrogante ? Sûre de vous. N'est-ce pas ?

Un sourire désagréable.

— Eh bien, d'après ce que je sais, vos jours sont comptés. Vous avez franchi la ligne, Harper. Avez dépassé vos limites. Vous ne foulez encore la terre que parce qu'il le veut bien.

— Et vous foulez la mienne, répliqua-t-elle.

Le chiot devenait somnolent et avait élu le col de son manteau comme litière, y avait fourré son museau. Rajustant son borsalino et clignant les yeux derrière ses lunettes souillées, Harper arpenta pensivement l'espace qui allait du feu à l'une des pierres levées. Entre-temps, le vieil homme passait ses jambes étiques et grises dans le large pantalon.

— Imaginez ma surprise, Jervis, quand un charmant garçon du Registre des Œuvres d'art perdues a mentionné le nom d'un mystérieux Dr Mormo, qui avait été un personnage majeur dans le trafic des pillages de guerre. Jusqu'alors, j'avais cru que vous n'étiez qu'un innocent invocateur d'esprits malins et un assassin d'animaux de compagnie d'enfants. À ce propos, les messieurs et dames du Bureau des arts et antiquités de Scotland Yard ne partagent pas mon intérêt pour l'occultisme, ils ont donc omis de faire un rapport entre vous et votre pseudonyme. Mais moi, je l'ai fait, n'est-ce pas ?

Il boucla sa ceinture et se débattit avec la fermeture Éclair.

— Vous n'en avez pas eu assez, vieille vache ? Combien d'avertissements vous faut-il ?

Harper quitta l'ombre de la pierre et s'avança dans la lumière du feu qui mourait. Tenant d'une main le chiot sur son épaule et de l'autre le dragon de sa canne, son chapeau à demi écrasé et ses lunettes de travers, elle restait impressionnante.

— Pourquoi voulait-il *Les Mages,* Jervis ?

— Vous croyez que je suis cinglé ? Vous n'obtiendrez rien de moi.

Mais Harper sourit finement. Elle connaissait son homme. Il était à moitié fou, mais entièrement couard.

— Regardez autour de vous, Jervis, dit-elle. Votre couvent de sorcières s'est égaillé. Parties sans prévenir, sans même souffler un mot. Comme elles vous ont vite lâché quand elles ont appris que je venais. Pourquoi ? J'avancerais une hypothèse. Peut-être parce que c'est une chose que de défier les puissances de l'Enfer et que c'en est une tout autre que d'affronter l'intérieur des prisons de Sa Majesté. Vous êtes vieux, père Jervis. Un mot de moi et vous mourrez à l'intérieur. Ayons donc une conversation élevée. Pourquoi voulait-il *Les Mages* ?

Elle attendit, tendue. L'excitation de la chasse l'habitait. Elle n'en doutait plus : elle tenait sa bête. Enfin. Elle ne le tenait peut-être que par un tentacule, par le bout d'un tentacule entre ses ongles, mais après tout ce temps écoulé, c'était un vrai début et elle n'allait pas laisser filer sa chance.

— C'était lui, n'est-ce pas ? ne put-elle s'empêcher de demander. À la vente aux enchères. C'était lui.

Il ne répondit pas directement, mais eut une réaction qui accéléra le souffle de Harper. Un regard peureux autour de lui ; le signe de la croix, le transversal sur son nombril, le vertical à la poitrine.

— Allons, dit-elle, d'une voix rauque. Finissons-en, vieil imbécile. Pendant vingt-cinq ans, il reste tapi. Rien que de noirs petits aperçus de lui : le corps d'un enfant dans les tourbières de la Finlande du Nord, un autre rejeté sur le rivage dans la baie de Port-au-Prince ; un suicide çà et là, un symbole gribouillé dans le sang. Puis, soudain, il apparaît sous les projecteurs, à la vue du monde entier. Pour acheter une peinture ? C'était une affaire trop importante pour déléguer ses pouvoirs ?

Le sorcier lui adressa un long regard torve.

— Il y a pire que de mourir en prison, Harper.

Mais il cédait déjà, elle le voyait. Agité, avec ses mains dans les poches, les épaules relevées vers ses oreilles poilues.

— De toute façon, ce n'est pas seulement *Les Mages,* marmonna-t-il. Il veut le tout. Bien sûr. Ça ne vaut rien sans la totalité du triptyque de la Nativité. *Les Mages, La Madone, Le Christ enfant.* Il les veut tous.

Il s'était éloigné d'elle pour aller à l'autre bout du foyer. Le chiot remua et se raccrocha à l'épaule de Harper tandis qu'elle suivait le vieil homme.

— Très bien, dit-elle. Pourquoi veut-il le triptyque ?

La question réveilla une lueur malveillante dans les yeux de Jervis. Il sourit à contrecœur, d'un sourire visqueux et plein de dépit :

— Vous ne savez vraiment pas ? Vous tâtonnez dans le noir ? Vous suivez la piste même qu'il a découverte il y a vingt ans et vous ne savez même pas qu'elle est sous vos pieds.

— Vous pourriez peut-être m'éclairer, grommela Harper.

— Voilà votre problème, marmonna-t-il. Si vous voulez mon avis, c'est la faille de votre représentation du monde. Vous vous empêtrez dans les détails. Un enfant mort qui surgit ici, un suicide là, un symbole, un culte en Argentine. Vous pensez que chaque chose est isolée. Mais c'est un tout, Harper. Ç'a toujours été un tout.

Harper demeura silencieuse, dans l'attente. Les occultistes faisaient toujours ces élucubrations grandioses. Ça ne l'intéressait pas. Les petits esprits ont de grandes pensées, mais les grands esprits procèdent pas à pas. Harper voulait quelque chose de précis, quelque chose qui lui permît d'avancer.

Son impassibilité sembla échauffer le sorcier. Il devint insistant :

— Êtes-vous aveugle ou simplement stupide ? s'enflamma-t-il. Croyez-vous qu'il apparaîtrait en public pour rien ? *Il est en marche, Harper !* Il a suivi la trace et il est en marche.

— En marche vers quoi, pour l'amour de Dieu ?

— Ah !

Il essaya de nouveau d'échapper au regard pénétrant de Harper. Il lui tourna le dos, agita un bras en l'air et s'éloigna. Puis il se retourna soudain et cria avec colère :

— *Le secret, femme ! Le secret !* Est-ce qu'il se montrerait chez Sotheby's pour raisons de santé ? C'est le véritable secret des Templiers, le secret du Graal !

— Allons, Jervis. Qu'est-ce que cela est censé signifier ?

— Bon... là-dessus..., répondit-il sombrement, je ne sais que ce qu'on me dit.

— Et on vous dit qu'un triptyque religieux du

184

XVIIIe siècle contient le secret du saint Graal ? Vraiment ?

— D'accord. D'accord. Ne me croyez pas. Mais si vous vous serviez de votre tête pendant deux minutes, vous verriez la logique de la chose. Croyez-vous que Sotheby's mette en vente des tableaux volés ? Vous avez parlé au Registre. Ils ont dû vérifier celui-là.

Harper hocha la tête de sa façon jupitérienne.

— Ils l'ont fait. Le tableau n'a pas de propriétaire connu. Il a disparu des années avant la guerre.

Le sorcier agita son poing vers elle.

— Pas disparu, Harper ! La secte de sorciers l'avait. La secte nazie.

— Haushofer, vous voulez dire ? Cette bande-là ?

— Oui, oui ? Haushofer, bien sûr. Mais la sorcellerie avait des ramifications profondes dans le Troisième Reich. Jusqu'au sommet. N'oubliez pas que Haushofer a initié Hess. Et que Hess a été emprisonné avec Hitler. Et que Haushofer rendait visite aux deux hommes à Landsberg tous les jours, débita-t-il non sans fierté. Haushofer connaissait très bien le triptyque. Ils savaient tous qu'il y avait un pouvoir en lui. Mais lequel ? C'était la question. Quel pouvoir ? Ils ne pouvaient pas percer le code parce qu'ils ne savaient pas ce qu'ils cherchaient. Et quand, à la fin de la guerre, les bombardiers ont déferlé, et que les armées alliées sont entrées et que tout s'est écroulé autour d'eux, Haushofer s'est fait hara-kiri... (Il ouvrit les mains, les écarta.) Le triptyque était perdu.

Ils se faisaient face au-dessus du feu. Des côtés opposés du cercle de pierre, la lumière et les ombres tombaient et couraient sur eux, Harper était immobile, renfrognée, prodigieuse, la huitième vierge, un bloc de dédain aussi sourd et dur que celles en pierre.

— Et vous avancez que Iago sait ce que les nazis ne savaient pas, continua-t-elle. Il connaît le secret du triptyque.

— Il le connaît depuis vingt ans, marmonna le Dr Mormo.

— Alors pourquoi maintenant ? Pourquoi ne se lance-t-il à la recherche des panneaux que maintenant ?

Il fit les gros yeux. Était-elle obtuse !

— Il les a cherchés, bien sûr ! cria-t-il. Il est même venu me voir. Mais ils étaient perdus derrière le Rideau de fer, vous comprenez ? Si l'un d'eux était arrivé sur le marché noir, qui donc l'aurait su si ce n'était moi ? Non, il ne pouvait pas les trouver à l'époque. Ce n'est que lorsque le Rideau de fer est tombé que *Les Mages* ont réapparu.

— *Les Mages,* répéta Harper. Et les autres ?

— Les autres, ricana le vieil homme en haussant les épaules. C'est là toute l'affaire. Celui qui possède les autres, il voulait qu'il le vît. Qu'il vît avec qui il traitait. Quelqu'un qui paierait un prix énorme pour leurs panneaux, ou bien qui se les approprierait par d'autres moyens. (Il eut un petit rire particulièrement déplaisant.) Et ça a marché, non ? Ils commencent déjà à pointer leurs nez. Oh oui, ils pointent leurs nez. Ils iront tous à la fin vers le Dr Mormo, vous verrez.

Harper resta silencieuse et songeuse. Le chiot qui continuait à s'agiter sur son épaule commença à geindre. Il se laisserait bientôt aller sur sa cape, pensa-t-elle avec détachement. Et la petite fille qui l'avait perdu était probablement encore éveillée et pleurait toujours. La police saurait sans aucun doute son nom...

— Et vous dites que c'est un tout, reprit-elle. Même le culte en Argentine en faisait partie. Vous voulez dire que Iago cherchait déjà les panneaux ?

— Non, non, non, répliqua sèchement le sorcier. Mais tout cela en faisait partie, c'était la même chose. Partie du secret. Partie du Graal.

Le feu crépita et caqueta et Jervis caqueta inopinément, lui aussi. Portant son poing à son front, il s'en tapota le crâne.

— Oh, si vous pouviez voir votre tête, Harper. Si seulement vous pouviez voir votre tête ! Vous ne pensez pas. Vous ne savez pas. Vous ne comprenez pas avec qui vous traitez. Ce n'est pas le triptyque, ce n'est pas l'Argentine, ce n'est pas ce meurtre-ci ou celui-là. Ce n'est même pas les nazis ou la guerre ou le Rideau de fer. Ce n'est rien de tout cela. C'est tout cela ensemble.

Il se pencha vers elle. La lueur orangée des flammes colora ses traits bouffis et ses yeux fous.

— C'est toute l'horloge de l'Histoire, chuchota-t-il dans les gémissements du vent. C'est ce que vous ne saisissez pas, vieille aveugle. L'horloge de l'Histoire. Tic-tic. Tic-tic !

2

De temps à autre, Sophia s'éveillait pour trouver un monde silencieux, lent, subaquatique. Quelle que fût la substance que les médecins lui avaient administrée, celle-ci l'avait expédiée à Atlantis et immergée dans un monde au-dessous des vagues. À travers cet élément, la réalité passait comme un rêve et le rêve, comme la réalité. Elle retraça ses propres pas dans les corridors de Belham Grange, des corridors qui conduisaient à un infini menaçant. Elle vit le portrait de son père sur le mur, dont les yeux la suivaient, puis un autre portrait, qui était également son père, ainsi que le suivant et le suivant...

Elle continua et continua. Des passages s'ouvraient à gauche et à droite, ne menant nulle part. Et ainsi de suite. De l'un de ces passages émergea une infirmière, fantôme rose, silencieux, déterminé. Puis, soudain, Sophia se retrouva de nouveau dans son lit, son haut lit d'hôpital. Le regard embrassant l'énorme longueur de sa propre forme drapée jusqu'à la silhouette qui bougeait le long du pied du lit en acier brillant.

— Sœur ?

Sa propre voix ressemblait à un disque au ralenti. Ses lèvres étaient sèches et elle avait terriblement mal à la gorge.

— Tout va bien. Tâchez de dormir.

— Où suis-je ?

Au-delà du pied d'acier il y avait la porte, pas la porte orange de la chambre d'hôpital, mais la porte cachée au bout du corridor.

— Mère ?

Elle glissait vers cela, elle glissait sans le vouloir, comme si elle était un fantôme flottant au-dessus du sol. Elle ne voulait pas y aller. Elle cria, prise dans le courant irrésistible.

— Tout va bien, Sophia, tout va bien.

Une main fraîche et réconfortante était dans la sienne. Elle regarda et vit sa sœur. Laura, sa vraie sœur. Son charmant petit visage soucieux que les larmes agrandissaient et brouillaient. Ses cheveux blonds attachés en arrière, de manière précieuse... Parfait pour une visite d'hôpital, pensa vaguement Sophia.

— Tout va bien, chuchota de nouveau Laura. Personne ne sait rien. On a tout caché. Daddy s'est occupé de toute cette stupide affaire.

Sophia bougea les lèvres :

— Il y avait tellement de sang.

— Chut, c'est du passé maintenant, ma chérie. Personne ne sait rien.

Sophia essaya de sourire et de hocher la tête. Elle tenta de mobiliser ses forces, de traverser la mer. Elle voulait se retrouver au clair, être de nouveau Sophia. Mais le tiède courant sous-marin la tira vers le bas.

— C'est un cauchemar, s'efforça-t-elle de murmurer.

Parce que c'en était un. La silhouette redoutée qui l'attendait, encapuchonnée, sans visage, dans le noir au bout du corridor ; noire, levant ses bras drapés pour la saisir, devenant de plus en plus grande... Elle connaissait ce spectre, elle ne voulait pas voir ce qu'elle savait... Elle savait qu'elle rêvait et ne voulait pas rêver, mais elle était entraînée sans fin par

l'irrésistible courant, dans le corridor, devant les tapisseries et les portraits qu'elle percevait obscurément,
vers la silhouette encapuchonnée qui l'attendait, qui
levait ses bras, qui approchait de plus en plus jusqu'au
moment où lentement, lentement, elle levait le visage
et révélait ses orbites ensanglantées et vides...

Il achètera Les Mages. *À n'importe quel prix.*

Le choc la réveilla. Son cœur battait à se rompre.
Elle écarquilla les yeux. Une lumière grise passait par
les fenêtres. De la pluie coulait des branches du platane. Les toussotements et grondements du trafic
s'arrêtèrent à un feu tricolore, quelque part au-dessous. Elle tourna la tête sur l'oreiller, son pouls se
calmait. L'écran vide de la télévision la regardait stupidement du bureau. Et à côté se trouvait, à la vague
surprise de Sophia, son frère Peter. Affalé dans un fauteuil bas, les jambes croisées. Feuilletant nerveusement un exemplaire de *Time Out*.

Il saisit le mouvement de sa sœur et vit qu'elle
s'était réveillée. Il adopta immédiatement l'attitude
d'un baigneur au bord d'une piscine. Il devint insou-
ciant, drôle. Il jeta le magazine de côté.

— Tu devrais y aller mollo avec ces histoires de
suicide, Sophia, lança-t-il. Tu pourrais te faire du mal.

Elle s'humecta les lèvres. Avala péniblement sa
salive. La chambre tangua de manière nauséeuse. Elle
aperçut le sac transparent au-dessus d'elle, le fluide
également transparent qu'il contenait, le tube qui descendait jusqu'à son poignet. Elle vit les enseignes
fanées de Cambridge sur le mur bleu. Tout chavirait.
Et de nouveau son frère. Portant le chandail blanc
bouffant qu'elle lui avait rapporté de Dublin. L'air
pâle et vieilli sous ses cheveux bouclés noirs. Écorché vif.

— Dis-leur de cesser de me droguer, Peter, marmonna-t-elle.

— Ah...

— Je ne me jetterai pas par la fenêtre. Promis.

— Oui, bon, la valeur de tes promesses est un peu basse sur le marché en ce moment.

— Ça me rend malade.

— Je ferai ce que je peux, chérie. Le Grand Homme dirige comme toujours ses affaires avec une volonté inflexible.

Il souriait, mais d'un sourire contraint. Il se leva et prit une posture désinvolte. Il alla nonchalamment à la fenêtre. Une main dans la poche de son jean, l'autre à la ceinture. Il regarda avec détachement le trafic.

— Tu l'as mené dans une fameuse équipée, ces deux derniers jours, tu sais. Ça n'a pas été facile pour lui. Mentir aux médias, tranquilliser les indiscrets. Le chevalier du royaume avait vraiment beaucoup à faire. (Il adressa à sa sœur un regard indifférent sous un sourcil relevé.) À propos, tu as fait une crise d'asthme. C'est comme ça que nous expliquons les choses. Je pense que tu dois savoir. Nous courons partout comme des fous, parlant à tout le monde de l'asthme de cette pauvre Sophia. Ils t'adressent leur sympathie.

— Pauvre Sophia, murmura-t-elle, essayant de le mettre à l'aise en adoptant son ton ironique.

Mais elle se sentait confuse, somnolente, près de se noyer. Les vagues s'élevaient au-dessus d'elle tandis qu'elle s'enfonçait. Elle fit un bruit pour exprimer son agacement et secoua la tête pour la garder au-dessus de l'eau.

— C'est très important pour la *galerie*, poursuivit Peter.

Il s'était adossé à l'appui de la fenêtre. Le ciel d'ardoise et les branches crochues lui servaient de fond. Son visage était éclipsé. Il salua un général imaginaire.

— Le scandale à éviter à tout prix. La réputation à préserver. Comme si quelqu'un donnait un *pet* de la galerie ou de notre réputation. Bien que je suppose que ça aurait fait une chouette photo pour les journaux à sensation, toi pendue là-haut.

— Oui.

Le mot se distendait comme un élastique. Sa propre voix le lui rapporta de quelque part de lointain.

— Oh, et nous nous faisons du souci pour ton Américain.

— Américain ?...

Elle ferma les yeux un instant. Cet homme stupide, stupide. Ce Richard Storm. Elle retrouvait son image. Elle aspira brusquement par le nez et força ses yeux à s'ouvrir.

— Oh..., fit-elle.

— Il assure qu'il se taira, mais il n'acceptera pas notre *argent,* merci beaucoup, ricana Peter. J'ai dit à Père : « Ne sois pas naïf. C'est un Américain. Les Américains n'aiment que l'argent, pour l'amour de Dieu. » Je veux dire, peut-être qu'il ne comprend pas l'anglais. Peut-être que nous devrions agiter les banknotes devant lui et crier : « Vise, vise, flouze, flouze. » Quelle sorte de nom est Storm, de toute façon ?

Ça ne marchait pas. Elle perdait prise, elle sombrait.

— Sais pas... Je ne le connais pas... vraiment...

— Bon, il a sauvé le cul du vieux à la vente aux enchères, ça c'est sûr.

Les yeux de Sophia s'ouvrirent net une dernière fois.

— Enchères ?...

Mais elle était irrésistiblement entraînée. Elle voulait appeler à l'aide, mais elle était trop fatiguée et il était trop loin. Pendant un moment, elle crut qu'il lui posait la main sur la joue. Elle pensa qu'elle souriait. Et quelque part au-dessus d'elle, elle crut entendre sa voix de nouveau, distante et soudain amère :

— Ne t'inquiète pas, Soph. J'empêcherai ces

salauds de t'empoisonner. Ce sont tous des salauds. Des salauds.

Puis ce fut Richard Storm qui la tenait, main dans la main. Il l'emmenait dans un paysage de Rhinehart : parmi des terrains brumeux et des rochers à demi visibles sur un ciel anémique, des pierres tombales penchées, des ruines élevées. Storm la dirigeait vers un fragment de mur délité. Elle ne voulait pas le suivre. Elle était censée être fâchée avec lui, elle le savait. Mais elle trouva que, d'une certaine manière, elle avait confiance en lui, elle avait même entièrement confiance en lui. Et il riait, la pressait de le suivre, lui criait gaiement par-dessus l'épaule « Tic-tic ! Tic-tic ! » Des silhouettes encapuchonnées se déplaçaient dans la brume, comme la brume, autour d'eux. L'une d'elles leva la tête sur leur passage. Sophia aperçut des orbites qui dégouttaient du sang sur de la chair décomposée. Puis Storm la tira. Elle lui emboîta le pas, mais légèrement, comme une jeune fille, riant elle aussi et incapable de lui résister.

— Je n'ai jamais été aussi heureuse dans ma vie réelle ! s'exclama-t-elle.

Il sourit et hocha la tête et la tira encore. Tic-tic, disait-il. Ils se trouvaient sous des voûtes, une transition onirique. Ils étaient dans un passage souterrain. Une lumière éblouissante brillait au bout d'une issue à gauche, mais là, il n'y avait que ténèbres. Des effigies de morts dans des niches grouillaient d'araignées, enrobées dans leurs toiles. Une effigie représentait Sophia, non, sa mère ; ce devait être sa mère, parce qu'elle-même, Sophia, se trouvait là, avec Storm à son côté, qui lui enserrait les épaules de son bras fort et chaud, le corps si chaud qu'il se fondait presque en elle. Et ils avançaient, approchant de la cachette derrière la pierre.

— Faut-il vraiment que nous fassions cela ? lui demandait-elle. Est-ce que ce ne sera pas mort ?

Et il répondait :

— Tic-tic.

Cela l'effrayait, mais elle lui faisait confiance. Puis tout se précipita. Ils tirèrent la pierre. Un cobra aux crocs dénudés se jeta vers elle et remplit son champ de vision.

Elle hoqueta, s'éveilla, à bout de souffle. Regarda. Et faillit hoqueter de nouveau.

Richard Storm était là. En chair et en os. Assis dans le fauteuil qu'avait occupé Peter, il se tenait penché, les coudes sur les genoux. Un cow-boy en jean fané. Le visage abrupt, comme de la roche, beau.

Sophia ferma les yeux en serrant les paupières et les rouvrit, mais non, malheureusement il était toujours là.

Il leva le menton vers elle.

— Salut. Comment vous sentez-vous ?

Pendant une seconde ou deux, elle put se dire qu'elle était encore perdue, à mi-chemin entre le rêve et l'éveil. Mais elle s'avisa que l'appareillage de perfusion n'était plus là. Et le temps était passé, la nuit était tombée ; la fenêtre était obscure, les branches du platane se dessinaient en noir sur un ciel gris-bleu. Et elle se trouvait l'esprit de plus en plus vif à chaque seconde qui passait. L'effet des drogues était presque dissipé.

Et elle ne pouvait plus repousser la conscience croissante d'un embarras puissamment pénible.

Storm lui fit un sourire de travers.

— Je suis venu pour une revanche, dit-il. (Il indiqua son nez.) Allez-y. Encore un coup de la droite. Je parie que je pourrais bloquer cette droite si j'y étais prêt.

Sophia fondit en larmes. Ce qui eut pour seul effet

de faire empirer les choses. Tout cela était tellement humiliant.

Mortifiant. L'idée d'elle-même se balançant dans le vide, suffoquant, en présence d'un étranger. Et maintenant, pleurer comme ça. Elle se sentit parfaitement idiote, ce qui la fit le haïr et renforça sa première impression de lui, celle d'un irritant crétin d'Américain.

— Voilà, dit-il.

Il était près d'elle, lui tendant un mouchoir en papier.

Elle l'arracha de ses mains. Se moucha. Mais refusa de le regarder. Elle n'aimait pas qu'il se tînt au-dessus d'elle de la sorte, avec la boucle de sa ceinture à hauteur de visage. Elle ne portait qu'une chemise de nuit sous le drap.

— Arrêtez... de me regarder comme ça, parvint-elle à bafouiller, agitant la main dans sa direction.

Elle continua de pleurer. Cet homme était un idiot.

— Oh. Je regrette. Je regardais de haut ? Je vais aller là.

Il fit une brusque enjambée vers la fenêtre. Se laissa tomber sur l'appui, croisa les bras sur sa poitrine. Massif. Ce stupide demi-sourire était toujours plaqué sur son visage énorme.

— Et ne...

Elle se moucha de nouveau, avec irritation.

— Quoi ? demanda-t-il. Qu'est-ce que je fais maintenant ?

— Ne vous attendez pas à ce que je vous remercie, marmonna Sophia. Je ne voulais pas que vous veniez à mon secours et je suis furieuse que vous l'ayez fait.

— Ouais, pas de chance.

— Ça ne vous regardait pas. Pourquoi ne m'avez-vous pas laissée tranquille ?

— Hé. Devinez. Je n'ai pas besoin d'une explication. Vous, oui.

Elle s'essuyait sauvagement les joues et les narines, essayant d'arrêter le flot des larmes, mais en vain. Elle n'avait pas fait cela devant quelqu'un depuis ses dix ans. Elle le détestait.

— Une jolie fille comme vous, gloussa Storm. Jeune. Ayant réussi. Intelligente comme le diable, tout le monde peut voir ça. Vous pendre ? Hé, sans blague ! Si vous décelez un court-circuit dans votre vie intérieure, Seigneur, madame, réglez-le ! N'allez pas...

Il n'acheva pas sa phrase, se contenta de secouer la tête, regardant par la fenêtre comme s'il attendait un soutien moral de cette ville ignorante.

Sophia ne pouvait que l'observer avec incrédulité. Qu'il lui parlât comme ça. Comme s'il la connaissait. Elle prit amèrement conscience du fait qu'elle avait les pieds nus et qu'elle aurait été ravie de lui ouvrir le crâne avec le talon de sa chaussure. Mais, en attendant, elle se tenait crispée sous les draps, serrant dans son poing le mouchoir de papier trempé, vibrant de rage devant l'arrogance et l'indiscrétion de Storm. Reniflant et soufflant, elle essayait de contenir cela de toutes ses forces.

Enfin, quand elle sentit qu'elle pouvait charger sa voix d'une quantité suffisante de venin, elle dit :

— C'est ça que vous faites avec vos vies intérieures en Amérique, vous les réglez ?

— Ben oui, répondit-il en haussant les épaules. Qu'est-ce qu'il y a ? Vous n'avez pas de psychiatres dans ce pays ? Serait-ce une violation des Lois sur la Constipation ?

— Non, non j'aime l'idée, vraiment, c'est une idée charmante, dit-elle d'un ton acide. Il y a quelque chose qui ne va pas dans votre passé, il suffit de le porter à l'atelier et on l'arrangera. Encore mieux, débarrassez-vous tout à fait de votre passé. Je suppose que c'est comme ça que quelqu'un comme vous se retrouve avec un nom comme Storm.

Storm rejeta sa tête en arrière et hurla de rire comme une hyène. Elle était désespérée. N'y avait-il pas de moyen de blesser cet homme ?

— Très bien, hoqueta-t-il à la façon d'un clown. Très bien. Vous ne pouvez pas réparer le passé. Mais vous ne vous tuez pas non plus à cause du passé. Comme je l'ai dit, si le passé n'est pas passé, qu'est-ce qui l'est ? Je veux dire, zut.

Elle ne pouvait que rouler des yeux. Cela dépassait les bornes de la frustration. Elle était obnubilée par les larmes, sa gorge lui faisait mal et ses tempes battaient ; et il était là, avec son moi gigantesque, en train de dire, *si le passé n'est pas passé, qu'est-ce qui l'est*. À ce moment-là, elle ne savait même plus s'il s'agissait de pures banalités américaines ou d'un morceau de sagesse pseudo-bouddhiste.

— Bien, dites-le-moi, vous, reprit-il. Qu'est-ce que vous êtes censée faire avec les problèmes, si vous ne les réglez pas ? Les mettre dans un musée ou proclamer un jour férié en leur honneur ? Quel est le point qui m'échappe ?

Il avait de nouveau quitté la fenêtre, sa voix s'était élevée et il agitait sa main dans la direction de Sophia.

— Je veux dire, comment pouvez-vous faire une chose aussi stupide, une fille comme vous ? Vous êtes toquée ou quoi ?

— Mais à qui *foutre* croyez-vous que vous parlez ? éructa-t-elle, scandalisée, comprenant à présent qu'elle n'avait pas tenté de pendre la bonne personne. Arrêtez... de faire ça avec votre main !

Il arrêta donc de faire ça avec sa main. Il regarda même sa main comme s'il n'avait pas remarqué qu'elle était là. Puis il la jeta de nouveau en l'air :

— Mince !

— Je veux dire, qui *foutre* croyez-vous que vous

êtes ? Je suis sûre que vous n'avez même pas le droit d'être ici.

Il hocha la tête.

— Vous parlez !

Il se tourna vers la fenêtre, grommelant :

— Vous devriez voir le système de sécurité de cet hôpital. J'avais l'impression d'être Obi-wan Kenobi s'infiltrant autour de l'Étoile de Mort.

Cet homme était tellement bête qu'elle faillit éclater de rire. Il la regarda par-dessus son épaule.

— Qu'est-ce que c'est ? Vous riez ?

— Non, bien sûr que non.

— Vous êtes sûre ? Je croyais que vous riiez.

— Je ne ris pas.

— Tant pis.

Pendant un moment, il resta planté là, lui tournant le dos. Son dos, à travers la veste de coutil bleu, était bombé, solide, épais. Comme son cerveau.

Sophia avait cessé de pleurer. Elle commençait à se sentir mieux, dans tout son corps, plus semblable à elle-même. Froide et féroce.

— Je vous remercie beaucoup d'être venu me voir, monsieur Storm, conclut-elle.

Et il eut le toupet de glousser de nouveau et de se tourner vers elle, hilare :

— Oui, oui, oui. J'ai compris. « Je vous remercie *beaucoup* d'être venu me voir. » C'est bien. C'est de l'angliche pour « Foutez le camp d'ici », n'est-ce pas ?

— Je pense que c'est heureux que vous appreniez à maîtriser la langue.

Et il rit de nouveau.

— C'est parfait. J'adore ça. Je voudrais pouvoir dire des choses comme ça. « Je vous remercie *beaucoup*... » Non, vraiment, je suis sincère. C'est comme Rex Harrison. (Il revint avec sa démarche chaloupée vers le lit de Sophia.) Bon, je m'en vais. Mais écoutez. (Il pointa un doigt si près du visage de Sophia

que seules les bonnes manières de celle-ci l'empê-
chèrent de mordre.) Je vous aime. Beaucoup. Ce qui
est du yankee pour : « Je vous aime. Beaucoup. »
D'accord ? Alors ne vous pendez plus jamais. Okay ?
Ça me contrarie vraiment, vraiment. Est-ce que vous
entendez ce que je...

— Oh, pour l'amour de Dieu, partez ! s'écria-t-elle.

Et elle détourna son visage. C'était la seule manière
d'éviter qu'il la vît rire de nouveau. *Ne vous pendez
plus.* Seigneur, qu'il était ridicule ! Elle entendit ses
pas s'éloigner.

Puis quelque chose lui vint subitement à l'esprit. À
contrecœur, elle le regarda. Il venait d'atteindre la
porte.

— Attendez.

Il attendit. Toujours avec ce sourire incongru.

— Que s'est-il passé ? lui demanda-t-elle. À la
vente aux enchères. Pour *Les Mages.* Peter a dit... Que
s'est-il passé ?

— Ne vous inquiétez pas. C'est comme je l'ai dit
à votre père. J'ai tiré la fille de la compétition. Ils en
étaient à un demi-million et ça pouvait continuer.

— Un demi... un demi-million de livres ?

— Vous avez bien entendu, ma chère, et ça aurait
continué jusqu'à perpète. Alors j'ai dit à votre demoiselle de laisser tomber.

Une fois de plus, l'esprit de Sophia commença à
s'embrumer, à s'embrumer et à tanguer et à battre.

— Attendez... Vous voulez dire, mon père... la
galerie... Nous n'avons pas acheté la peinture ?

— C'est exact. Mais, ne prenez pas la peine de me
remercier de nouveau. Je m'en vais déjà.

— Oui, mais qui... ? parvint-elle à articuler.

Mais il était déjà parti.

3

— L'ennui avec les Américains, c'est qu'ils sont si grotesquement directs en tout qu'il est impossible de savoir ce qu'ils veulent réellement.

C'était son père, sir Michael, à la fenêtre, encadré par les panneaux noir de nuit. Fringant et énorme dans son costume noir. Avec sa pochette de soie rouge, sa cravate de soie rouge. Serrant les mains derrière le dos. Arborant une expression soucieuse sur son large visage.

Sophia, adossée sur ses oreillers, se pencha sur la table de malade pivotante qu'on avait tirée vers elle. Elle écrasa de la fourchette le tas blanc sur son assiette. Pensant toujours à Richard Storm.

La dépression la reprenait, et pire qu'avant. La chambre d'hôpital lui donnait le cafard. Et commençait à lui peser comme une chape de plomb. C'était un établissement privé, aussi luxueux qu'un bon hôtel. Les murs étaient d'un bleu gai. Avec des gravures de rameurs, de patineurs. Des rideaux ornés d'un motif coloré d'hirondelles, de renoncules et de nénuphars. Avec son propre bureau, sa propre télévision. Mais juste sous la surface, c'était vraiment terne. Le mobilier produit par une machine quelconque, patiné d'une rapide couche de vernis industriel. Elle était remplie de dégoût. Et elle se sentait prisonnière des longerons métalliques et glacés du lit. Et les trottinements rapides des chaussures ouatinées des infirmières dans les couloirs la rendaient nerveuse.

Mais, plus que tout, elle se sentait oppressée par l'image que l'endroit lui renvoyait de son suicide. Le souvenir, la vision presque, de son corps pendu au balcon de la galerie. Cette image saturait l'air autour d'elle. Son corps qui pivotait et se débattait. À quelques secondes de la mort, par sa faute, à cause d'une terrible erreur. Et puis Storm était venu.

Storm était venu. Avait fracassé la porte. Avait couru vers elle. Et l'avait hissée. Elle portait toujours sur le bras l'ecchymose à l'endroit où il l'avait saisie.

— Que pense-t-il faire ? demanda sir Michael, se balançant sur la pointe de ses pieds ; agité, bouillonnant. S'accrocher. S'introduire dans ta chambre comme ça. Nous lui avons offert de l'argent. Que veut-il ?

Elle continua de touiller sa nourriture. C'était drôle, mais le Grand Homme n'imaginerait jamais que Storm pouvait simplement l'aimer. Beaucoup.

Sir Michael commença à arpenter l'espace au pied du lit de sa fille. Le menton baissé. Les sourcils réunis comme des nuages d'orage. Réfléchissant à haute voix :

— Un truc américain. Qu'est-ce qu'ils font chez eux ? Ils s'intentent des procès. Participent à des émissions de parlotes. Il ne peut espérer nous poursuivre, pas devant un tribunal britannique. Et je lui ai *offert de l'argent.*

Sophia sourit, pensant au ridicule de Storm. *Ne vous suicidez plus jamais, okay ?*

— Il ne va pas nous poursuivre, affirma-t-elle.

Sir Michael s'arrêta devant elle.

— Grand Dieu, tu ne penses pas qu'il va en parler à la télé ?

Elle lui lança un regard.

— Non, Daddy.

— Je veux dire, tu n'as pas... fait de confidences personnelles ?

— Vraiment pas.

— Hmm. Bien. Mais je ne lui fais toujours pas confiance.

Il retourna vers la fenêtre. Resta là, se balançant sur ses talons. Contemplant avec majesté la scène au-dehors.

— Il n'a pas mentionné la vente aux enchères, par hasard ? demanda-t-il enfin.

Sophia reposa lentement sa fourchette. Elle se radossa aux oreillers. Dirigea un regard las vers son père, et contempla son visage reflété par la vitre, une image floue, sombre, piquetée, aux yeux indéchiffrables. Et elle songea avec fatigue que c'était la façon dont ils en parleraient. Avec ces non-dits, dans ce style elliptique. Comme si la vérité était sous-entendue entre eux. Comme si le sous-texte silencieux était bien connu. Toute sa vie, elle avait pensé que c'était la manière dont les membres des familles communiquaient entre eux. Mais là, elle se sentait frustrée. Parce qu'elle *ne savait pas* la vérité. Elle ne comprenait rien. Elle s'était presque tuée parce qu'elle ne comprenait rien. Et elle était à présent si fatiguée. Lasse de la subtilité et des machinations des Endering. Elle pensait toujours à Richard Storm.

— Pas vraiment, répondit-elle d'une voix pâteuse. Il a dit qu'il avait fait renoncer Jessica à un demi-million.

— Oui, murmura sir Michael, pour lui-même. Bizarre qu'il ait fait ça. Impertinent. Bizarre.

— Tu ne voulais pas payer si cher ?

Sa seule réponse fut un haussement d'épaules.

Puis vint une longue pause. Sophia était tellement lasse, tellement déprimée. Elle ne voulait pas reprendre tout cela. Mais cela semblait inévitable. Elle demanda prudemment :

— Qui l'a eu à la fin ?

Sir Michael leva une fois de plus ses larges épaules.

202

— Apparemment c'est assez mystérieux. Un type a signé un chèque au nom d'une fondation. *Children of Hope,* je crois. Le chèque était parfaitement valable. Mais la fondation n'a pas l'air d'exister. Personne ne sait qui était l'acheteur. Personne ne l'a jamais vu auparavant.

Elle le regarda, pendant un long moment. *Children of Hope,* les Enfants de l'Espoir ? C'était ça le Diable de l'Enfer ? Elle s'était presque pendue, pensant que c'était son père ; et c'était une organisation fictive *? Children of Hope* ? Mais alors pourquoi sir Michael voulait-il tellement *Les Mages* ? Savait-il, connaissait-il les Hommes de la Résurrection assassinés ? Pourquoi n'en avait-il pas parlé avec elle et ne lui avait-il pas épargné ce qu'elle avait essayé de faire ? Storm l'avait sauvée, un étranger. Et pourquoi pas son propre père ?

— Daddy...

— De toute façon, ce n'était qu'un caprice, soupira sir Michael en lui faisant face. J'ai toujours aimé Rhinehart, je pensais que ce panneau valait la peine d'être acheté. Rien qu'un caprice.

Elle resta muette, blessée par ce mensonge. Sir Michael s'approcha. Prit sa main dans sa large patte tachetée :

— Ce qui est important pour toi, c'est que tu te rétablisses. Que tu élimines de ton esprit toutes ces folies.

Il se penchait maladroitement au-dessus d'elle. Touchant d'inquiétude, gauche, désarmé devant ce qu'il considérait sans doute comme ses mystérieux troubles féminins.

— Regarde, poursuivit-il avec douceur, je ne veux pas avoir l'air d'un égotiste à tout crin. C'est le moment choisi qui me l'a suggéré. Cette ridicule histoire à la galerie l'autre soir. Ça n'avait rien à voir avec nous, n'est-ce pas ? Avec moi, je veux dire.

Les lèvres de Sophia s'écartèrent et se refermèrent plusieurs fois avant qu'elle pût répondre.

— Tu es un égotiste à tout crin, dit-elle avec douceur. Non. Ne sois pas ridicule. C'était juste une de mes mauvaises passes, c'est tout. C'est fini maintenant, et je me sens très bête.

— Ah, fit-il, se redressant souriant, satisfait. Bien. À l'attaque.

Il laissa la main de sa fille et frappa ses paumes l'une contre l'autre avec un bruit creux.

— Nous aurons peut-être le suivant.

Tirée de ses réflexions, elle le regarda de loin.

— Le suivant ?

— Oui. Depuis la vente, il y a eu toutes sortes de rumeurs selon lesquelles *Les Mages* ne seraient pas le seul panneau du triptyque de Rhinehart retrouvé à l'Est. On rapporte que *La Madone* pourrait arriver bientôt sur le marché.

— *La Madone* ?

— Oui, répliqua sir Michael, se frottant les mains. La rumeur est que le troisième enchérisseur, l'enchérisseur au téléphone lors de la vente, le détient et cherche un acquéreur.

— Oh, murmura Sophia en fermant les yeux.

Elle était vraiment très fatiguée de tout ça. Et déprimée. Et seule. Et elle avait peur, surtout quand la nuit tirait vers l'aube. Tout tournait en rond dans son esprit. *Les Mages, La Madone,* les Hommes de la Résurrection, les yeux massacrés de Jon Bremer... Elle devrait aller à la police, mais si cela signifiait l'arrestation de son père, ou sa ruine ? Dans les deux cas, cela le tuerait à coup sûr. Et elle ne pouvait de toute façon pas faire confiance à la police. Quel que fût ce Diable de l'Enfer, Jon Bremer avait dit qu'il pourrait avoir des complicités dans la police. Bon, il pourrait avoir des complicités n'importe où. Elle ne pouvait faire confiance à personne, en réalité, elle ne pouvait parler à personne. Ce qui n'était pas une nouveauté. Elle n'avait jamais été capable de faire confiance ou de parler à quiconque. Elle n'avait jamais fait de confidences à une seule personne de son âge, de ses vieux soupçons sur sir Michael ou de ce souvenir d'enfance d'une nuit à Belham Grange. Et cela continuerait de la sorte à moins qu'elle ne passât à l'action. Elle se retrouverait dans le même cauchemar qui l'avait tourmentée pendant des semaines. Pendant des années, en réalité. Tout bien considéré, pendant toute sa vie.

Et donc, tandis que le ciel s'infiltrait lentement d'un gris fatigué, elle se leva de son lit d'hôpital. Alla à la fenêtre. Écarta les rideaux, souleva le pan à guillotine. L'air froid du matin la pénétra, traversant le fin coton de sa chemise de nuit. Elle entendit des pneus chuinter sur la chaussée mouillée. Le vent entre les platanes. Elle détourna son regard de la rue et le porta au-delà.

Elle se trouvait dans la tourelle d'angle d'un vieil immeuble victorien, au quatrième étage. Par-dessus le large carrefour, à travers les branches, au-dessus des lumières du trafic, elle apercevait la Tamise luisant d'un reflet sourd, bouillonnant paresseusement sous le pont de Chelsea, portée par la marée. Le vol noir d'un cormoran sur les câbles blancs du pont fila vers l'aube qui pointait à travers des nuages déchirés.

Et elle pensa. *Oui. Une chute d'ici y mettrait fin. Cela achèverait tout pour de bon.*

Puis un boum et un *v'lan* retentirent derrière elle. La porte s'était brusquement ouverte, heurtant le mur. Elle regarda par-dessus son épaule et vit Richard Storm entrer, son sourire idiot masqué par un bouquet de roses et de freesias qu'il tenait à bout de bras comme s'il venait de le tirer d'un chapeau de magicien.

— Bonjour, splendeur, lança-t-il. Me revoici, meilleur que jamais. Comment vous sentez-vous ?

— Je suis heureuse que vous soyez venu, monsieur Storm, dit tranquillement Sophia. J'ai besoin de votre aide.

4

Toc-toc. Toc-toc. Toc-toc.

Entre le démon Asmodée et un portrait d'Ogopogo,
le zeuglodon du lac Ikanagan, Storm avait trouvé une
tranche vide du mur à rayures jaunes contre laquelle
heurter son front plusieurs fois de suite. Il le faisait
depuis plus d'une demi-heure maintenant, avec des
pauses pour invoquer le nom de Sophia, et ça rendait
Bernard complètement dingue. L'homme à tout faire
de *Bizarre !* était engagé dans une enquête nonchalante
lante sur Internet, au sujet d'un farfadet qui avait traversé la baie de l'Hudson en venant de l'île de Baffin
et qui se dirigerait à travers les campagnes vers Sas-
katoon. Se balançant sur sa chaise sans dossier et pia-
notant d'une main sur le clavier, Bernard était en
communication électronique avec la fille d'un mineur
de cuivre nommée Gwen. Elle, de son côté, recueillait
et transmettait fiévreusement le signalement d'une
lueur verte d'un mètre vingt de haut, coiffée d'une
casquette de forestier, qui faisait cuire des gâteaux
d'avoine dans un champ de blé en jachère, quelque
part au sud de chez elle. Tous ces échanges exigeaient
de la concentration. Aussi, les *toc-toc, toc-toc, Sophia,
Sophia* de Storm à l'autre bout du bureau lui met-
taient-ils les nerfs en pelote.

Levant ses traits angéliques vers des dieux inconnus, Bernard capitula et arrêta ses transmissions. Il pivota pour faire face à Storm qui lui tournait le dos. Les mains dans les poches de son jean, la tête penchée, Storm se balançait lentement pour mettre son front en contact avec le mur.

— J'ai comme le sentiment que vous seriez contrarié, marmonna Bernard.

Storm lui jeta un coup d'œil, comme s'il venait de s'apercevoir que l'autre était là.

— Angoissé, rectifia-t-il. C'est ce que je fais quand je suis angoissé.

Mais, au soulagement infini de Bernard, il quitta le mur. Il erra sombrement vers le bac où un machin empaillé roulait ses yeux globuleux. Il le considéra, puis s'en écarta.

Bernard attendit, étudia Storm attentivement. Il avait déjà abouti à la conclusion que son collègue américain était malade. Et, lui trouvant des cernes autour de ses yeux tristes, ses traits rocailleux plutôt brouillés, anormalement pâles, il commença à penser que la situation était encore plus grave qu'il l'avait imaginé. Il n'aimait pas ça, pas du tout. Porté à des crises d'hypocondrie, Bernard détestait penser à ces choses.

— Vous savez comment c'est, reprit Storm, quand vous voulez, tout simplement, verser une femme dans un verre et simplement, la boire, l'avaler, d'une gorgée, corps et âme.

Bernard fit une mine surprise.

— Pas vraiment. Je suis déplorable.

— Non. Des influences différentes...

— Non, je suis un disciple de saint Paul : toutes choses à tout le monde. Je suis mort de temps en temps, je pense, et des vers ont certainement rongé mon corps, mais pas pour l'amour.

Storm, qui ne comprenait visiblement pas de quoi

parlait Crâne d'œuf, se contenta de hausser les épaules.

— Vous ne manquez rien, croyez-moi. Je jure devant Dieu que je ne la comprends pas.

— J'ai entendu dire que ça fait partie du problème.

— Non, je parle de Harper. Je ne comprends pas pourquoi elle m'a incité à me mêler de ça. À quoi s'attendait-elle ?

L'homme à tout faire ne répondit pas. Une longue jambe tendue devant lui, il se servait du talon de ses baskets pour faire pivoter sa chaise. Il avait ses propres doutes sur les motifs de Harper, mais il pensait qu'il valait mieux, pour le moment, les garder pour lui-même.

Storm leva soudain les yeux. Il parcourut le bureau du regard comme pour la première fois : les couvertures du magazine avec leurs photos de créatures étranges, d'autres créatures tout aussi étranges dans les aquariums çà et là, les atlantes hurlant de la cheminée, le cactus carnivore qui haletait devant les hautes fenêtres et le ciel qui s'enténébrait au-dessus de World's End.

— Elle est propriétaire ? demanda Storm. Tout l'immeuble ? Où trouve-t-elle l'argent ?

Bernard sourit. Il préférait ça. Il adorait les ragots. Et c'était exactement le genre de question pertinente que le type de Hollywood négligeait si souvent de poser.

— Ah, fit-il, se détendant et levant une main délicate, je vois qu'elle ne vous a pas parlé de son père. Son Grandchamane...

— Grandchamane ? Comment son père peut-il s'appeler Grandchamane ?

Bernard soupira.

— Non, non, son père ne s'appelle pas Grandchamane...

À cet instant, il y eut un bruit au-dessous. Des verrous et des pênes cliquetèrent. On entendit s'ouvrir la porte du rez-de-chaussée. Bernard porta un doigt à ses lèvres.

— Croyez-vous possible que nous voyions dans les réseaux de l'architecture médiévale la reconstruction subconsciente des schémas de coquille que nous discernons dans les premiers protistes ? leur cria Harper du hall d'entrée.

Les deux hommes secouèrent la tête. En suivant la série de chocs, de craquements, de vibrations et de bruits mous, sans parler de ses discours claironnés, ils pouvaient clairement percevoir l'avancée de Harper dans la maison. Elle pendait sa cape dans le hall d'entrée. Elle allait vers le foyer, où elle rallumait invariablement sa pipe. Elle se trouvait devant le plateau de service, se versait un verre d'eau de la carafe à côté du Tatzelwürm empaillé.

— Certains prétendent qu'un planaire qui en dévore un autre peut alors imiter, sans informations extérieures, le comportement de la victime durant sa vie, poursuivit-elle, puis elle s'interrompit pour boire.

Storm se pressa le gras des paumes contre les tempes. Bernard fit seulement de gros yeux. La démarche laborieuse de Harper résonna dans l'escalier et sa voix montait avec elle.

— Nous admettons l'héritabilité de l'instinct, déclara-t-elle, mais est-ce que la substance d'une mémoire plus complexe n'aurait pas pu être transmise par des voies de plus en plus complexes, de telle sorte que le foyer de l'âme contienne, non pas seulement la conscience de sa race...

Elle apparut dans l'embrasure de la porte, à bout de souffle, appuyée sur sa canne, sa main libre poussant pensivement le tuyau de sa pipe contre son menton.

— ... Mais de toute la création ?

— Je ne crois pas, répondit Bernard.

— Ah, dit Harper. Dans ce cas, nous prendrons l'article de tête sur les sangsues géantes.

Franchissant le seuil, elle laissa tomber sa canne contre l'un des atlantes hurleurs. Elle tira de son sac une chemise de papier brun et trottina à travers la pièce pour la poser dans l'un des casiers sur la table de Bernard. Trottina de nouveau vers la méridienne devant les hautes fenêtres. Et s'y affala avec un énorme soupir.

Storm l'avait observée tout du long. Bernard aussi. Elle enleva ses chaussures et se massa les pieds sous leurs yeux. Elle s'allongea sur la chaise. Lissa sa robe aux motifs de vignes, un tas confus de feuilles vertes et de grappes pourpres. Storm l'observait toujours, les mains dans les poches. Bernard aussi.

— Quoi ? cria-t-elle à la fin. Quoi ? Quoi ?

Storm secoua la tête et leva la main.

— Comment avez-vous pu lui faire ça, Harper ?

— Ah.

Sa pipe s'était déjà éteinte. Elle en agita vers lui le tuyau froid.

— Je suppose que Mlle Endering a demandé votre aide.

Secouant toujours la tête, Storm se dirigea vers la fenêtre près d'elle. Il s'appuya au mur d'une épaule, le regard perdu dans le crépuscule.

— En allant à l'hôpital ce matin, j'ai regardé en l'air et je l'ai vue dans ce, je ne sais pas quoi, cette grosse partie en forme de tourelle de brique rouge de l'immeuble. Elle avait l'air d'une princesse de légende là-haut, prisonnière d'une tour.

— Ha-ha, fit Harper Albright.

— Puis, à l'instant où j'entrais dans sa chambre, elle a dit qu'elle voulait me voir. Ce soir. En secret. Elle a dit qu'elle ne voulait pas que son père le sache.

Il ferma les yeux de souffrance.

Mais Harper se contenta de répondre :

— Bon. Elle a une histoire importante à raconter. Elle la porte sans doute en elle depuis des siècles et elle a besoin de s'en libérer. Je n'ai aucun doute qu'elle vous dira tout.

— Elle me connaît à peine, Harper.

— Ne soyez pas ridicule. Vous lui avez sauvé la vie. Vous avez été alors vraiment cinématographique. Si elle est une princesse dans une tour, vous êtes un chevalier en armure étincelante. De plus, je soupçonne fortement qu'elle n'a personne d'autre à qui se confier.

Il leva de nouveau la main. Son ton était intensément plaintif :

— C'est ce dont j'ai peur.

Les derniers rayons du jour se réfléchirent sur les lunettes de Harper, masquant ses yeux. Mais Bernard put voir son visage s'adoucir.

— C'est une grande fille, jeune Richard. Une femme accomplie. Dites-lui la vérité et elle pourra prendre ses propres décisions.

Storm vacilla jusqu'à ce qu'il eût le dos contre le mur. Pendant une seconde, son expression fut sans défense, presque enfantine. C'étaient précisément des moments tels que ceux-là qui poussaient Bernard à la débauche : pour alléger les pressions.

— Je ne sais pas si je peux le lui dire, déclara Storm. Je ne sais pas si je peux le lui dire.

Ils restèrent tous silencieux, et une atmosphère de tristesse régna dans la pièce. Storm regardait la suspension au plafond. Bernard étudiait le bout de ses baskets et Harper, le fourneau de sa pipe. Aucun d'eux ne regardait l'autre.

Puis Storm se détacha du mur. Il alla vers la porte sans un mot. S'arrêta là, les mains dans les poches. Il considéra d'un air contrarié l'arrière de la tête de Harper.

— Comment avez-vous pu me faire ça ? dit-il calmement. J'étais étranger à cela. Vous savez. J'étais déjà chez moi, j'étais parti. Le cordon était coupé. C'était comme si je faisais voile vers le large et que c'était bien. Vous comprenez ? Maintenant...

Bernard attendit la réponse de Harper, mais elle ne vint pas. Elle regardait toujours sa pipe. Un moment plus tard, Storm était parti.

Harper fut aussitôt sur pied. Arpentant de ses bas le dessin rose du tapis. Se tapotant le menton du tuyau de sa pipe. Murmurant, avec une morne excitation :

— Nous y arrivons, Bernard. Nous y arrivons. Ce soir, un soir, avec ce que découvrira Richard, avec ce que je pourrai trouver, qui sait, nous pourrons tout comprendre. Tout.

Bernard se leva d'un coup. Prit le temps de recomposer sa grâce naturelle. Puis s'engouffra dans un réduit à fournitures adjacent, hors du regard de Harper. Il était agité et ne voulait pas qu'elle le vît.

Le réduit était petit et sans fenêtres. De vieux numéros du magazine s'y entassaient. Des chemises de coupures de journaux. Des boîtes de crayons, de cutters, de feuilles de mise en page ; un calandreur à cire cassé. Pour la plupart, des objets que l'ordinateur de Bernard avait rendus obsolètes, mais que Harper tenait néanmoins à garder. Il y avait également là un lavabo et un petit réfrigérateur sur lequel se trouvait une bouilloire électrique. Et des sacs et des boîtes de thé, de café et de chocolat. Une boîte de biscuits digestifs moisis, Bernard en grignota un en remplissant la bouilloire avant de la brancher.

Il entendait toujours Harper faire les cent pas dans le bureau, marmonnant pour elle-même :

— Arrogant, arrogant, oui. Il se dandinait pour mettre son ego en vedette sous les projecteurs. Après toutes ces années. Une erreur. Ce soir, nous saurons la vérité.

Bernard jeta un sachet de thé dans deux grosses

tasses et observa d'un œil mi-clos la bouilloire siffler.

— Combien de temps croyez-vous qu'il reste à vivre à Richard ? cria-t-il.

Il entendit les pas s'interrompre. La vapeur nimba son visage et l'interrupteur automatique de la bouilloire cliqueta.

— Je ne sais pas, bougonna-t-elle. Je suppose qu'il aura besoin de soins médicaux dans un an.

Bernard hocha la tête, l'estomac acide. Il versa l'eau dans les tasses.

— Et vous ne pensez pas qu'il serait un tout petit peu, mettons impardonnable, de l'utiliser de cette manière ? Pour obtenir des informations de la fille Endering. Quand il est visiblement amoureux d'elle ?

Tandis qu'il remplissait les deux tasses, des images se formèrent sur leurs flancs noirs : ceux d'extraterrestres aux crânes blancs et aux yeux vides. Ils étaient gravés dans une encre sympathique et la chaleur les rendait visibles. Ces timbales étaient des cadeaux dérisoires que le nouvel éditeur de *Bizarre !* offrait aux abonnés. L'astuce enchantait Harper.

— Ha-ha ! fit-elle quand Bernard lui tendit son thé.

Elle était assise sur le bord de la méridienne et avait remis ses chaussures. Tandis que Bernard regagnait son siège, elle porta des deux mains le récipient à ses lèvres, et souffla doucement sur la fumée qui embuait ses lunettes.

— Si quelqu'un l'utilise, ce n'est pas moi, répliqua-t-elle quand Bernard se fut assis et retourné vers elle. Vous l'avez dit vous-même, c'est l'arrivée de Storm qui a tout déclenché. Il est intimement lié aux événements et il l'a probablement été depuis le début. Cette histoire qu'il a lue à la réception, son rapport avec la fille, même son absurde recherche de fantômes, tout a joué un rôle. Un héros est mené par sa destinée, Bernard ; les autres sont simplement pous-

213

sés par elle. La seule question qui se pose à Storm est de savoir s'il va être ou non le héros de sa vie.

— Et la fille Endering ?

Harper secoua la tête.

— Si j'étais elle, je tomberais amoureuse de lui.

— Et elle se briserait le cœur.

— Se le briserait pour l'ouvrir, oui.

Bernard ne put plus se contenir :

— Seigneur ! s'écria-t-il, reposant son pot de thé près du clavier dans un choc involontaire. Vous parlez d'arrogance. Vous êtes aussi arrogante que Iago.

Harper hocha la tête lentement.

— Il fait son travail, je fais le mien.

L'homme à tout faire se détourna d'elle et se mit à son ordinateur. Posa sans but une main çà et là sur sa table, cherchant quelque chose qui retînt son attention, pour l'empêcher de révéler ses sentiments, ce qu'il détestait. Ce fut ainsi qu'il en vint à trouver la chemise de papier brun que Harper avait placée dans l'un de ses casiers. Il la tira. Détacha le fermoir. En sortit un feuillet.

— Et qu'est-ce que c'est que ça ?

— Ah. Oui. Ce que j'avais prévu pour ce soir.

Harper posa son pot sur un guéridon et se leva. Elle s'étira, ramassa sa pipe et son sac.

— C'est une ballade du XIVᵉ siècle appelée *Le Jeune William* que j'ai trouvée dans une anthologie à la Bibliothèque de Londres. Je l'ai traduite pour vous de l'anglais médiéval, étant donné votre éducation moderne.

— Félicitations.

— Je la considère comme la preuve que mes soupçons étaient fondés et que *Annie la Noire*, *Le Château de l'Alchimiste* et *Les Mages* étaient tous inspirés par une même source, probablement anglaise et antérieure au XIIIᵉ siècle. Les ressemblances sont trop évidentes pour être ignorées.

— Et ça vous paraît présenter quelque intérêt ?

— Elle avait récupéré sa canne et s'était arrêtée devant la cheminée. De là, elle le regarda d'un air austère, sa silhouette trapue guère plus haute que l'atlante grotesque qui hurlait derrière elle.

— Bernard, dit-elle, articulant les syllabes d'un ton réprobateur. Bernard, Bernard. Cela me paraît être un tout. Raisonnez. Iago recherche le triptyque de Rhinehart et n'a pas l'air de se soucier qu'on le sache. Il *veut* que les gens le sachent, de telle sorte que les propriétaires des deux autres panneaux se montrent en plein jour. Ce qui l'inquiète, c'est que quelqu'un puisse trouver *ce qui l'intéresse exactement* dans le triptyque.

— Et la réponse est enfouie dans toutes ces histoires ?

— Exactement. Ces histoires sont la piste, du moins la piste qui faisait délirer notre ami sorcier le Dr Mormo, une série d'histoires de fantômes qui, je pense, a d'abord mené Iago au triptyque et qui pourrait maintenant nous mener aussi bien à la réponse.

Bernard examina la ballade et se renfrogna.

— Ce doit être ça, reprit Harper. Vous remarquerez que Iago ne s'est pas soucié de nous jusqu'à ce que j'aie fait retrouver *Le Château de l'Alchimiste* par Jorge ; le seul récit qui fasse le lien essentiel entre les histoires et les peintures. Il a alors envoyé ses malandrins nous attaquer. Maintenant, si je peux remonter jusqu'à la source commune de toutes ces œuvres...

— Alors peut-être qu'il enverra ses malandrins nous tuer.

— Hmmm... C'est ce que je vais vérifier tout de suite. Une note indirecte de l'anthologie dit que la ballade est liée à une œuvre du plus grand des auteurs d'histoires de fantômes, M.R. James. Je vais donc consulter Mme Ponsonby. Si elle peut me fournir un autre maillon de la chaîne, et si le jeune Richard parvient à déjouer les défenses de Mlle Endering... Qui sait ?

Bernard avait retrouvé sa posture langoureuse au prix d'un certain effort ; il était incliné en arrière, s'étirant, ses longs cils lui voilant les yeux.

— Qu'est-ce donc, ce secret, à votre avis ? demanda-t-il tandis que Harper s'apprêtait à sortir. Ce que veut Iago, c'est un truc d'armes ? La clef de la domination mondiale ? A-t-il un programme politique ? Un de ces grands plans pour l'intérêt général qui aboutissent à faire du monde un enfer ? Parce que, si c'est tout ce qu'il veut, il pourrait déjà sabler le champagne : nous y sommes déjà.

Harper demeura sur le seuil assez longtemps pour lever un sourcil vers lui :

— Vous êtes trop jeune pour être aussi cynique, dit-elle. Et je suis trop vieille et lucide. Non, je suis certaine que nous sommes ici au-delà de la politique. Il y a deux choses que Iago et moi avons en commun. Et l'une d'elles est une indifférence puissamment tonique à la question de la philosophie personnelle. Il nous est tout à fait indifférent à tous les deux qu'on torture et qu'on tue au nom du racisme ou de la fraternité, de l'oppression ou de la liberté, du Diable ou de Dieu. L'Histoire n'est pas écrite par la main des intentions. Ce ne sont que les actes qui comptent.

— Croyez-vous vraiment cela ?

— Je ne crois rien.

— Oh.

— Bon, je m'en vais.

— C'est un peu particulier, peut-être.

— Ha-ha.

— Quelle est l'autre chose que vous et Iago avez en commun ? murmura Bernard d'un ton pointu, mais il avait déjà entendu la porte se refermer et la canne de Harper qui picorait le trottoir dans la nuit.

5

Peu après, Harper eut une grande frayeur.

Elle était dans un taxi. Remontant Drayton Gardens
depuis Fulham Road. Perdue dans ses pensées. Se
frottant le menton ridé d'une main ridée. Regardant
distraitement à travers le pare-brise, au-delà de la tête
du chauffeur, les phares qui arrivaient en sens inverse.

Peu à peu, un phénomène commença à s'imposer
à sa conscience. Le taxi s'arrêtait et rampait le long
d'une rue étroite entre des voitures garées, ralentis-
sant pour éviter le trafic en sens opposé. Et Harper
s'avisa qu'un nombre anormal de voitures portaient
des plaques minéralogiques aux chiffres étrangement
voisins. Une combinaison des chiffres un, trois, trois,
se répétait sans cesse, 133, 313, 331, deux chiffres et
trois permutations.

Elle fronça les sourcils, se redressa et y fit attention. Le taxi atteignait Priory Walk. Un vaste
immeuble de brique et de stuc à droite. Des lampes
à arc brillaient au-dessus des boutiques et des réverbères jalonnaient le trottoir ; la scène était bien éclairée. C'était peut-être à deux mètres du carrefour d'Old
Brompton Road. Pas si loin. Harper commença à
compter.

Neuf voitures passèrent pendant le délai qu'il fallut pour atteindre le feu tricolore à l'angle. De celles-

ci, quatre, une Rover, une Volks, une BMW et une Volvo, avaient comme numéro de plaque 133, 313, 331 et 133 de nouveau.

Harper se dit que ce n'était là qu'un cas ordinaire de synchronicité. Cela advient tout le temps, à tout le monde. Et pourtant, une intuition lui donna la chair de poule.

Les coïncidences sont plus fréquentes et plus significatives quand nous approchons, quand la piste devient chaude. C'était comme cela que Bernard l'avait dit. *Les nombres qui se répètent, les rencontres fortuites, les successions d'événements improbables. C'est la piste de notre gibier.*

Maintenant elle était aux aguets, ce qui compliquait les choses. Les combinaisons numériques se faisaient-elles plus fréquentes, ou bien était-ce son attention qui les sélectionnait, excluant les autres ?

De toute façon, tandis que le taxi se frayait un passage par les rues secondaires de South Kensington, le phénomène cessa. Harper commença à se détendre et à rejeter ses alarmes.

Puis le taxi arriva sur Kensington High Street. Un kiosque à journaux près de Marks & Spencer affichait la dernière édition du *Standard* : « Le train de 1 h 33 pour Nottingham déraille. » Le taxi monta vers Kensington Church et le prix d'une cloche de couvre-feu en laiton sembla se détacher d'une boutique d'antiquités : 313 livres. Le taxi accéléra de plus en plus, montant plus au nord vers Notting Hill. Harper regarda le thermomètre public éclairé par un projecteur sous le clocher de St. Peter's...

Elle frissonna en pensant contre son gré : *Proche. Il est très proche.*

Quelques minutes plus tard, le taxi s'arrêta près du trottoir.

— Nous y voici, dit le chauffeur, se retournant pour lui sourire. Cent trente-trois Portobello Road.

Rose Ponsonby assit sa personne de quatre-vingt-dix ans parmi les coussins pourpres du canapé et ses chats l'entourèrent. Ils miaulèrent et se frottèrent le museau contre elle, s'étirèrent et ronronnèrent. Rose dut tenir sa tasse et sa soucoupe bien au-dessus de leurs têtes pendant qu'elle mordait délicatement dans son biscuit.

— Je soutiens moi-même que la section de la jugulaire est décidément orgasmique, dit-elle d'une voix charmante, haut perchée, trémulante et grinçante. Mais les autres dames ont rejeté l'usage des dents, voyez-vous. Margaret a été très désagréable et a prétendu qu'elles étaient entièrement phalliques, cependant que Joan, qui se fait vieille et n'entend plus tout à fait aussi bien que jadis, criait d'une voix terriblement haute que leurs traits phalliques n'étaient qu'un écran destiné à protéger l'esprit vulgaire de la menace visiblement vaginale de la bouche à crocs. (Elle gloussa gaiement.) J'aime tellement discuter de *théories,* pas vous ? L'hostilité irraisonnée est un si merveilleux stimulant.

— Oui, oui, très drôle, très drôle, marmonna Harper, mais elle avait l'esprit ailleurs.

Le thé dans sa tasse décorée de saules était intact et elle n'avait pas goûté au biscuit sur son assiette. Depuis dix minutes, elle bourrait et allumait alternativement le tabac dans son crâne en écume de mer, mais en fait, elle n'avait pas fumé. Elle était perchée sur le bord d'une ancienne chaise de couseuse rose, avec un chat de Manx noir plaqué contre une de ses chevilles variqueuses. Ses yeux lançaient sans cesse des regards nerveux sur le petit parloir.

C'était une pièce pleine de livres, en piles sur des étagères, en tas devant et sur la cheminée. Devant la baie vitrée couverte de lourds rideaux verts et autour de la table à thé ronde, des chaises capitonnées et dépareillées remplissaient tout l'espace au sol disponible. Harper commençait à se sentir enfermée, moite, claustrophobe. Parce qu'elle trouvait sans cesse des détails, de dangereuses petites coïncidences. La pendulette sur la cheminée, par exemple, était arrêtée à 3 h 31. Les livres de guingois parmi le service à thé portaient tous le numéro d'index 133. Un petit buste de Constantin le Grand se trouvait dans un angle au sol à côté d'un chat persan endormi. Et pourquoi diantre Constantin ? ne cessait de se demander Harper. Et elle ne pouvait pas s'empêcher de remarquer que le buste portait inscrits les mots *In hoc signo vinces,* qui avaient résonné lors de la vision de l'empereur en 312, vision qui l'avait engagé à se convertir l'année suivante.

— Vous vouliez parler de Monty, dit Rose Ponsonby. Descendez de là, garnements, ajouta-t-elle à l'adresse d'un chat tigré et d'un chat écaille qui avaient sauté sur la table et donné de la tête contre la théière. Il est en haut, Monty, mais je doute qu'il descende. Il n'est pas descendu, je crois, depuis que Julia Fitzroy-Leeman-St. John l'a insulté l'automne dernier. Elle lui avait demandé pourquoi il n'était plus malveillant depuis qu'il était mort, étant donné que les revenants dans ses propres histoires étaient toujours d'horribles pestes. Comme si le pauvre Monty pouvait être malveillant même s'il s'y essayait, roucoula-t-elle, tout en caressant un chat maltais dans son giron. La vérité est que Julia a toujours été jalouse de son faible pour moi.

— Oui, hmm, murmura Harper, levant sa tasse et portant le thé froid à ses lèvres.

Un journal fiché entre deux livres dans une haute pile montrait sa date sur le papier jaunissant : Vendredi 13 mars 1992. Harper sentit une sueur froide sur ses tempes. Elle s'attendait à ce que les séides de Iago fissent irruption pour la kidnapper.

Rose Ponsonby exhala un soupir élaboré. Se toucha pensivement le chignon argenté. Un grand chat de gouttière s'étira devant le torse informe de sa maîtresse et cligna les yeux devant son visage, en signe d'amitié.

— Nous évoquions justement les temps passés, Monty et moi, les jours d'avant la Grande Guerre, avant que la Grande Guerre ait balayé le monde. J'étais à peine née, bien sûr, mais Monty se rappelle. Il était doyen du Kings College de Cambridge, comme vous savez, et je le faisais parler des Noëls là-bas, les fameuses veillées de Noël.

Harper se rembrunit et émit des bruits impatients, tandis que la vieille femme se lançait dans sa fugue personnelle : se souriant à elle-même, se balançant doucement sur son siège, caressant les chats qui la dissimulaient presque. Harper releva un numéro de téléphone griffonné sur un morceau de papier au-dessus d'un abat-jour : 313... Le reste était recouvert de gribouillis.

— On célébrait d'abord les services dans la superbe chapelle, racontait Rose Ponsonby. Puis il y avait le dîner et de la bière chaude aux épices et une partie de cartes. Ensuite un groupe choisi se retirait dans les chambres de Monty. Et là, finalement, finalement, poursuivit-elle, se penchant avec des yeux brasillants au-dessus des chats sur son giron, Monty allait dans sa chambre à coucher et en revenait avec son dernier manuscrit. Il soufflait toutes les chandelles, à l'exception d'une seule. Et il s'asseyait dans son grand fauteuil à oreillettes avec cette chandelle près de lui, son manuscrit en main, et il commençait à lire. Oh, imaginez, imaginez Harper, être le premier à entendre ces grandes histoires. *Le Frêne* ou *L'Abbé Thomas*. Ou *Siffle et je viendrai à toi, mon garçon*. Ces grandes histoires de fantômes. Les meilleures qu'on ait jamais écrites. Et maintenant, se retrouver lui-même à l'état de fantôme, le pauvre chéri...

Elle secoua la tête, soupira de nouveau, un autre soupir élaboré.

La tasse de Harper tremblota sur la soucoupe quand elle reposa les deux sur la table. Elle s'empara de sa pipe et recommença à la bourrer furieusement. Mais elle savait qu'on ne pouvait pas presser son amie.

Rose Ponsonby se versa une autre giclée de thé. Y goûta pensivement. Dit : « Ah ! » Puis :

— Robert Hughes a assisté à plusieurs de ces lectures, vous savez.

Harper arrêta de bourrer sa pipe. Arrêta de jeter des regards anxieux de droite et de gauche. Accorda toute son attention à l'autre femme, au visage affaissé et mou sous la lumière jaune de l'abat-jour à franges au-dessus d'elles.

— Robert Hughes, répéta lentement Harper. L'auteur d'*Annie la Noire* ?

— Oui, ma chère. Vous vouliez vous informer sur la ballade du *Jeune William,* non ? C'est Hughes qui a apporté à Monty le manuscrit enluminé dont la ballade s'inspirait. Un très charmant garçon, lui aussi, disait Monty. Et même à l'époque non sans ambitions littéraires. Mais, à propos de ce manuscrit enluminé, il avait été tracé par l'un des moines de Belham Abbey, dans le Buckinghamshire, semble-t-il, et il avait ensuite passé en Allemagne, après la dissolution des monastères. Un ami de Hughes l'avait redécouvert là et l'avait rapporté en Angleterre, alors Hughes l'a montré à Monty, qui était l'un des grands médiévistes de son temps. Monty peut éprouver encore de grandes contrariétés à propos de la Dissolution, savez-vous ? Surtout en ce qui concerne l'effroyable mépris des livres. À l'exception de l'inventaire tout à fait superficiel de Leland, le roi Henry n'a pris absolument aucune mesure pour conserver les livres du

monastère ! N'est-ce pas affreux ? Tous ces merveilleux manuscrits illustrés dont les chers moines prenaient si grand soin, perdus, tout simplement perdus.
Ça exaspère terriblement Monty ; je ne veux même
pas le mentionner devant lui.

— Sans aucun doute, murmura Harper, mordant sur
son tuyau de pipe avec une grande vigueur. Et vous
dites que Hughes est devenu le détenteur de ce manuscrit enluminé. Et qu'il l'a donné à James. Et que
James en a tiré une histoire de fantômes ?

— Oh, non, non, non, non ! cria Rose Ponsonby
de sa voix suraiguë. *C'est Hughes* qui en a tiré sa
chère petite histoire de fantômes. Celle que vous avez
citée, *Annie la Noire*. Celle-là était inspirée par le
manuscrit médiéval. Monty a simplement traduit le
manuscrit lui-même. Du latin. Il avait pensé publier
sa traduction dans la *Cambridge Antiquary Society
Publication,* mais certains doutes sur la provenance
du manuscrit l'en dissuadèrent. Et, bien sûr, il considérait l'histoire beaucoup trop choquante pour son
guide des abbayes des Western Railways. La traduction n'a donc jamais été publiée.

Harper s'était penchée tellement au bord de sa
chaise de couseuse qu'elle risquait de tomber. Elle
scruta ardemment Rose Ponsonby à travers ses
lunettes.

— Rose. Ma chérie. Qu'est-il arrivé à ce manuscrit ? Celui qui a été écrit par le cher moine. Le moine
de Belham Abbey.

— Oui, dit Rose, levant mélancoliquement le menton. Il a été confié au British Museum.

— Ah.

— Et détruit, je le crains, le 10 mai 1941. Les
bombes allemandes. Il a brûlé avec deux cent cinquante mille autres volumes. Une perte terrible.

Harper eut le gosier desséché.

— Oui. Sans aucun doute. Et la traduction de James ?

— Elle était dans la bibliothèque du Kings.

— Mais...

— Mais, apparemment, elle a été volée il y a une vingtaine d'années.

— Je vois.

Harper ravala sa salive, ce qui était passablement difficile. Passant les doigts sous ses lunettes, elle se frotta les yeux.

— Donc, si je comprends bien, ce manuscrit de Belham Abbey n'existe plus. Il n'existe aucune copie, ni de l'original, ni de la traduction de James.

— Excepté celle-ci, bien sûr, dit Rose Ponsonby.

Elle se pencha et trois chats tombèrent de son giron sur le tapis. Elle tira une enveloppe de papier manille de sous une pile de livres à ses pieds. La dégagea. Et la tendit à Harper par-dessus la table à thé.

Harper la saisit de ses mains tremblantes.

— C'est une copie de la traduction de James ?

— Pas exactement. Monty a eu la bonté de me dicter ceci il y a quelque temps quand j'ai exprimé mon intérêt pour le sujet au cours d'une de nos conversations. Mais vous pouvez être sûre que j'ai tout écrit scrupuleusement.

Harper ferma un œil et examina son amie.

— Le fantôme de Monty R. James vous a dicté ceci ?

— Oh, c'est tout à fait valide. Sa mémoire est vraiment prodigieuse. Et de toute façon, ajouta-t-elle avec un petit haussement d'épaules coquet, je l'ai vérifié en le comparant avec l'original, il y a de nombreuses années, au Kings, avant que le manuscrit soit volé. Et que croyez-vous ? C'est tout à fait exact. Je vous le dis, c'était ça, mot pour mot.

Si Harper avait été moins excitée, elle aurait sans doute été plus vigilante.

Mais toutes ses pensées étaient dominées par la conscience de ce qu'elle avait désormais en sa possession : la source ; la dernière histoire de fantômes. À l'abri dans une poche secrète de sa cape se trouvait la traduction du document qui avait, selon elle, inspiré *Annie la Noire, Le Château de l'Alchimiste,* la ballade du *Jeune William* et le triptyque de Rhinehart lui-même. C'était cela que Iago avait découvert vingt ans auparavant et qui l'avait mis sur la piste du triptyque. Et maintenant, tout à coup, cela se trouvait dans ses mains. Elle ne pensait qu'à une chose : rentrer chez elle pour le lire.

Les épaules voûtées contre le froid de la nuit, elle parcourut le petit sentier devant la coquette petite maison de Rose Ponsonby. Un cortège de chats dansa devant elle jusqu'à la barrière. Rose agitait la main sur le seuil de sa porte. Puis les chats s'égaillèrent et Rose Ponsonby rentra. La porte se ferma et Harper se retrouva seule sur Portobello Road.

La tête penchée dans sa réflexion, son chapeau tiré bas sur les sourcils, sa canne battant le trottoir, elle longea la rue étroite et vide. Un morne bâtiment de brique se tapissait dans l'ombre d'un côté, une rangée de maisons modestes de l'autre. Elle passa sous un réverbère, baigna dans sa lumière et rentra dans l'ombre.

Et un taxi arriva lentement derrière elle.

Si elle avait été moins excitée, si elle avait été plus vigilante, elle aurait remarqué. Qu'il l'avait suivie depuis le début. Qu'il s'était approché d'elle alors qu'elle entrait dans une section presque déserte de boutiques d'antiquités closes et de magasins abandonnés.

Ce furent les faisceaux des phares qui la tirèrent

de ses réflexions. Se retournant et voyant le taxi, elle sourit de sa chance et leva la main pour l'arrêter.

Le taxi se rangea près du trottoir et stoppa. La glace de la portière avant s'abaissa. Harper s'y pencha. Le chauffeur, de l'autre côté, se recula de telle sorte que son visage fut noyé dans l'ombre.

— World's End, dit Harper.

— À vos ordres, chère madame, répondit le chauffeur.

Elle monta à l'arrière et s'installa. Posa la pointe de sa canne sur le plancher, entre ses pieds, posa ses deux mains sur la tête de dragon sculptée et son menton dessus. Et elle se replongea dans ses réflexions tandis que le taxi démarrait.

Elle était tellement absorbée dans ses pensées que plusieurs minutes s'écoulèrent avant qu'elle se rendît compte de ce qui se passait. Le taxi ne se dirigeait pas vers le quartier de Harper. Il s'était engagé dans les rues secondaires de Kensington à la suite d'une série de virages abrupts. Harper, qui débattait furieusement dans sa tête des échanges anglo-allemands, depuis les migrations celtiques jusqu'au bombardement du British Museum, fut abasourdie quand, levant les yeux, elle aperçut le Royal Albert Hall.

Elle se redressa. Ses yeux roulèrent vers la plaque fixée sur le siège en face d'elle : *Le numéro de ce taxi est 331.* Soudain plus effrayée qu'elle ne l'avait jamais été, elle regarda directement le rétroviseur.

Et elle lut l'intense malveillance dans la réflexion du regard du conducteur. Elle vit sa bouche marquée par une cicatrice se tordre dans une grimace d'amertume et de cruauté sardoniques.

Elle ne put plus soutenir le spectacle de ce visage, le visage de l'homme qui l'avait attaquée devant *Le Signe de la Grue.*

Comme elle le vérifia un moment plus tard, les portes et les vitres du taxi étaient toutes verrouillées.

répétait-il. Il avait été éprouvé à cela. Il avait été éprouvé. Il avait été Humphrey Bogart dans Casablanca. Le type de *Fin*, qui. Il attendait prêt à se sentir. Et maintenant ça.

Fou, malade, se dit-il. C'est ce que c'était. Les crevant, pendant que Dieu gouvernait le monde. Les dieux pensaient que c'était indifférent, mais. Mais c'étaient des éléments. De homocidales radicaux en paquets, de *mir* avec des fus de fourmères. Étant se méfiant de mère les décors où l'eau. Maintenant la recherche, pour augmenter la souffrance des

6

Non loin de là, sur Waterloo Bridge, marchait Richard Storm, le cœur lourd. La ville ; la grande fumée, la Dame grise, bref Londres, était si belle que cela lui brisait le cœur. *Regarde, regarde !* pensa-t-il. À l'est, le dôme de St. Paul s'épanouissait dans la buée lumineuse des projecteurs. Un vol d'oiseaux planait et plongeait tout autour, en parfaite harmonie, traçant ses arabesques de ballet sur la nuit vaporeuse. De l'autre côté, les palais du Parlement, tour d'horloge, flèches et spires éperonnant la nuit de leurs dessins. Et les ponts qui bondissaient par-dessus la rivière. Et les lumières qui s'échelonnaient comme des drapeaux le long des berges. Navires, tours, dômes, théâtres et temples, tout se confondait tandis qu'il se dirigeait vers la rivière, les mains enfoncées dans les poches de son trench-coat, l'âme rongée de nostalgie.

Parce qu'il aurait voulu vivre là toute une vie et qu'il n'avait pas une vie à vivre. Parce qu'il voulait être là avec Sophia et qu'il voulait que les églises et les ponts et les spires fussent le décor de leurs baisers et de leurs conversations intimes. Et il ne pouvait même pas se dérouler le film dans sa tête, parce que c'était tellement impossible et que l'impossibilité était trop pénible. Ses pas résonnaient sur les pavés, il fendait l'air froid et humide. Il avait été libre ! se répétait-il. Il avait été étranger à cela. Il avait été Bouddha. Il avait été Humphrey Bogart dans *Casablanca*. Le type qui s'en va. Il avait été prêt à s'en aller. Et maintenant ça.

Des farfadets, se dit-il. C'est ce que c'était. Les croyants pensaient que Dieu gouvernait le monde. Les athées pensaient que c'était l'indifférente nature. Mais c'étaient des farfadets. Des homoncules sadiques en jaquettes de cuir avec des tas de fermetures Éclair. Se cachant derrière les décors de l'être. Manipulant la machinerie pour augmenter la souffrance des humains pour leur propre amusement. Faisant des pieds de nez et gigotant de toutes leurs détestables personnes. Il pouvait presque les entendre se moquer de lui.

Oui, et ils étaient efficaces. Ils faisaient leur boulot vraiment bien. Quand il eut traversé le pont et atteint la rive sud, quand il vit Sophia, l'exquise flèche de souffrance devint un chef-d'œuvre de cruauté naturelle. Foutus farfadets.

Elle se penchait sur la balustrade de pierre, sous un chapelet de lumières. Elle regardait placidement les rives boueuses de la Tamise. Elle se retourna et se redressa quand il approcha. Ses joues étaient roses de froid au-dessus du col relevé de son manteau bleu marine. Une mèche en accroche-cœur s'était échappée de sous le châle de soie sur ses cheveux. Elle était telle qu'il l'avait vue d'abord, froide et supérieure. Détendue, mais droite. La ligne de sa bouche était ferme, vaguement ironique, légèrement souriante. Une balle de vapeur s'échappa des lèvres de Storm quand il devint pleinement conscient de l'image.

Il arriva à sa hauteur. Ils furent tous deux à court de mots. Puis elle tendit une main petite et délicate et secoua avec vivacité celle de Storm.

— Merci d'être venu, monsieur Storm, dit-elle.

Ils marchèrent en silence vers la Tamise. Les

mouettes criaient, planaient, se posaient. L'architecture impérieuse et impériale de Whitehall se profilait au-delà. Les bords coupants et bétonnés du complexe des théâtres dominaient leur décor. L'esprit de Storm s'évertuait à la recherche de quelque chose à dire. Mais il n'avait qu'une chose à dire et ne pouvait se résoudre à l'articuler. Dans son état d'esprit, il ne pouvait pas plus parler à Sophia de sa maladie qu'un homme marié n'eût pu mentionner sa femme ; cela eût tué l'illusion du possible.

Ils marchaient donc et il la regardait à la dérobée, observant la manière dont elle rassemblait ses pensées. À la fin elle s'arrêta. Il s'arrêta. Elle le regarda.

— Je crains que..., commença-t-elle.

Et elle éclata de rire.

Stupéfait, Storm sourit, attendant.

Elle essaya de nouveau :

— Je crains que je...

Elle se couvrit la bouche de la main. Ses épaules étaient secouées de hoquets. Elle se reprit :

— Je crains que je...

Mais le rire éclata de nouveau, en notes hautes et musicales. Elle balaya l'air de la main, comme pour les effacer.

— Je crains...

Elle était prise de fou rire. Elle s'écarta de lui et tituba vers la balustrade. Storm, toujours stupéfait, souriant toujours avec gaucherie, se gratta la tête. Sophia se serra le torse de ses bras, hoquetant de rire. Elle lui adressa un regard d'excuse, mais elle riait trop pour parler. Elle baissa les bras. Et dit :

— Je crains que, puisque j'ai fait une mauvaise première impression...

Mais elle n'alla pas plus loin. Le rire était devenu un handicap. Elle tomba contre la balustrade et en frappa le dessus du plat de la main. Tout son corps était secoué de rire.

Storm continuait de sourire, d'un sourire vide. Il la regardait, les mains dans les poches de son trench-coat. La vie, le sexe, l'argent, le printemps, sa propre peau, il n'avait jamais rien aimé autant que cela. Il n'avait même jamais vraiment compris que cela pût se produire. Comme ça, comme un chant. Comme une chanson vraiment ringarde. Une de ces chansons qui gueulaient, *je n'ai jamais-ai-ai-ai-ais su — que je pourrais ainsi aimer-er-er-er-er — avant de te rencontrer-er-er-er-er...* Ce genre de truc. Et pis encore, ce qui était potentiellement désastreux, c'est que si elle continuait à se pencher de la sorte contre la balustrade, sur le décor de la ville, si elle continuait à se pencher comme ça, riant, les joues rouges, il allait vraiment commencer à chanter cette chanson ou une qui lui ressemblerait, là, maintenant. Oh, ce serait mal, très mal, il le savait. Mais il ressentait fortement, irrésistiblement, l'impulsion. Et il se rendit compte soudain que lui, Richard Storm, de Hollywood, Amérique, fin du XXᵉ siècle, planète Terre, avec la pauvreté et le racisme et ces horribles anneaux que les filles portaient dans le nez et la décadence de la culture occidentale et le fait que les gens disaient *merde* à la télé, oui, qu'il était là, lui, dans son pauvre corps triste, son corps qui se décomposait si vite, *et il y avait une chanson dans son cœur !*

Dieu tout-puissant, s'il n'embrassait pas rapidement cette femme, il allait exploser.

— Oh, haleta Sophia Endering, épuisée, rendue, se tenant les joues entre les paumes, secouant la tête avec lassitude. Je ne sais pas pourquoi chaque fois que je suis près de vous je suis réduite à cet état d'absolue *imbécillité.*

Elle s'essuya les yeux. Regarda ses pieds, le béton sous ses pieds. Elle frissonna. Le rire l'avait vidée.

— La première fois que je vous ai vu, j'ai renversé mon verre. La fois suivante, je saute d'un balcon avec une ceinture autour de mon cou. Et puis je vous bats et je suis à l'hôpital, criant comme une enfant. Et maintenant je ris comme une parfaite idiote. Une mauvaise impression ! Vous devez penser que je suis folle, folle à lier.

Elle leva la tête, attendant une réponse ; mais il ne dit rien ; il ne pouvait imaginer aucun équivalent verbal au geste de la soulever dans ses bras et de l'emporter vers un château dans les nuages.

— Mais vous voyez, au fond, poursuivit-elle, désemparée, c'est exactement pourquoi... (Elle plissa les yeux, essayant de saisir l'idée et de la formuler.) C'est exactement pourquoi je voulais vous parler, je crois. Vous voir. Tellement. Vraiment. Parce que tous les autres... je ne sais pas comment le dire sans avoir l'air terriblement égocentrique, mais tous les autres pensent... que je ne fais *pas* ce genre de choses. Tous les autres pensent que je contrôle parfaitement tout. Tout le temps. Et lorsque je perds ce contrôle, lorsque je fais quelque chose d'irrationnel, tout le monde l'ignore. C'est donc comme si je ne l'avais pas fait du tout. Et, maintenant, vous êtes là et vous devez penser que je ne fais jamais rien d'autre. Vous devez penser : Ah oui, Sophia Endering, c'est cette fille absolument folle qui passe son temps à se jeter des balcons. Je ne sais pas en fait ce que vous pensez de moi. Mais vous êtes là. Et vous étiez à l'hôpital. Et vous avez dit... que vous m'aimiez... (Elle détourna les yeux, embarrassée.) Je sais que c'est absurde, ça a même l'air absurde pour moi pendant que je le dis, mais vous avez dit que vous m'aimiez et il m'a semblé assez étonnant que vous m'aimiez. Que quiconque m'aime. (Elle inspira une profonde goulée de l'air humide, la garda en elle et se ressaisit.) Je voulais donc vous voir. Vous parler. Vous parler. Tout est devenu tellement confondant que je voulais expliquer les choses à quelqu'un qui ne me... détestera pas plus tard à cause de ça. Est-ce que... Est-ce que ça vous va ? Est-ce que ça vous contrarie ?

Storm commença à chanter :

— Vous me faiiii-tes un effeeeeet qui me stupéfai-aiai-ai-ait.

Sophia ouvrit la bouche. Elle le dévisagea.

— Dites-moi pourquoi-oi-oi-oi-oi vous régnez donc sur moi-oi-oi-oi-oi-oi. Laissez-moi vivre à vos pieeeeeeds. Car vous m'avez ensorcelé-é-é-é-é-é. Parce que vou-ou-ou-ou-ous êtes pour moi le monde entier-er-er-er-er-er. Et que vou-ou-ou-ou-ous, ajouta-t-il avec une petite touche de jazz de son cru, m'avez rendu tout à fait fou-ou-ou-ou-ou.

— Je... je..., bredouilla Sophia.

Et elle lui sourit.

Storm s'avança vers elle, la prit par les épaules et l'embrassa.

Il n'avait pas fait du cinéma pour rien.

— Écoutez, je ne suis pas fameuse au lit, murmura Sophia. Je suppose que c'est important pour vous, un homme.

Le lit ? pensa Storm. Le lit ? Ils en étaient donc là. Ils en étaient vraiment là, sur Waterloo Bridge. Avec St. Paul derrière elle, et les oiseaux qui planaient et le paysage de Londres. Et les yeux de Sophia avaient été rendus fous par les baisers de Storm, et il sentait son corps tendu chaque fois qu'il l'attirait vers lui, et elle levait le visage vers lui, confuse et séduisante.

— Est-ce que je pourrais simplement vous regarder pour le moment ? dit-il. Comme ça, sur le fond du dôme, avec ces oiseaux ?

Elle balaya des yeux le décor avec indifférence.

— Le dôme ?

Elle était de profil, et il lui caressa la joue de ses lèvres.

— C'est simplement que...

Elle se retourna et porta ses lèvres vers celles de

Storm. Elle le tenait à distance avec douceur, le bout des doigts sur son visage.

— C'est simplement que les gens pensent... Les hommes sont toujours... Il y a toutes ces *choses* que je dois dire à quelqu'un. Sur moi. Je le dois...

Il la reprit dans ses bras, la sentit de nouveau tendue, puis consentante, et il l'embrassa longuement, profondément. Il avait une intuition. Une érection et une intuition, toutes deux profondes. Non, non, disait son intuition. Pas les *farfadets*. Espèce d'idiot. Comment as-tu pu penser que c'étaient les farfadets ? Cette ville incroyable, resplendissante ; cette cathédrale dans les brumes de la nuit ; cette brise d'hiver vivifiante, ces étoiles ; cette chair, cette chair, ce moyen de rapprocher deux âmes à la bouche, aux reins ; c'est l'œuvre du foutu Père Noël ! Même la Mort ; même la Mort était douce parce qu'elle suscitait ce moment, trop fabuleux pour durer davantage. Ce Père Noël, vous pouviez compter sur lui pour rendre les choses parfaites.

— Dites-moi donc, supplia-t-il en se détachant pour reprendre son souffle.

C'était elle qui le cherchait maintenant, suivant ses lèvres des siennes.

— Dites-moi tout. Dites-moi pourquoi vous avez essayé de vous tuer. Comment avez-vous pu ? Comment avez-vous pu faire ça, Sophia ? J'étais tellement en colère, tellement furieux. Je voulais vous casser la figure. *Je vous aurais* cassé la figure si vous n'aviez pas tapé sur moi la première.

Elle se mit à rire, lui tapota la joue. Ils se laissaient aller. Elle se rapprocha de la balustrade du pont, regarda en bas les lumières qui scintillaient sur l'eau noire. Elle frissonnait. Il voulut la reprendre dans ses bras, mais se retint, attendit.

— J'ai des passages au noir, commença-t-elle. (Elle fit la grimace.) C'est comme ça que nous les appelons. Dans ma famille. Les passages au noir de Sophia. C'est un sentiment vraiment étrange. Tout devient très lourd et d'une sorte de marron et je me sens parfaitement détachée de tout, et supérieure, et misérable en même temps. Je sais alors que tout est comme ça a toujours été, mais tout devient simplement *beurk* d'une certaine manière. Ça me fait drôle de vous dire ces choses. Nous n'en parlons jamais.

Storm renifla. Son nez commençait à couler.

— Qui n'en parle jamais ?

— Nous... Ma famille. Ils seraient horrifiés s'ils apprenaient que je vous en parle. Un étranger. (Elle sourit, comme à un souvenir charmant.) Une fois, j'ai même projeté la voiture de mon père contre la rambarde de l'autoroute M4 à près de cent quarante à l'heure. Un incident terrible. La police est arrivée... Daddy en a gardé un souvenir lancinant. Nous ne parlons jamais de ça !

Décontenancé, Storm s'essuya subrepticement le nez. Il ne voulait pas qu'elle le vît avec la goutte au nez. Il voulait être parfait à ses yeux.

— C'est tout ? Vous étiez déprimée ?

— Non, répondit-elle au bout d'un temps. Il y avait quelque chose d'autre.

Elle observa l'eau de nouveau et il l'observa elle, surpris de la difficulté qu'elle avait à lui parler avec simplicité, à se raconter.

— Il y a ces gens. Ils s'appellent résurrectionnistes. La plupart d'entre eux sont de simples professeurs ou des commerçants. Mais quelques-uns ont des activités qui ressemblent plus à celle de... d'espions, en secret. Ils essaient de retrouver les œuvres d'art qui ont été pillées durant la guerre pour les rendre à leurs véritables propriétaires. Il reste des milliers de ces œuvres, des chefs-d'œuvre, disparus, perdus. Il peut être dangereux de s'y intéresser, vous savez, parce que les gens qui en font le commerce sont plutôt... déplaisants. Des fascistes, des néonazis. Ou simplement des voleurs.

Elle regarda Storm dans les yeux, directement. Comme si cela aussi était un effort pour elle. Et Storm continuait de s'en étonner, constatant combien cela lui était difficile.

— Après la soirée où vous avez lu cette... cette histoire de fantômes, l'un d'eux s'est approché de moi. Dans la rue. Un homme nommé Jon Bremer. Il m'a dit que des gens avaient été tués parce que quelqu'un essayait de s'approprier *Les Mages,* le panneau de Rhinehart, celui-là...

— Oui, oui.

— Et qu'il s'était arrangé pour que le tableau soit mis aux enchères ici, en Angleterre, dans l'idée que cela démasquerait l'assassin.

Jacob Hope, pensa Storm. Ce type nommé Iago. Le résurrectionniste avait visiblement eu raison. Mais Storm attendit la suite.

— Et puis il a été tué, Bremer, cette nuit-là. Ils ont trouvé son corps dans la rivière. (Elle pencha sa tête au-dessus de l'eau.) Mon père m'a dit que nous devrions acheter cette peinture, or j'étais dans un de mes passages au noir et j'ai pensé qu'il était peut-être responsable. Je ne sais pas maintenant quoi penser.

Storm, qui se serrait les bras contre le corps, enfonça les mains au fond de ses poches. Y trouva à son grand soulagement un Kleenex froissé. S'essuya le nez.

— Mon pauvre, vous êtes gelé, remarqua Sophia.

Il frissonnait, mais négligea l'observation.

— Et vous le connaissez, ce Bremer ?

— Non. Je ne l'avais jamais vu.

— Il est simplement venu vous parler ? Il est sorti de nulle part, comme ça ? Parce que vous êtes une experte de Rhinehart ? Ou quoi ?

Il comprit sur-le-champ que c'était la bonne question. Il vit comment elle baissa la tête et commença à marcher le long du pont, l'obligeant à la suivre.

— Non, dit-elle. Le fait est que...

Elle s'arrêta. Ils étaient face à face dans le vent, les mains dans les poches, tous les deux grelottant.

— Le fait est que j'ai rendu autrefois quelques services aux résurrectionnistes. Ils sont si terriblement... convenables. Des Allemands pour la plupart. Très honnêtes, idéalistes. Essayant de remettre les choses en ordre dans tout ça. Ils aiment apporter des œuvres en Angleterre, parce que les lois sur la propriété sont ici beaucoup plus strictes. Dans la plupart des pays, si vous achetez quelque chose de bonne foi, c'est à vous, mais ici, si l'œuvre est volée, c'est le propriétaire originel qui a la priorité. Alors quelquefois, quand ils avaient des difficultés, je proposais de les aider parce que..., parce que...

Et Storm comprit enfin. Il parla sans même réfléchir :

— Parce que vous essayez de racheter votre père.

Elle fit un bruit. Leva les yeux, la bouche ouverte de surprise et la tête légèrement tremblante. Murmura un Oh tellement empreint de gratitude et de soulagement qu'il en fut saisi. Il tendit la main vers elle. L'attira vers lui, attira sa tête contre sa poitrine.

— Vous avez raison, dit-il, je suis gelé.

— Il n'y a rien eu pendant des années, expliqua-t-elle. Rien de précis. Mais j'ai toujours su.

Ils se trouvaient là dans le bar américain du Savoy Hotel. L'un contre l'autre sur une banquette d'angle. Il avait mal de désir, enivré par le parfum de Sophia, de la lumière dans ses cheveux. Perdu entre la culpabilité et le désir. Il devait lui dire, il lui devait la vérité avant que ce fût trop tard. Mais il écoutait toujours, réfléchissant, essayant de débrouiller tout ça, son Coca light intact devant lui.

Le pianiste dévidait *If love were all* comme si c'était une marche. Mais le piano se trouvait de l'autre côté de la grande salle. Leur section était calme. Les lumières étaient tamisées. Les serveurs, les autres convives étaient loin, parmi les tables impeccables et laquées et les énormes fauteuils rembourrés.

Le regard de Sophia errait. Elle roulait un verre de G & T entre les paumes, pendant que la glace fondait. Elle semblait abattue, résignée à ce que son récit suivît son cours.

— Je ne me rappelle même pas quand je les ai entendues pour la première fois, ces rumeurs, dit-elle. Je ne me souviens pas que quelqu'un m'en ait jamais parlé. Pas directement. Cela flottait simplement dans l'air. Que Daddy s'était enrichi dans l'art du marché noir de la guerre. Que tout ce que nous possédions était d'une certaine manière... entaché, vous voyez.

Elle regarda Storm et ajouta rapidement :

— Je n'ai jamais essayé de rien fuir. Jamais.

Storm restait impassible. Alors elle continua :

— C'est seulement que... de temps en temps... je ne sais pas. Je trouvais une information sur un dossier que je ne contrôlais pas et je commençais à me poser des questions. Ou bien...

Il vit qu'un dégoût lui tordait la bouche.

— Une ou deux fois, quelqu'un m'a approchée. À la galerie. Quelqu'un de pas tout à fait... plaisant. Ils venaient comme ça me parler... d'une manière familière, si vous voyez ce que je veux dire. Comme s'ils s'attendaient à ce que je fasse quelque chose pour eux, comme si c'était convenu. (Elle se replia sur elle-même, comme si une araignée lui avait marché sur la main.) Personne n'a osé le faire deux fois. Personne.

Elle le regarda. Il la respirait. Il aimait ses yeux :

traqués, solitaires, résolus. Il pensa qu'il comprenait presque tout désormais.

— Vous estimez probablement que j'aurais dû faire quelque chose, dire quelque chose. Mais ça ne se fait pas. Dans ma famille. Et de toute façon...

Voir le visage de Sophia s'allonger, sa bouche s'affaisser de manière convulsive fit mal à Storm.

— Ça l'aurait tué. Le moindre relent de scandale. Même s'il avait été certain que je savais... ça l'aurait tué. Je n'aurais pas pu le supporter.

Elle ferma les yeux un moment.

— J'ai toujours pris soin de lui, vous comprenez. Après la mort de ma mère. Ma sœur s'est mariée et mon frère... il n'était pas intéressé. Et Daddy était toujours tellement désarmé devant les petites choses. « Où ai-je mis mon agenda, Sophia ? » « Où est ma veste de smoking ? » Je pense que c'était le seul domaine dans lequel nous pouvions communiquer, vraiment. Et puis à la galerie...

Elle laissa le serveur reprendre son verre, tambourina doucement du poing sur la table.

— C'était il y a si longtemps. La guerre. Est-ce que ça compte maintenant ? Je veux dire, finalement c'est seulement de *l'art*, non ? Il ne s'occupe que de peintures. Ce n'est pas comme s'il avait tué quelqu'un.

— Alors pourquoi pensez-vous que c'est lui que les résurrectionnistes cherchaient ? demanda immédiatement Storm.

— Je... Bien, c'était seulement...

Elle lui lança un regard implorant.

— Racontez-moi ce qui est arrivé à votre mère, dit-il.

Sophia se voila le visage de ses mains.

— « Mon cœur est baigné de sang parce que la multitude de mes péchés a fait de moi un monstre aux saints yeux de Dieu », récita-t-elle mélancoliquement. Comment saviez-vous que c'est mon préféré ?

— Hé, avec des paroles aussi fascinantes, comment aurais-je pu me tromper ?

Il avait placé le CD des cantates de Bach sur la chaîne stéréo de Sophia. L'avait choisi entre les livres d'art immenses sur les hautes étagères. Sophia l'observait du sofa, le sourire ironique, les yeux désarmés. Maintenant, tandis que la soprano chantait le récitatif rythmé, *Mein Herz schwimmt im Blut weil mich der Sunden brut in Gottes* heiligen Augen zum ungeheuer macht, il allait de fenêtre en fenêtre, tirant les rideaux. En dépit de son sourire, elle savait qu'elle était désormais entre ses mains, qu'elle s'était livrée à lui. Il allait et venait dans son appartement comme s'il le possédait. Traversant la grande pièce vers la cheminée. S'agenouillant pour ouvrir le robinet du gaz, craquant une allumette, faisant monter la flamme entre les panneaux de céramique William Morris du tablier. Et elle restait assise, observant. Sans défense.

— C'est tout à fait digne de Laura, ma sœur, de les remettre tous en place, marmonna-t-elle, un soupçon d'hystérie réprimée dans la voix. Les CD. Je les lui avais postés avant de... avant que j'aille à la galerie ce soir-là. Elle ne pouvait pas me les rendre simplement, vous voyez. Tout devait être exactement comme auparavant, que nous n'ayons pas à en parler.

— Vous voulez un verre, un autre gin ?

Il était devant le petit cabinet en bois de rose. Essayant de comprendre le fonctionnement de sa serrure dissimulée dans des sculptures de style asiatique.

— Non. Non, j'ai assez bu, répondit-elle.

— Bon. Je ne vois pas comment ouvrir ce truc, de toute façon.

Le fauteuil capitonné était placé près de la cheminée, en face du sofa. Il alla s'y installer pour mettre une certaine distance entre eux, pour garder l'esprit aussi clair que possible. Pourtant, elle eut soudain l'air terriblement petite et isolée, toute seule sur le sofa Sous le grand mur blanc entre les fenêtres. Avec une grande affiche d'exposition encadrée au-dessus d'elle : deux hommes qui regardaient la lune, l'affiche d'une exposition de Caspar-David Friedrich à Berlin. Il se l'imagina, achetant l'affiche, la faisant encadrer, l'accrochant soigneusement. La vie solitaire qu'elle menait le rendait triste.

Il se pencha gauchement en avant, nouant ses mains entre ses genoux.

— Alors..., commença-t-il.

— Alors elle s'est tuée, dit Sophia, et elle éclata de rire. C'était un peu contrariant.

— Allons ! s'écria-t-il si fort qu'il en retomba en arrière et qu'elle fit la grimace. « Un peu de contra-riété à cause de la chère mère. » Cessez de me prendre pour un âne, Sophie, pour l'amour de Dieu.

— Je regrette.

Elle tenta de se remettre, de recomposer une image d'elle-même, mais elle ne réussit qu'à avoir l'air tel-lement perdue qu'il eut envie de se jeter à ses pieds.

— C'est simplement que nous ne... Je n'en ai vrai-ment jamais parlé à personne.

— Eh bien, parlez-en à moi, dit-il avec plus de douceur. Racontez-moi simplement. Okay ?

C'était apparemment *okay*, parce que Sophia s'exé-cuta. Se laissant de nouveau aller à cette passivité nébuleuse. Parlant comme dans un rêve, le courant de l'histoire si longtemps contenue s'écoulant hors d'elle, jusqu'à en paraître plus vivant qu'elle-même.

— Je me la rappelle à peine. À part son sourire. Assise dans un fauteuil, me regardant jouer avec ma gouvernante dans le jardin. Je sais qu'elle aimait la Grange, notre maison. Sa famille. L'histoire de sa famille. C'était très important pour elle. Assumer ses

240

responsabilités, vous comprenez. À l'égard de nos locataires, de la communauté. Tout le monde disait qu'elle était simplement admirable. Très chaleureuse, très charitable, bonne. Et drôle, elle aimait les revues et la musique. Oh, et le cinéma, elle adorait les films de Hollywood. Elle avait un sens merveilleux de l'humour... Vous restez avec ça, des traits, des mots... Ils n'en disent pas très long... Mais j'avais... j'avais autrefois des photos. Et elle avait... Il y avait en elle quelque chose d'adorable, de généreux. Les gens disaient qu'elle faisait contrepoids à mon père. Je peux le comprendre. Il est tellement définitif sur tout. Très vieille garde, très conservateur. Peter, mon frère, dit que ma mère avait l'habitude de taquiner mon père, pour lui faire abandonner cette attitude. Je m'y suis parfois essayée, mais...

Elle secoua la tête, le regard perdu. Elle tenta de nouveau de prendre un ton plus impersonnel, son ton ordinaire :

— Il semble que les gens aient dit qu'elle souffrait d'une forte dépression après la naissance de chaque enfant. Ce que nous appellerions de nos jours la dépression post-natale. Mais à l'époque... Je ne sais pas. Je ne sais pas pourquoi elle l'a fait, vraiment. Pourquoi elle s'est tuée. Quelquefois, je suis fâchée contre elle à cause de ça. Je suppose que c'est affreux de ma part.

Elle se trahit en adressant à Storm un regard rapide, un regard destiné à savoir s'il pensait lui aussi que c'était affreux.

— C'est naturel, dit-il. Un sentiment tout naturel.

Le sang monta aux joues de Sophia. *Auf diese Schmerzensreue fällt mir außerdem dies Trostwort bei,* chantait la soprano sur la stéréo.

— Comme je l'ai dit, personne n'en parlera jamais, poursuivit Sophia. Certainement pas mon père, et il est le seul qui saurait la vérité.

Storm posa son menton entre le pouce et l'index, le coude sur l'accoudoir du fauteuil. Il devenait prudent. Il composa soigneusement son expression. Il savait ou du moins devinait comme elle était vulnérable, et combien fragile. *Si elle est jamais privée de ses défenses monumentales, vous la trouverez aussi fragile que le bonheur, et tout aussi précieuse.* Storm respirait même prudemment, tendu :

— Mais... quoi ? Vous pensez que le suicide de votre mère pourrait avoir un rapport avec... avec les affaires de votre père.

— Non, répondit-elle rapidement.

Puis elle agita la main dans un geste vague.

— Je ne sais pas. Je ne sais vraiment pas.

— Mais quelque chose vous a fait penser que votre père pourrait être impliqué dans le meurtre de ce type de la Résurrection. Quelque chose à propos de la mort de votre mère. C'est bien ça ?

Elle fit tout un numéro de sa reprise de contrôle, se redressant, tendant son long cou, pliant calmement les mains sur sa jupe. D'une voix précise et coupante, elle déclara comme si elle parlait de haut :

— J'ai un certain souvenir. Il me donne parfois des cauchemars.

Il attendit. À l'écoute.

— J'avais quatre ou cinq ans. Quelque temps avant que ma mère meure. Je me suis réveillée une nuit. Quelque chose m'a réveillée. J'avais entendu un bruit. Un cliquetis dans les murs. *Tic-tic. Tic-tic.* Comme ça.

La main de Storm se dégagea lentement de son visage et son bras retomba tout aussi lentement sur l'accoudoir.

— J'ai appelé ma mère, mais elle n'est pas venue, poursuivit Sophia. Alors, je me suis levée et je suis allée la chercher. La chambre de mes parents devait être vide. Je ne me rappelle pas. Je suis simplement descendue au rez-de-chaussée, j'ai longé un corridor, suivant ce bruit dans les murs.

— Seigneur !

— Oui, juste comme dans l'histoire que vous lisiez, souffla-t-elle du même ton égal. J'ai des souvenirs vagues de ce qui est advenu ensuite. Il me semble être arrivée à la dernière porte, qui est celle de l'étude de mon père. Quand vous lisiez l'histoire, je voyais presque la chambre tapissée de livres. Mais dans ma mémoire, je ne suis pas sûre, il me semble voir aussi des meubles partout, de vieux coffres, des chaises, quelque chose de grand au milieu de la pièce, comme un réduit à provisions. Et ce tic-tac qui devenait plus fort. Quand je suis parvenue au hall d'entrée, la porte de ce réduit s'est ouverte et là...

Sa voix s'étrangla. Cela parut la contrarier, ses yeux étincelèrent. Mais elle poursuivit :

— Et là, tout est très confus. Quelquefois, je pense que ce ne sont pas du tout des souvenirs, mais un rêve. Ou peut-être que j'ai lu l'histoire une fois et que je me la rappelle. Mais je crois que j'ai vu mon père, penché sur ma mère, se battant avec elle. Il se battait avec elle... et puis il s'est levé. Et il était là, debout au-dessus de ma mère, tenant quelque chose, une espèce d'arme. Un poignard, peut-être. Et ma mère... elle était couchée là, sur le sol, repliée sur elle-même. Ils étaient tous les deux... couverts... couverts de sang.

Elle plongea son regard dans celui de Storm avec une telle froideur qu'il crut presque qu'elle était supérieure aux choses. Forte, dure.

Il secoua la tête.

— Mais elle s'est pendue, non ?

— C'est ce qu'on me raconte, ce que tout le monde dit. Mais je ne me rappelle rien après cette nuit-là. Mon père m'a vue tout de suite et m'a renvoyée au lit. Je n'avais fait qu'entrevoir la scène et je n'en suis même pas sûre. Ma gouvernante est venue me veiller.

Je suppose qu'elle m'a tout expliqué d'une certaine façon. Je suppose que je me suis rendormie. Je ne me souviens pas.

Ils restèrent assis, silencieux. La musique continuait. *Ich, dein betrübtes Kind, werf alle meine Sünd... in deine tiefen Wunden...* Sophia gardait la même position, regardant Storm, avec un air de défi maintenant que son histoire était achevée. Le feu du gaz bourdonnait. Les fenêtres craquaient et gémissaient sous les bouffées du vent, les rideaux frémissaient. La chambre semblait à Storm isolée, flottante. Ils étaient dans l'espace, les deux derniers humains.

Il ne disait rien. L'instinct l'avertissait qu'il ne pouvait la pousser beaucoup plus loin. Même s'il le pouvait, il ne croyait pas pouvoir supporter le regard qu'elle lui adressait. Toute marmoréenne à l'extérieur, toute martyre à l'intérieur.

Mais il y avait quelque chose qui ne collait pas dans son histoire, il le savait. Quelque chose manquait.

— Avez-vous jamais entendu parler d'un homme appelé Jacob Hope ? demanda-t-il. Ou Iago ? Ou saint Iago ? Ou quelque chose comme ça ?

Elle réfléchit et secoua la tête brièvement.

— Non. Quel nom étrange. Non, jamais.

— Cette broche, la broche de votre mère. Vous savez d'où elle la tenait ?

Elle haussa les épaules.

— J'ai toujours supposé que c'était un bijou de famille. C'est censé être un symbole nordique. Comme je l'ai dit, elle attachait beaucoup d'importance à l'histoire de sa famille, et les Abingdon racontent volontiers qu'ils ont du sang viking. Je pense que le symbole représente le mot d'espoir secret qu'Odin a murmuré à l'oreille du cadavre de Baldur.

— Oui, oui, c'est ce que j'ai cru tout d'abord.

Elle sourit faiblement.

Storm se frappa les genoux de ses mains.

— Bon, déclara-t-il, je sais maintenant pourquoi vous avez renversé ce verre de vin ?

— Oui, je suppose, dit Sophia.

Elle commença à pleurer.

— Je regrette, je regrette, murmura-t-elle.

Il était devant elle, il la tenait par les épaules. Il la mit sur pied, l'enlaça. Elle fermait les yeux, le visage appuyé sur la chemise de Storm.

— Je me rappelle avoir pensé, juste avant de sauter du balcon dans la galerie, comme tout cela paraissait minable. Ma vie, moi. Tout. Tellement minable et misérable.

Und mir nach Reue und Leid mir nicht die Seligkeit noch auch sein Herz verschließt.

— Rien en vous n'est minable, ni misérable, répliqua Richard Storm. Pas pour moi.

Elle avait raison, elle n'était pas fameuse au lit. Raide comme une planche, sèche comme un os. Et agitée, et pleine d'excuses, et se méfiant de lui pendant tout le temps, ce qui avait tendance à faire tourner les choses de mal en pis.

Mais, par la plus heureuse des coïncidences, cette situation même fit ressortir deux des traits les plus attachants de Richard Storm. D'abord, il était capable de témoigner d'une patience et d'une bonté quasi infinies à l'égard des gens qu'il aimait vraiment et tout particulièrement des femmes. Il était probablement né ainsi, mais les années qu'il avait passées à composer avec une mère irritable, théâtrale et pourtant adorable avaient ciselé ce trait de sa personnalité jusqu'à en faire un talent. Bien sûr, la patience ne lui était pas aisée, surtout à ce moment-là. Sophia était encore plus jolie dévêtue. Allongée sur le dos, les seins écartés. Son visage tourné vers lui, les yeux à la fois pleins de panique et de sollicitation. Sa peau lui paraissait peut-être à elle frigide, mais elle brûlait sous la main de Storm, elle brûlait. Un genou blanc plié, écartant les jambes dans la direction de Storm, un spectacle qui donnait à ce dernier une telle érection qu'il craignait d'éjaculer comme une fusée et de se retrouver à trois pâtés de maisons de là. Il avait rêvé de la prendre, contre un mur, sur le sol, sur un fauteuil, un peu de passion violente, quelques vêtements déchirés, un brin de Brando dans *Le Dernier* Tango à Paris. Il voulait l'envoyer ricocher sur les étoiles, comme une balle de billard électrique. *Ça n'a jamais été comme ça pour moi auparavant, Richard.* Il avait tout joliment mis au point dans sa tête.

Mais il y avait donc cet autre aspect de lui : sa nature, son métier, un œil loin d'être inattentif au monde, tout cela avait contribué depuis longtemps à le convaincre que les choses ne se goupillent presque jamais comme au ciné. Il embrassait la réalité de la situation assez vite. Il la tint, la caressa, l'embrassa. Il roucoula longtemps après que les forces internes brûlaient de se transformer en marteau-piqueur humain. Et à la fin, avec des doigts de jazzman et une langue de serpent, et avec un peu de viscosité d'un diaphragme qui semblait être resté sans utilisation depuis 1947, il fut enchanté de se glisser en elle avec une semblance de douceur et de facilité. Ce qui était son but quand il lui avait dit qu'il l'aimait. Et ce qu'il fit, baisant ses yeux effrayés jusqu'à ce qu'ils s'adoucissent, laissant des poignées de ces cheveux d'ébène s'échapper de ses mains pour retomber sur les joues en forme de cœur. Extrayant d'elle à la fin quelques petits signes au moins de plaisir spontané. Ce qui était utile pour le moment. Ce qui était suffisant.

Épuisé, il se sentit presque simultanément effrayé. Il était toujours en elle, toujours sur elle. Elle s'accrochait à lui. Il lui caressait le visage. Elle avait de la lumière dans ses yeux bruns et elle souriait comme si elle pensait qu'elle avait fait quelque chose d'extra-ordinairement habile. Elle le regardait même avec coquetterie. Soudain Mata Hari. Marilyn Monroe. La femme fatale de l'univers. Il l'adorait.

Et puis il fut terrifié d'avoir laissé les choses aller si loin sans se confesser à Sophia, sans lui dire combien le temps qui leur était imparti était court, combien il serait difficile.

Il enfouit son visage dans les cheveux de Sophia, malade de lui-même et malade d'amour. Il ferma les yeux et respira son odeur, il voulut que ce fût ainsi que le monde continuât pour toujours. Peut-être que cela s'arrangerait. Peut-être les médecins s'étaient-ils trompés. Ç'avait pu être une de ces erreurs grotesques. Comme *Send me no flowers,* avec Rock Hudson et Doris Day. Il se sentait bien, il se sentait sain. Depuis cette nuit-là, il y avait des semaines. Il n'y avait rien eu. Quelques maux de tête. Que n'importe qui pourrait avoir. Et une certaine faiblesse dans son bras gauche, mais seulement occasionnelle. À part ça, il était formidable. Parfait. *Excellente, Clemente.* La vie n'aurait pas de sens sans ça. Dieu n'allait pas lui apprendre à ressentir ce qu'il ressentait pour une personne, lui rendre quelqu'un tellement cher et puis le moucher comme une chandelle. Pourrait-il faire cela ? Allons. Pas un chic type comme Dieu.

Sophia laissa tomber ses bras sur le lit, de part et d'autre de lui.

— Sapristi, j'ai tellement *faim*, dit-elle.

Elle le serra de nouveau. Murmura :

— Est-ce que c'était bien ? Est-ce que c'était bien pour toi ? Sapristi, je n'ai jamais eu aussi *faim*.

Le cœur de Storm nageait dans le sang parce que la légion de ses péchés avait fait de lui un monstre aux yeux de Dieu.

Ou, comme il se le disait dans son langage : *Arsène, t'es qu'une andouille.*

7

À peu près au moment où Storm et Sophia rebroussaient chemin sur Waterloo Bridge, se dirigeant vers le Savoy, le taxi numéro 331 descendait le Strand en passant devant l'entrée de l'hôtel. L'homme à la cicatrice plissait ses yeux porcins contre le pare-brise et le taxi fonçait dans le trafic dense. Juste devant, le griffon de la City se dressait, babines retroussées, sur son socle. Harper le regarda.

Elle resserra ses mains sur la canne à tête de dragon. Se serra les lèvres contre les poings, les lèvres tremblantes, les poings blancs. Là où le quartier de West End devenait la City, où les lumières et les scintillements des théâtres le cédaient aux défilés plus sombres et plus étroits de Fleet Street, elle eut sa dernière idée d'évasion. Elle pourrait frapper aux fenêtres du taxi. Elle pourrait gesticuler à l'intention de la foule de plus en plus clairsemée des passants, ou encore aux conducteurs qui se faufilaient dans l'artère encombrée. Mais c'était aléatoire, étant donné le bruit du trafic. Et ce serait risqué, vu les rayons de mort vengeurs émanant des yeux qui la regardaient dans le rétroviseur. Elle ne doutait pas que le conducteur se rappelât l'entaille qu'elle lui avait faite avec son épée. Il cherchait simplement une occasion de revanche.

Quand ils auraient laissé les foules derrière eux et

qu'ils seraient entrés dans les rues désertées de la City, sa dernière chance serait perdue. Elle serait à la merci de ses ennemis. Elle savait que c'était maintenant ou jamais.

Mais elle resta assise, penchée sur sa canne. Se pressant les lèvres sur les poings. Terrifiée, mais silencieuse, sans résistance.

Le taxi poursuivit sa course dans les défilés.

Quelle femme entêtée elle était. Elle aurait pu se battre. Mais elle devait satisfaire sa curiosité. C'était cela plus que toute autre chose qui la retenait là. Elle devait savoir ce qui se passerait ensuite.

De toutes les questions restées sans réponse sur Iago, de ces milliers de questions, la plus importante était celle-ci : pourquoi ne l'avait-il pas encore tuée ? Par dépit sans doute. Ou pour l'empêcher de trouver le manuscrit qu'elle gardait au secret dans sa cape. Pourquoi les avertissements, pourquoi les menaces ? Pourquoi ne pas la supprimer ? Ses propres et inconfortables soupçons la tourmentaient. Le désir de les confirmer ou de les infirmer, le désir de trouver une réponse, le simple désir d'en savoir plus étaient en elle des moteurs si puissants qu'elle sentit qu'il n'y aurait pas moyen de les surmonter. Cette incarcération dans un taxi londonien, cette course vers nulle part, cela lui paraissait presque l'image du destin.

Contrariante affaire. Cela l'irritait. La voilà aspirée par un tourbillon, descendant de plus en plus bas vers un danger certain, et son émotion la plus profonde était *l'anticipation*. Une anticipation qui, dans son esprit, se confondait avec une autre, détestable, celle qu'elle avait ressentie dans ses vieux jours à la perspective de le revoir.

Quelle vieille folle. Elle aurait réellement pu se battre pour cela. Elle serra sa canne, rongea ses poings, furieuse. Terrifiée, excitée.

Puis, à sa surprise, le taxi se rangea et s'arrêta. À

bonne distance du griffon. À portée de vue des foules du West End. L'arrêt du véhicule arracha Harper à une réflexion si profonde que, pendant un moment, elle ne reconnut pas le lieu. Elle vit que le chauffeur à la cicatrice adressait un regard au marchand de journaux sur le trottoir. En réponse, le marchand regarda deux énormes et antiques portes de fer scellées dans le mur derrière lui et closes.

Le chauffeur se retourna et lança un regard sardonique à Harper.

— On y est, ma vieille. Juste ce que vous avez demandé. Le bout du monde.

Le marchand de journaux s'élança pour ouvrir la portière. Il tendit une main calleuse.

— Par ici, mon amour.

Sarcastique lui aussi.

— Et pas de facéties d'escrimeuse, ajouta le chauffeur avec un geste du menton en direction de la canne. Ça ne servirait à rien, c'est trop tard.

— J'aurais dû t'épingler comme une punaise quand j'en avais l'occasion, marmonna Harper.

Mais elle glissa sur la banquette vers la portière ouverte.

Elle n'aurait pas pris la main du marchand de journaux pour tout l'or du monde. Elle sortit seule. Et quand il lui effleura l'épaule, elle le repoussa avec véhémence. Une fois à l'air libre, elle lissa sa jupe et se ressaisit. Le marchand de journaux tournait autour d'elle ; il essayait de lui prendre le coude. Elle lui lança un regard enflammé.

— Je casserai tes saucisses de doigts s'ils me touchent de nouveau.

Il fit une grimace furieuse, mais se le tint pour dit et se contenta d'indiquer les portes de fer d'un geste malgracieux.

— D'accord, d'accord, grommela-t-elle.

Enfilant la lanière de son sac sur l'épaule, elle se

dirigea vers le mur en marmonnant. Lentement, comme par magie, les portes s'ouvrirent à son approche.

Les dents serrées, Harper retint son souffle quand le corridor devant elle se révéla à ses regards. Elle identifia une pente descendante dans un enclos. Un coup d'œil à travers les branches de sycomores fouettées par le vent lui montra l'entrée du porche ouest de l'église des Chevaliers du Temple. Elle sut où elle se trouvait : dans la cour intérieure du Temple.

Le marchand de journaux resta en arrière. Elle franchit le porche. Les grandes portes se refermèrent.

Elle était seule dans une allée noire dans le vent humide de la nuit.

Elle s'arrêta, s'éclaircit la gorge et regarda autour d'elle. Elle prit une mine furieuse. Mais tout ça, c'était du cinéma, pour le cas où quelqu'un l'observerait. Si elle fondait de peur dans le taxi, là elle n'était plus qu'une flaque. Un long moment passa avant qu'elle pût se décider à affronter la pente qui menait on ne savait où.

Le vent redoubla de force, suscitant un gémissement rauque entre les murs qui l'entouraient. C'était bien ce dont elle avait besoin, c'était ce qu'il fallait pour rendre la scène réellement terrifiante. Mais elle avança néanmoins, recroquevillée sur elle-même, la canne heurtant les pavés comme pour les transpercer, le borsalino rabattu contre le vent.

Quand elle leva les yeux, Temple Church se dessina lentement entre les arbres depuis le coin de l'allée.

Les Chevaliers du Temple, gardiens de Jérusalem après la prise de la ville par les Croisés, après le massacre des infidèles et l'établissement du pouvoir des armées du Prince de la Paix ; protecteurs du saint Graal selon la légende ; modèles des Chevaliers teutoniques d'Allemagne et rivaux des Chevaliers hospitaliers ; soldats, banquiers, politiciens et renégats accusés de satanisme et d'infanticide ; dissous, torturés, brûlés sur le bûcher : ils avaient construit cette église en 1185, quelque soixante-cinq ans après la naissance de leur ordre. Son clocher rond, une des cinq seules tours d'église rondes en Angleterre, était bâtie sur le modèle de l'église du Saint-Sépulcre à Jérusalem. Son sommet crénelé se découpait noir et menaçant sur le ciel plombé tandis que Harper contournait l'édifice.

Et là, l'agitation du vent accentua l'étrangeté du spectacle, les branches des arbres chuchotant et murmurant tout autour d'elle. Puis il y avait les anciens sarcophages brillant curieusement à la base de la tour. Et le porche occidental de l'église devant elle, tout obscur : un tympan normand ciselé qui se cintrait vers la porte fermée. Cette forme en creux parut à Harper susciter un courant dans les ténèbres et ce courant l'entraînait. Elle eut de nouveau le sentiment irrité qu'elle était venue impuissante en ces lieux, en réponse à une convocation toute-puissante. Elle eut le sentiment affreux que tout ce qui allait advenir avait été prévu et l'avait été depuis longtemps et peut-être depuis toujours.

Elle se sentit mal, mais ne fut pas surprise, quand elle perçut un bruit sourd pareil à celui d'un corps qui tombe et que la lourde porte de l'église s'ouvrit devant elle.

Elle s'arrêta devant la voûte. S'emplit de résolution et carra ses épaules. La porte continuait de s'ouvrir jusqu'à ce que l'intérieur de l'église ou plutôt ses ténèbres intégrales fussent révélées à Harper.

— Tu as toujours aimé les effets, marmonna-t-elle entre ses dents, à l'adresse de personne.

Puis sa canne piquetant les pierres, elle s'engagea sous l'arche. Regardant droit devant elle, elle boitilla sous le tympan et pénétra dans l'église.

La porte pivota aussitôt derrière elle et se referma dans un fracas plein d'échos. Elle s'y attendait, mais n'importe : elle ne put se contrôler, son corps se tendit au point qu'il en vibra. Le noir parfait l'entourait. Elle n'y voyait goutte. Elle ne pouvait sentir que l'atmosphère de pierre humide de l'église. Elle pouvait seulement sentir quelque chose de fétide et de chaud, quelque chose de pantelant, dangereux et proche. Il était là. Avec elle. Elle le savait. Tournant autour d'elle. Prédateur. Elle avait tellement peur qu'elle commença à trembler. Elle eût voulu crier, dans sa fureur : *C'est indigne de toi !* Mais elle ne le fit pas. Elle ne lui donnerait pas cette satisfaction. Et de toute façon, c'était stupide, c'était dans le droit fil de son style.

— Tu sais, tu me rappelles le saumon du Pacifique, dit-il, directement derrière elle.

Elle en eut le souffle coupé, malgré elle, et sursauta. Elle se tourna vers sa voix.

— Je pense que j'ai dû te parler du saumon du Pacifique. J'ai toujours pris grand soin de ton éducation, tu t'en souviens bien.

Il se déplaçait déjà le long des murs circulaires. Harper pivota sur place, essayant de suivre le son de sa voix.

— C'est vraiment une créature étonnante. Le saumon. Il flaire son chemin hors de l'océan, il remonte les rivières. Il sent son chemin sur des centaines de kilomètres, contre le courant, contre tous les obstacles. Ensuite, il revient dans ses eaux familières, vers la source, vers le lieu où il a éclos. Et là, il s'accouple... puis meurt.

La voix s'arrêta. Harper pivotait toujours sur ses pieds pour tenter de la localiser. Mais il se jouait d'elle. Quand il parla de nouveau, il était une fois de plus derrière elle :

— Ce que je veux dire, c'est que c'est un chemin

terriblement long pour l'amour et la mort. Ne trouves-tu pas ? Mais le saumon n'y peut rien. Je pense qu'il y a un instinct d'autodestruction inhérent à la nature de son désir. C'est ce à quoi je voulais venir : il y a aussi des humains qui sont comme cela. Peut-être la plupart. Toi, par exemple, tu me cherches sans relâche parce que tu ne peux pas me résister, n'est-ce pas ? Même sachant que je vais te tuer. La métaphore est-elle savante ? Elle m'est tout juste venue à l'esprit.

— Oui, un peu. (Harper dut s'humecter les lèvres avant d'en dire plus.) Mais puisque nous en parlons, je crois me rappeler que, chez le saumon, juste avant de mourir, des dents poussent pour qu'il puisse se battre.

Il rit de bon cœur.

— Tu te rappelles donc.

Et il frotta une allumette.

Une explosion rouge, aveuglante. Elle leva la main. Puis sa vue se brouilla par les bords... Des têtes de pierre grotesques sculptées dans l'arcade alentour. Un démon, un satyre, un roi aux yeux morts. Qui la regardaient entre les colonnes des arcs. Une âme torturée dans des griffes de bête. Un bancroche qui se curait le nez, un paysan en deuil. Baissant les yeux pour éviter d'être éblouie, Harper vit les effigies de Croisés morts à ses pieds.

Et puis elle regarda Iago.

Il portait l'allumette à la mèche d'une chandelle, ses yeux allaient de la flamme à Harper, un sourire en coin. Dès qu'elle aperçut son visage dans la clarté jaune, elle se rappela.

Ce n'était pas seulement un bel homme, mince et droit dans son costume blanc, avec ses longs cheveux noirs, son visage aux méplats aigus et ses yeux brumeux et hypnotiques. Il y avait quelque chose d'autre. Une certaine vitalité débridée, animale, une énergie contenue dans chaque geste ; une sorte d'aisance et d'assurance ; une façon fluide d'être bien dans sa peau. Il était vivant et le monde lui pesait si peu.

C'était séduisant. Tel qu'il était, debout dans la clarté palpitante de la chandelle, Harper dut faire un effort pour se souvenir à quoi il ressemblait la dernière fois qu'elle l'avait vu. Cette nuit-là, quand elle s'était glissée hors de son lit dans le camp des adeptes du culte. Quand elle avait écarté les branches et regardé dans la clairière. Il se tenait là. Dans les brumes de la jungle argentine, dans les lueurs du feu de bois. Ses acolytes chantaient. La mère qui tentait de crier à travers son bâillon. Et lui, le visage fou, exalté, tandis qu'il levait le poignard courbe. Et l'enfant couché en toute confiance sur l'autel devant lui. Son propre enfant.

Il y avait vingt-cinq ans qu'elle le pourchassait à cause de cela. Elle devait à présent se le rappeler.

La chandelle était enfin allumée. Il la leva. Il la tendit vers elle d'une main gantée de vert, écartant de l'autre ses longs cheveux noirs de sa joue. Il déplaça lentement la chandelle devant elle, l'examinant minutieusement, comme si elle était une statue qu'il avait découverte dans une grotte. Elle se tenait de fait comme une statue, la main agrippée sur sa canne, si fortement que les oreilles du dragon pénétraient sa paume. Mais elle se repliait intérieurement, essayant de disparaître sous son chapeau, derrière ses lunettes. Elle savait ce qu'il voyait, chaque affaissement, chaque ride, chaque poche de peau prématurément flasque.

— Oh, Harper ! s'exclama-t-il. Tu es devenue si vieille.

Et cela la blessa. En dépit de tout. Néanmoins, elle parvint à lui répondre, le visage pareil à un granit qui frémit :

— Il y a vingt-cinq ans.

— Oh oui, mais... (Il pinça les lèvres.) Tu es devenue toute... terne et ridée.

— Ah bon.

— Ce n'était pas nécessaire.

— Je crains que ce ne l'ait été.

Il rit.

— À cause de moi, tu veux dire ?

— Oui.

— Ma pauvre. Tout ça parce que je t'ai montré qui
tu es.

— Tu m'as montré qui je pouvais être, Jacob, qui
je pourrais être, rétorqua Harper. Tu m'as montré qui
tu es.

Il rit de nouveau et écarta les bras comme un christ.
La chandelle dans sa main projetait un pâle dôme de
lumière jaune alentour : les têtes de pierre béantes, les
effigies dans leurs postures tourmentées sur le sol.

Il recommença à tourner gracieusement autour
d'elle, la regardant de haut en bas, l'air entendu.

— Qui je suis, répéta-t-il lentement. Voyons, chérie, tu as toujours su qui j'étais.

— Non, tenta-t-elle de répondre, mais le mot
demeura à mi-chemin de sa gorge.

— Tu savais. Tu savais. Et pourtant il me semble
me rappeler que j'étais ton amant.

Harper se contraignit à demeurer immobile pendant
qu'il tournait autour d'elle. La lueur de la chandelle
passait devant elle, puis disparaissait. Il se trouvait
derrière elle, maintenant, hors de sa vue. Harper en
avait la chair de poule. Elle dut faire un autre effort
pour garder une apparence impassible et sévère alors
que ses entrailles brûlaient.

— J'étais — ton — amant, insista-t-il.

— Si c'est ça que tu appelles l'amour, répliqua-
t-elle.

Il s'arrêta enfin. Près d'elle, juste près d'elle. Elle
sentit son haleine sur la joue. Chaude, humide, forte.

Une haleine de panthère. Il poursuivit du même ton badin et ironique :

— Tu as raison. Ne jouons pas sur les mots. J'étais ton maître.

Harper remua les lèvres, essayant de ravaler son dégoût.

— Je t'ai maîtrisée, Harper, continua-t-il d'une voix posée. Je t'ai maîtrisée et tu m'as ensuite demandé de te maîtriser de nouveau. J'entends encore le son de ta voix quand tu me suppliais.

Les mots échappèrent à Harper :

— J'étais jeune.

— Pas si jeune.

— Et à moitié folle.

— Seulement à moitié.

— C'était il y a longtemps, Jacob.

— Pas si longtemps. Tu t'en souviens... Je le vois... Tu te le rappelles dans ta chair, non ?

Elle tourna à peine la tête vers lui. Levant à peine un coin de sa bouche, craignant de commencer à trembler.

— Je me le rappelle. Oui.

— Et c'est pourquoi tu ne peux pas rester éloignée de moi. Même si ce n'est que pour sentir mes mains autour de ta gorge.

— Tu sais pourquoi je te cherche.

Il roula des yeux.

— Oh oui. Les enfants. Ces chers petits enfants morts. Et tu te racontes que c'est la raison.

— C'est la raison.

— Cette obsession ? Cette manie de m'irriter ?

— Pour te détruire, Jacob. Oui.

Il souffla et tendit une main. Elle frémit. Mais ce geste n'était que l'expression d'une légère contrariété, le geste d'un professeur à l'égard d'un élève obtus.

— Tu sais, chérie, je t'ai quand même enseigné à

être plus honnête que ça avec toi-même. Je t'ai montré comment explorer les horribles profondeurs, non ?

— Oui.

— Mais tu vas rester comme ça, comme ma tante vieille fille, et me dire que tu as donné ta vie, que tu as gâché ta jeunesse, saccagé ta beauté à me poursuivre, tout ça parce que quelques portées de bébés morts comptaient tellement, tellement pour toi ?

— Oui.

— Oh, je ne crois pas, ma poulette.

Elle ne put le retenir plus longtemps ; un frisson pénible la parcourut de la tête aux orteils. Elle avait oublié l'état de faiblesse, la paralysie, la débilité physique qui l'envahissaient quand il s'approchait de si près.

Non, elle n'avait pas oublié. Elle s'était efforcée de croire que ce n'était plus que du passé.

— Regarde-toi, murmura-t-il. Harper. Tu trembles. Regarde-toi.

Elle déglutit. Gratta sa canne machinalement sur le sol.

— Je..., dit-elle.

Elle reprit son souffle.

— Je ne suis pas la femme que j'étais, Jacob.

— Oh non ? Vraiment ? Alors pourquoi es-tu ici ?

Il arriva devant elle dans un pas de danse. Elle put le voir à la lueur de la chandelle, la tête penchée de côté, le regard malicieux, ses yeux noirs fumeux et séducteurs. Il lui parut si plein de vie et détendu qu'à rester là, renfrognée, elle commença à se sentir pareille à une vieille chèvre.

Mais elle ne bougea pas. Continua à le regarder d'un air renfrogné. Et ravala sa salive avec peine.

— Que veux-tu que je dise ? demanda-t-elle d'une voix rauque. Tu es le philosophe, Jacob, pas moi. Je sais seulement...

Elle secoua la tête.

— Quoi ? Qu'est-ce que tu sais ?

— Que mon esprit s'oppose au tien.

— Ton esprit ! Mince alors !

— Et pas seulement mon esprit.

— Mon Dieu, mon Dieu. Quoi d'autre ?

— Tout ! aboya-t-elle. Tout s'oppose à toi. Le... (Elle chercha ses mots.) Oh l'Objet Éternel.

Jacob Hope éclata de rire. Rejeta la tête en arrière, une main sur l'abdomen, l'autre, qui tenait la chandelle, sur le front. Il riait et riait encore, oscillant sur place, entre les Croisés morts. Puis il secoua la tête. S'essuya le coin de l'œil. Et son rire décrut et devint un gloussement.

Et soudain, il cria, tonitruant :

Pour l'amour de Dieu, femme, regarde !

Le rideau de cheveux noirs crépita et chuinta alors que Jacob portait la flamme à la hauteur de son visage. La lumière semblait glisser sur sa peau comme une caresse. Les profondeurs glauques de ses yeux semblèrent tourner lentement, comme des roues de sainte Catherine. Harper, en revanche, avait l'impression de tournoyer comme Catherine elle-même.

Elle le regarda. Et ce qu'elle avait craint se vérifiait. Ce qu'elle avait soupçonné depuis que Storm lui avait décrit Hope. Il lui était désormais impossible de le nier.

Jacob avait l'air d'un homme de trente, trente-cinq ans au plus. Et il l'avait toujours eu, cet air. Depuis le jour où elle l'avait connu.

Pendant toutes ces années, il n'avait pas vieilli d'une heure.

— Je suis l'Objet Éternel, clama-t-il. Je me nourris de la moelle du temps. J'étais présent avant que les océans deviennent noirs de vie et quand la mort aura blanchi les déserts, je demeurerai. Tu commences vraiment à me porter sur les nerfs, Harper, poursuivit-il du même ton égal. Alors, peut-être devrais-tu réviser ta position.

Pfiff ! Il souffla la chandelle. Harper poussa un feulement, se recroquevillant alors que les ténèbres l'enveloppaient. Il ne restait plus que la voix de Hope ; ce souffle sauvage ; cette odeur de fauve. Le noir.

— Oh, Harper, Harper. Tu me casses vraiment les pieds parfois. Je te jure, après l'Argentine, je voulais te tuer. Oh...

Dans l'obscurité, il émit un bruit, un grognement sourd, un son d'une telle animalité qu'elle fut certaine qu'il allait la tuer sur-le-champ.

Mais il continua :

— C'est vraiment ton genre de femme débilitante, tu sais, qui m'a fait douter de ma propre destinée. Presque. Mais... mais, mais... j'avais toujours le Graal. La fleur bleue, la pierre bleue. J'en avais toujours plus qu'il n'en fallait, et c'est ce qui m'a fait reprendre mes sens. Je veux dire, quand quelqu'un achète quelque chose comme ça, qu'il le dégotte en se promenant simplement dans un bazar marocain, ce n'est pas le hasard, ce ne peut pas être simplement le hasard. Quoi que tu dises. *Il s'en lèvera un qui deviendra la créature éternelle.* C'était la prophétie. Donc, en dépit de ce que tu as réussi à me faire, je savais que j'avais été élu. Je le *savais*. Et je me suis tenu au secret.

Sa voix était désormais pénétrée d'autosatisfaction. Harper comprit qu'il se vantait.

— Je me suis tenu au secret. Patience, patience. Et, comme prévu, juste cinq ans après, dans un petit endroit près d'Edgware Road — sur le chemin de Damas, Harper ; ce fut comme un éclair : un soda s'est renversé et la seconde scène m'était offerte. La trace des histoires. Oh, je sais que tu sais. Laisse-moi te dire, chérie, vingt ans avaient passé. J'ai dû attendre vingt ans avant de pouvoir suivre cette trace jusqu'au bout. Patience, patience, en dépit du fait que le temps m'était compté. Et juste alors que les choses semblaient perdues, juste au bord du désastre, les murs sont tombés et ma destinée s'est présentée de nouveau devant moi. Tout était devant moi. Et maintenant, de nouveau... *toi !*

Elle fut comme écorchée par ce mot. Hope devait se trouver à quelques centimètres d'elle. Même dans l'obscurité totale, elle pensa pouvoir deviner l'éclat de son regard.

— Je peux voir tout le chemin que tu as parcouru en suivant le même fil. Et bon, pourquoi pas ? Je t'ai appris tout ce que tu sais, non ? Je suis fier de toi, ma vieille. Je t'admire. Je t'admire tellement que si je pensais qu'il existait une seconde chance, qu'il était possible de trouver une seule copie du texte final, alors, nom de nom, je me donnerais ce plaisir : je broierais tes os pour en faire mon pain.

De nouveau, l'haleine de Hope la brûla. Elle ressentit un spasme dans la main et donna deux coups de canne sur le sol. *Pourquoi ne le faisait-il pas ? Pourquoi ne le faisait-il pas ?* En dépit de tout, sa curiosité faillit l'inciter à poser la question. Mais pour se garder en vie, elle devait se forcer à rester silencieuse.

Cette attitude sembla provoquer Hope.

— Tu crois que je ne le peux pas ? grinça-t-il.

— Pourquoi ne le fais-tu pas ? cracha-t-elle. *Quelle vieille folle !* Pourquoi ne le fais-tu pas ? Pourquoi tu ne me tues pas ?

Il s'écarta. La chaleur de son haleine diminua en tout cas. Mais non, il s'était détaché d'elle, elle pouvait le sentir. Elle resta immobile, le cherchant du regard et ne voyant rien. Elle essaya de ravaler sa salive, mais sa gorge était sèche comme les pierres.

— C'est le garçon ? dit-elle à mi-voix. Tu veux le

garçon. Notre enfant. Tu as besoin de lui. Pas seulement de sa vie. Tu as besoin de lui avec toi, auprès de toi. C'est ça, n'est-ce pas ? N'est-ce pas, Jacob ?

Il ne répondit pas. Où était-il ? Elle ne pouvait le dire. Elle avança d'un pas maladroit et l'appela dans les ténèbres.

— Si tu me tuais, il le saurait. Il saurait que c'était toi. Si j'étais heurtée par une voiture, frappée par la foudre, noyée dans la Tamise... si je mourais dans mon sommeil... il saurait à qui est la faute. Et c'est la seule chose qu'il ne te pardonnerait jamais. C'est la seule chose qui le tiendrait pour jamais loin de toi. Tu ne veux pas que je sois une martyre à ses yeux. Tu as besoin de lui près de toi. N'est-ce pas ? N'est-ce pas ?

Mais à part sa respiration haletante, il n'y avait aucun bruit près d'elle, ni dans l'église.

— Jacob ?

Rien. Rien qu'elle pût entendre ou voir. Et pourtant... Et pourtant le silence avait la qualité du mouvement. Le vide, le noir vibraient. Elle pouvait le sentir, cela picotait sa peau, excitait les circuits de ses nerfs. Il était encore là. Il la cernait, tournant autour d'elle. Se rapprochant d'elle. Des glissements de pas résonnaient sur les dalles, elle les entendait. Il arrivait près d'elle. Il se rapprochait sans cesse. Serrant ce poignard recourbé qu'elle avait vu dans la jungle. Le levant. Elle pouvait entendre le sifflement de la lame.

— Jacob ! hurla-t-elle, de terreur, cette fois, la voix tremblante.

La canne à tête de dragon tomba de ses doigts sans force. Elle claqua sur les dalles. Elle saisit son sac et l'ouvrit. Y plongea la main, fouillant partout. Quel désordre. Elle sentit son étui à lunettes. Son poudrier. Un tube de rouge à lèvres. Quelques mouchoirs en papier. Ses clefs. Une demi-barre de chocolat. Puis ses allumettes ; elle les avait trouvées, elle saisit la boîte. La tira. Le sac retomba sur la lanière en bandoulière. Elle s'entendait haleter tandis qu'elle cherchait une allumette. Elle la gratta sur l'ongle de son pouce. De nouveau une flamme aveuglante. Les ombres qui s'enfuyaient comme des rats. Le cercle de l'église. Les têtes qui la regardaient alentour. Les corps de pierre des chevaliers à ses pieds. La longue nef. L'autel au loin, la vague lueur d'un vitrail au-dessus...

Mais tout était vide. Absolument vide. À l'exception d'elle-même.

— Bien joué, murmura-t-elle.

Elle saisit sa canne et décampa.

8

Elle était lasse, lasse, lasse quand elle rentra chez elle. Elle accrocha son chapeau, sa cape. Monta les marches. Elle dut s'arrêter à mi-chemin, la main sur la balustrade, la tête contre le mur. Puis elle reprit sa montée.

Au troisième étage, elle s'arrêta de nouveau. Regarda par l'entrebâillement de la porte de Bernard. Elle regarda pendant un moment l'homme à tout faire qui dormait. Elle s'autorisa une expression importune et fugace de tendresse.

Bernard avait posé une bouteille de Gilbey's près de son lit. Il avait rempli sa chambre de fumée de marijuana et laissé une pile de mégots dans le cendrier. C'était puéril de sa part ; il l'admettait par-devers lui. Mais il était tellement rare qu'il dormît dans son propre lit qu'il craignait que cela révélât à quel point il avait été inquiet pour elle, à quel point il avait eu peur.

Il avait donc organisé cette mise en scène. Trop d'alcool, trop de dope. La télévision au pied de son lit, son coupé, les images se bousculant. Et il avait pris la position de Chatterton dans la peinture : couché sur les couvertures tout habillé, un bras qui pendait avec déchéance dans le vide. La bouche ouverte, les yeux clos, un vague ronflement presque convaincant. À travers les paupières à peine écartées, il observa Harper immobile. Il releva l'émotion inhabituelle chez elle. Il vit également la lourdeur, les ravages du drame sur ses traits épuisés. Sans changer de position, mais dans un indéniable petit frisson de terreur et d'excitation, il pensa, *elle l'a vu !*

Puis Harper quitta son champ de vision.

Elle monta encore l'escalier, vers sa propre chambre. Une cellule en soupente. Une armoire bourrée de livres, des papiers partout, des photos. Un lit, une chaise à bascule. Une petite lucarne sur le ciel nocturne. Débarrassée de sa canne et de son sac, elle se pencha pour allumer le gaz. Elle s'affala avec un soupir dans son fauteuil, près de la petite flamme.

Elle commença à se balancer. Elle avait vaguement envisagé de pleurer tout son soûl quand elle aurait regagné l'intimité de son domicile. De pleurer sur ses péchés, sa faiblesse, sa vie gaspillée. Mais elle trouva que cela ne l'intéressait pas. Elle était trop fatiguée. Le chagrin était trop profond pour les larmes. Et, de toute façon, elle avait du travail à faire avant de se coucher.

Elle se pencha pour tirer son sac près d'elle. En sortit sa pipe, sa blague à tabac. Puis l'enveloppe qu'elle avait sortie de sa cape. Elle en tira le manuscrit et le posa sur sa jupe.

Bien, au moins il n'était pas infaillible, pensa-t-elle avec une petite satisfaction. Il croyait que toutes les copies avaient été détruites. Il n'avait pas fait le compte du fantôme de M.R. James.

Elle ajusta ses lunettes. Mordilla le tuyau de sa pipe. Plongea une flamme dans le fourneau en forme de crâne. Tira sur sa pipe. Se balança et fuma pendant un moment, tandis que les mots de Iago résonnaient dans sa tête. *J'étais présent avant que les océans deviennent noirs de vie, et quand la mort aura blanchi les déserts, je demeurerai.* Paroles étranges.

Échevelées. Sottes. Et pourtant étrangement familières.

La chambre était silencieuse, à l'exception du bruit des chevilles de la chaise à bascule : *tic-tic, tic-tic.*

L'horloge de l'Histoire, pensa Harper.

Et elle commença à lire.

VII

LA CONFESSION DU MOINE

Je suis en train de mourir. Cela ne fait aucun doute. Les traces de décoloration qui annonçaient le départ des autres sont apparues sur moi, courant des jointures de mes doigts à mon poignet du côté droit et jusqu'à mon coude gauche. Des deux côtés, elles gagnent lentement mes bras. Ayant assisté à la fin de mes deux compagnons dans cette entreprise, j'ai peu de doute sur ce qui m'attend : le tourment, la décomposition pendant la vie, le délire du remords. Pour William et Anselm, la terrible évolution a commencé dans les cinq ans suivant le début de notre aventure. La simple arithmétique les a tués, comme nous l'eût démontré un jeu de réflexion. Moi seul me suis échappé pour raconter ceci, grâce à un talent pour la tromperie et une pratique expérimentée des femmes, et grâce aussi à la complicité de quelqu'un qui demeurera sans nom, à moins que son cadavre ne soit exhumé et chassé de la terre d'Église.

Tout cela fait un, toutefois. Ce que j'avais cru être la délivrance n'a été qu'un sursis. Dans peu de temps, la chose m'atteindra de plein fouet. Il ne reste plus de temps pour satisfaire la faim de la pierre. Il n'y aurait plus de temps, même si j'en avais l'énergie, et je n'en ai plus.

Je ne puis non plus prier. Je ne peux me soulager

de mon fardeau devant le Seigneur. L'amour du Christ est si grand que je crains qu'Il ne puisse me pardonner. Je ne pourrais pas le supporter, il faudra une éternité de damnation pour nettoyer mon âme de ses péchés.

Au lieu de cela, j'ajoute ceci à la chronique de Belham Abbey. Je couche sur le papier ce que je ne puis confesser.

Voici presque quarante ans que les habitants de Belham ont brûlé les Juifs de la ville. Au temps du premier roi Henry. Les Juifs s'étaient réfugiés dans la chapelle de l'infirmerie de l'abbaye, comme ils l'avaient déjà fait pendant les troubles précédents. Cette fois-ci, toutefois, les gens de la ville étaient tellement enragés contre eux que même la loi du sanctuaire ne put les retenir. Les chefs de la populace brisèrent les portes de la chapelle et jetèrent des torches par les fenêtres, ce qui mit le feu au bâtiment.

Bien que la plupart des moines fussent à l'autre bout des domaines, nous étions informés des troubles. Tandis que les flammes s'élevaient, je pouvais entendre les cris des hommes prisonniers à l'intérieur, les hurlements des femmes, les pleurs des enfants. Un long moment s'écoula toutefois avant qu'Anselm envoyât un novice sonner le tocsin et nous appeler à l'aide.

Les flammes étaient alors si fortes que les bords des portes de l'infirmerie étaient incandescents. Plusieurs d'entre nous allèrent chercher de l'eau à la citerne d'eau de pluie et même au clocher. Mais quand l'eau froide tomba sur le bâtiment en feu, les pierres éclatèrent et s'effondrèrent, de telle sorte qu'il ne resta plus de la bâtisse qu'un seul pan de mur calciné et croulant. Les corps à l'intérieur n'étaient plus qu'un amas de chairs et d'os carbonisés ; de crânes qui semblaient figés dans leurs cris d'agonie.

Et tout cela était advenu parce que j'avais raconté

une histoire, une histoire que j'avais inventée dans mon effort désespéré de sauver ma vie. J'avais répandu le bruit que c'étaient les Juifs qui avaient tué le petit enfant, que c'étaient eux les responsables du petit cadavre récemment découvert près des domaines de l'abbaye. Je dis que les Juifs avaient sacrifié l'enfantelet. Je fabriquai un rite secret, saupoudré d'assez de détails pour le rendre convaincant. Je racontai que les Juifs avaient poignardé l'enfant et avaient utilisé son sang pour confectionner leur pain pascal : une version abominablement déformée de la messe. Je rendis tout cela parfaitement crédible.

Et l'histoire se répandit lentement jusqu'au moment où le peuple se souleva pour exécuter sa vengeance dans la chapelle.

À ce moment-là, bien sûr, la pauvre Annie avait perdu la raison pour convaincre qui que ce fût de la vérité.

Pendant les semaines qui précédèrent la découverte de l'enfant, Annie avait erré dans les rues, marmonnant des propos incohérents sur le meurtre. Elle disait qu'elle entendait le bébé frapper la terre au-dessus de sa sépulture secrète, tapant et tapant nuit et jour. Elle hantait le village, en haillons, les cheveux épars et sales autour de son visage. Ses yeux écarquillés et blancs avaient un air extatique. Elle agrippait le bras de tous ceux qui s'arrêtaient pour l'écouter.

— Écoutez ! chuchota-t-elle. Tic-tic. Tic-tic. Vous l'entendez ? Il essaie de sortir. Il essaie de revenir vers moi.

Anselm, William et moi-même souffrions des affres d'anxiété, affolés à l'idée que quelqu'un lui prêtât attention.

Le désastre arriva comme un voleur dans la nuit. Nous, les moines, sortions de la messe un matin peu après Pâques quand nous trouvâmes une large foule amassée derrière la cour du cimetière, là où les murailles étaient en cour de réfection. Je fus délégué pour savoir ce qui se passait. Dans un état de tension coupable que je ne saurais décrire, je reconnus là plusieurs des employés de la ferme qui s'étaient attroupés en chuchotant. Je me frayai un passage et ce que je vis me donna la nausée.

Annie était couchée sur le sol, à demi nue. Elle avait arraché ses haillons de ses mains crochues. Ses longs ongles étaient noirs de terre. Ses doigts saignaient.

Elle avait déterré le corps de l'enfant.

Étant donné que les maçons avaient gâché du mortier sur les lieux, le sol était riche en chaux. L'enfant était donc dans un état avancé de décomposition. Et pourtant, Annie serrait cette chose putréfiée sur sa poitrine nue, comme si elle était encore vivante et avait besoin d'être allaitée.

— Vous voyez ? Vous voyez ? criait-elle aux fermiers horrifiés. Il essayait de sortir. Tic-tic. Tic-tic. Je l'entendais. Il essayait de me revenir.

Mon regard alla de son visage de folle aux gens qui la considéraient. Je sus que je devais agir rapidement. Et c'est ainsi que je commençai à répandre mon histoire sur le complot des Juifs.

Ce fut quelques mois avant cela que le meurtre de l'enfant me fut proposé pour la première fois.

Anselm en personne me tira de mon lit juste après les laudes et me conduisit sans mot dire à travers le cloître silencieux jusqu'à ses appartements. Là, à une table, dans un angle, était assis un homme que je n'avais jamais vu. Il était vêtu comme un frère des chevaliers du Temple ; que je ne connaissais que par des récits des pèlerins revenant d'outre-mer. Mais je reconnus la cape rouge et la croix emblasonnée sur sa robe.

Devant lui, sur la table, se trouvait un petit brasier surmonté d'un chaudron. La vapeur du liquide en ébullition dans le récipient nimbait de buée le visage du templier et la lueur des tisons peignait de feu son long visage mélancolique. Ce fut ma première rencontre avec William, qui revenait depuis peu de Jérusalem.

Ne faisant pas ici de confession, je ne demande pas non plus de pardon. Dès que nous fûmes assis tous trois à la table, je compris qu'il s'agissait d'une sombre affaire. Cela ressortait de nos voix assourdies et de nos postures voûtées, tandis que nos visages se penchaient sur le chaudron fumant. La vapeur, épaisse et aigre, ainsi que la clarté malsaine qui nous entouraient me semblèrent dès le début constituer les visibles prémices, le halo, d'une conspiration meurtrière.

Les pupilles de William brillèrent quand il m'interrogea :

— Dites-moi, murmura-t-il de sa voix basse et sirupeuse, pourquoi êtes-vous devenu moine ?

J'expliquai brièvement que j'avais été conduit à l'abbaye dans ma huitième année, que j'y avais été élevé et instruit et que je savais peu de chose du monde extérieur.

— Et cependant vous avez reçu la tonsure quand vous étiez adulte, dit-il. Vous avez prononcé librement les vœux de pauvreté et d'obéissance ?

— Je l'ai fait, répondis-je.

— Et de chasteté, ajouta-t-il.

Je détournai les yeux.

— De chasteté aussi.

— Une vie dédiée au labeur et à la prière. Dans l'espoir confiant d'une vie éternelle de joie dans l'au-delà.

— Il est écrit que ceux qui croient en Lui ne périront pas, mais jouiront de la vie éternelle, dis-je prudemment.

Sur ce, William se contenta de hocher la tête.

Se servant de pinces, le templier souleva le chaudron et le posa à refroidir sur la table. Pour la première fois, je remarquai qu'une ficelle avait été plongée dans le chaudron, une extrémité dans le liquide bouillonnant, l'autre pendant sur le rebord. De temps en temps, William saisissait l'extrémité à l'extérieur et la tirait doucement, comme s'il agitait une ligne de pêcheur pour tenter un poisson.

— Vous dédiez votre vie au Christ parce qu'il vous offre une vie éternelle dans l'au-delà, reprit-il. C'est la raison principale, n'est-ce pas ?

Il jouait avec la ficelle tandis que le chaudron refroidissait. Il me sourit.

— Mais si je vous en promettais autant, non selon la foi, dans la vérité, et non pas dans l'au-delà, mais ici et maintenant ?

Mes yeux allèrent de William à Anselm, qui nous observait attentivement.

— Me promettre ?... demandai-je.

— Que vous ne mourrez pas, mais que vous jouirez d'une vie éternelle, dit le Croisé avec douceur. Si je vous offrais le pouvoir du Sang Vrai du Christ et, comme je le crois, le secret de sa résurrection, pour votre bénéfice personnel. S'il n'y avait pas de prières requises, pas de sacrifice, si vous n'aviez plus besoin de vous réveiller pour matines et de vous échiner jusqu'à vêpres et complies. Si je vous offrais la joie éternelle, non des hosannas, mais des femmes riches et rondes, le vin, le pouvoir, l'air frais et libre, qui serviriez-vous, frère ?

Mes yeux allèrent de nouveau de lui à l'abbé et d'Anselm à lui. J'allais réciter ce que je savais du Jugement dernier, qui est destiné à tous les hommes, quelle qu'ait été la durée de leur vie terrestre.

Mais il était clair que cette hypocrisie n'était point de mise. Je ne dis rien. J'avais la langue comme ensablée et je m'avisai alors d'un fait que je n'avais jusqu'alors que soupçonné : ma propre corruption n'était qu'une miette du poison qui avait rongé le cœur même de l'abbé.

Quand il vit que je ne répondrais pas, William sourit de nouveau. Il souleva la ficelle qui trempait dans le chaudron. Et cette fois il la tira hors de la mixture bouillante. Il la tint devant mes yeux et je vis à travers la vapeur qu'un chapelet de cristaux bleuâtres s'était formé et s'y accrochait. Ses facettes rayonnaient dans tous les sens, comme les pétales d'une fleur.

— Ceci est la « fleur bleue », déclama-t-il. La pierre bleue : le Sang Vrai. La formule de sa fabrication m'a été livrée par un magicien infidèle de la Ville sainte. C'était la rançon de sa vie. D'abord, les ingrédients sont chauffés ensemble, puis on les laisse refroidir et se cristalliser. Ensuite, on dissout de nouveau un peu du cristal dans l'eau, juste un soupçon. Et cela produit un fluide médicinal. L'immersion dans ce fluide une fois tous les six mois restaure les substances naturelles de la chair et annule les processus du vieillissement. Le corps, ce corps, votre corps, peut être rendu... immortel.

Je me levai avec une telle violence que le banc sur lequel j'étais assis se déséquilibra et tomba derrière moi. Même dans le froid de la nuit, je fus trempé de sueur. Mon cœur cognait entre mes côtes.

— Ceci est l'œuvre du Diable, suffoquai-je. Pourquoi m'avez-vous apporté ceci ? (Mon esprit cherchait fébrilement une réponse et n'en trouvait pas.) Pourquoi m'avez-vous apporté ça ?

— Assieds-toi, grommela Anselm en redressant le banc.

Je me rassis lentement.

Les reflets rouges des braises sur les traits souriants de William parurent s'accentuer. Le Croisé consulta Anselm du regard et celui-ci acquiesça.

— La pierre n'est qu'une partie de l'élixir, dit William, mais d'une voix si basse que je dus me pencher pour saisir ses paroles. Pour en vérifier l'efficacité, il nous faut un ingrédient de plus.

Un ingrédient de plus.

Je n'essaierai pas d'atténuer mon crime en décrivant le conflit qui s'engagea entre ma conscience et moi à la suite de cette conversation. La vérité est, qu'en dépit de tous les tourments et de tous les scrupules, une pensée avait depuis le début dominé mon esprit. La vie ! La vie éternelle ! La jeunesse éternelle ! Avec un tel cadeau, qu'importait la conscience ? Qu'était la conscience après tout, sinon la peur d'une punition après la mort ? Une fois écartées la menace de la mort et celle de l'Enfer, quel était le pouvoir de la conscience ? Quel pouvoir avait Dieu ? Avec la vie et la jeunesse garanties, je serais moi-même un dieu, capable de rejeter les misérables peurs et les limites de l'humanité. Je serais libre de m'abandonner à n'importe quels désirs, de saisir toutes les satisfactions qui me séduiraient sans terreur ni remords.

Tout cela, une éternité de plaisir, en échange d'un ingrédient de plus.

J'allai donc voir Annie la folle.

Il fut misérablement aisé de la faire entrer dans le plan. Même alors, cette femme était tellement simple et dérangée qu'elle se comportait presque comme un animal. Parfois, au temps jadis, lorsque j'avais éprouvé de la passion pour elle, elle se présentait à moi exactement comme l'eût fait un animal : elle se mettait à quatre pattes dès que je l'approchais, retroussait ses vêtements jusqu'à la taille, grognant, salivant.

J'avais satisfait sur elle des instincts si longtemps réfrénés, heureux qu'elle fût trop dépravée pour ressentir l'affection ou la honte d'une femme ordinaire, certain qu'on ne la croirait jamais si elle décidait de révéler la vérité. Cela me paraissait être un arrangement parfait.

Jusqu'au jour où je m'avisai qu'elle était enceinte.

Craignant que sa condition ne me compromît, que ses chants et babillages ne révélassent ce qui devenait impossible à nier, je décidai de prendre des précautions. J'avais organisé son installation dans la forêt, dans la maison d'une femme rusée avec laquelle j'avais déjà traité autrefois. C'était là que j'allais désormais la voir.

À ce moment-là, Annie était très proche de l'accouchement ; toutefois je soupçonne qu'elle ne comprenait qu'à moitié ce qui lui arrivait. Quand je lui expliquai ce qu'il fallait faire, elle approuva d'emblée, distante comme dans un rêve.

C'était un entretien déplaisant, mais nécessaire. Et c'est pourquoi Anselm et William s'étaient d'abord adressés à moi. Parce que la pierre devait être mise à l'épreuve. Parce qu'ils étaient sans enfants et que la grossesse d'Annie approchait de son terme.

Parce qu'ils avaient besoin de cet ingrédient de plus.

Nous trois, conspirateurs, nous retrouvâmes peu après, au cœur de la nuit, dans la forêt cette fois, au-delà des terres cultivées. Les éléments du cristal furent une fois de plus mélangés, placés dans un petit chaudron sur des charbons ardents puis refroidis et mis à cristalliser. La formule m'en était dès lors connue. Je l'inscris ici pour celui qui a des yeux pour voir, qui ne craint pas la damnation et n'a pas d'âme à sauver.

Le cristal fut placé dans un bac de fer. Celui-ci fut

rempli d'eau tirée de la rivière. Un petit morceau du cristal fut détaché et de nouveau dissous dans cette eau. Il bouillonna furieusement en se dissolvant.

À l'heure dite, Annie arriva, portant notre enfantelet dans les bras.

La scène demeurera gravée en moi jusqu'à ma mort. Je la vois, je n'ai pas cessé de la voir depuis lors. Je ne doute pas qu'elle ne me quittera jamais et qu'elle ajoutera à la torture de ma conscience dans les flammes éternelles.

Nous nous tenions tous trois encapuchonnés, dans l'attente. Les arbres autour de nous semblaient s'incliner, comme pour nous celer aux yeux des anges. Dans le peu de ciel que j'apercevais, ni lune ni étoiles ne brillaient. Seule la flamme écarlate et sourde des braises éclairait le dessous des branches ; avec un éclairage aussi infernal, il ne nous restait guère de doutes sur la puissance à laquelle nous avions livré nos esprits. Les rameaux rougis s'étendaient vers nous comme des mains avides.

Une brise humide et froide soufflait. Les bois gémissaient. Les arbres semblaient échanger des murmures. Aucun oiseau ne chantait et les bruits des créatures nocturnes étaient si feutrés et réguliers qu'ils tissaient une autre sorte de silence.

Annie sortit des ténèbres de la forêt. Ma respiration s'accéléra et une fièvre se répandit en moi comme une souillure. Il était clair, d'après la façon dont elle portait son fardeau et d'après la berceuse sans paroles qu'elle lui chantonnait, que même dans sa stupeur la naissance de son rejeton avait éveillé en elle une tendresse animale. À la réflexion, je ne crois pas qu'elle comprenait vraiment ce que nous allions faire.

Elle me tendit le bébé. Je n'eus pas le courage de baisser les yeux sur lui. Je regardai seulement Annie tandis que William s'emparait du bébé. La pauvre créature en haillons resta sans mot dire tandis que

William entamait solennellement les incantations païennes. L'inexpressivité du visage d'Annie, le vide de son regard reflétaient, je crois, l'inexpressivité et le vide qui avaient envahi mon âme.

Récitant ses prières, William posa le bébé sur le rocher plat qui allait nous servir d'autel.

Ces incantations se poursuivirent longtemps. Elles s'élevèrent lentement jusqu'à ce qu'elles atteignissent un paroxysme qui emplit alors la forêt. Bien que j'eusse détourné les yeux, je saisis du coin de l'œil l'éclat du poignard à manche d'or lorsque William l'éleva au-dessus de sa tête et que sa lame capta les reflets rougeoyants des braises.

Le bébé n'émit qu'une simple syllabe interrogative. Un seul bruit émana d'Annie, un gémissement lamentable et désespéré, quand le couteau plongea.

Puis Anselm s'avança avec un calice d'argent pour recueillir le sang qui jaillissait.

Je me dévêtis de mes vêtements et demeurai nu dans l'air nocturne. Et je m'avançai et me plongeai dans le bain glacé.

Il y avait le silence. Il y avait le vent. Anselm s'approcha de moi, portant le calice.

Même avili, même endurci, même damné, quelque chose en moi crie, se lamente et pleure à ce souvenir. Mais je résisterai. Il serait indigne de moi de demander maintenant le pardon, de prétendre à l'humanité et au repentir. La volonté de l'homme est libre et l'amour du Christ est infini. Et dans cette forêt, cette nuit-là, j'ai pris ma décision.

Renonçant au Paradis, et sous le regard de ceux qui étaient présents, je fus lavé dans le sang de l'agneau.

J'ai donc écrit cela afin que cela soit connu. Je l'ai écrit afin que cela ne meure pas avec moi. J'ai vécu presque quarante ans depuis ce jour-là. J'ai vu l'un, puis l'autre de mes compagnons mourir, un accident ou une défaillance les ayant privés du sang dont ils avaient besoin, ce précieux ingrédient sans lequel la pierre est inefficace. J'ai vu la chair se recroqueviller et pourrir sur leurs squelettes alors qu'ils étaient en vie, je les ai entendus hurler de douleur. J'ai vu la lumière d'une conscience terrible jaillir dans leurs yeux, alors qu'ils étaient sans recours, mais c'était trop tard, trop tard. Et j'ai vu cette lumière s'éteindre miséricordieusement.

Et pourtant je les entends encore crier dans l'abîme de leur maître éternel.

Mais j'ai survécu. J'ai vagabondé à la surface de la terre. Je me suis faufilé et caché parmi mes compagnons humains. J'ai séduit leurs femmes et sacrifié chacun de mes propres enfants alors qu'ils respiraient. J'ai médit de l'innocent et je l'ai condamné pour me protéger. J'ai vécu et chassé comme le renard. Les hommes se signent quand ils entendent mon nom. Les enfants pleurent quand les mères m'invoquent. Les prêtres nient mon existence et les chevaliers les plus braves craignent de me rencontrer dans les bois. J'ai fait de moi leur cauchemar.

Telle est la vie éternelle qui m'avait été promise.

Et pourtant, je dois le dire, la promesse a tenu. Je meurs maintenant, mais j'ai vécu ces quarante années. J'ai vécu et je n'ai pas vieilli. Mon corps est aujourd'hui le même qu'il y a des décennies. Certains ont vieilli et se sont dégradés, d'autres sont morts, moi je suis tel que j'étais. Je n'ai pas changé.

C'est ce que je me sens obligé de déclarer. Je me sens contraint de le proclamer, ne sachant pas si j'écris ces mots dans l'horreur ou dans la joie : le Graal est réel ! La légende de la pierre est vraie ! Je suis le témoignage vivant de ses pouvoirs, le témoignage mourant. Que celui qui a des yeux voie.

Je conclus sur une prophétie et un avertissement.

Je crois que, dans les jours à venir, il y en aura un

dont le courage sera plus fort que le mien, dont l'astuce sera plus aiguisée, quelqu'un qui comprendra tout le pouvoir de ce qui nous a été caché jusqu'ici, et qui deviendra la créature éternelle que je voulais être.

Mais il y a deux points qu'il doit se rappeler et garder toujours à l'esprit.

Le premier est qu'il faut trouver du sang : tous les six mois. Ce sang doit être disponible, sinon tout est perdu. C'est l'impossibilité de réaliser cette condition qui a d'abord tué mes compagnons et qui me tue maintenant.

Mais il y a aussi le second point : la décomposition de la pierre. On n'a besoin que d'un fragment à chaque séance, mais une fois la pierre dissoute, elle ne peut être reconstituée. Il faut donc préserver la formule exacte de sa création. C'est pour cette raison, comme je l'ai dit, que j'ai enregistré ici cette formule.

Qu'on n'oublie pas : si l'on est privé du sang ou de la pierre, l'un ou l'autre, la mort est certaine, la plus horrible et la plus inimaginable des morts.

Mais, en revanche, si lui, cet homme futur, peut trouver le sang, s'il peut entretenir ses réserves de la fleur bleue, alors tout lui est donné comme ce le fut jadis pour moi. Alors, quelle puissance lui sera conférée, quelle infinie puissance ! Si les hommes adorent le Christ pour la seule promesse de l'immortalité, que ne donneront-ils pas à celui qui possède celle-ci dans sa vivante vérité ? Si les rois s'agenouillent devant la croix, que ne déposeront-ils pas aux pieds d'une présence réelle ? J'espère pour lui que ma mort prochaine, cette mort affreuse, ne sera pas vaine. À lui je laisse ce document, cette formule, ces mots.

Et des profondeurs de l'Enfer où je me trouverai bientôt, à coup sûr, je le saluerai au-delà du temps.

VIII

LA NUIT DE IAGO

1

La lumière du jour pâlissait. La pluie battait les hautes fenêtres de la demeure de World's End. Des rafales de vent plaquaient des flaques d'eau sur les vitres. Un observateur dans la rue n'eût discerné, levant les yeux, que la vague lueur jaune d'une lampe, un soupçon de feu dans la cheminée, un reflet orangé et dansant. Même pendant les accalmies de la tempête, quand la pluie déferlait en ruisselets sur les vitres, les bureaux de *Bizarre !* étaient masqués au monde par des nuages fluctuants de fumée, un brouillard intérieur qui estompait la silhouette trapue qui se dressait là, réduite à une ombre sombre et floue.

Harper Albright tira une autre bouffée du crâne en écume de mer et regarda la nuit tomber. Les autres se tenaient derrière, sans mot dire. Bernard jouait au solitaire sur son ordinateur, avec des cliquètements de la souris brefs, violents, agités. Storm réfléchissait, perché sur un tabouret haut, tambourinant des doigts sur la table à dessin ou se massant le bras gauche d'un air absent. Sophia, près du feu, se pelotonnait et se frottait les épaules, lançant des regards nerveux aux monstres grotesques sur les couvertures épinglées aux murs, aux pots et aux aquariums disséminés dans le bureau.

Et Harper, debout, fumait sans relâche. Elle voyait

les autres, tous les autres, dans les reflets mouillés des vitres ruisselantes. Toutefois, elle les laissait s'évaporer de sa conscience, loin du cours de ses pensées.

Elle réfléchissait à la trace des histoires. Et à ce qu'elle lui avait révélé. Et comment elle l'avait conduite à cette nuit dangereuse.

Dix jours s'étaient écoulés depuis sa rencontre avec Iago. Cela avait suffi à lui permettre de débrouiller l'affaire. La chronologie n'était cependant pas aussi claire.

Quelque trente ou quarante ans auparavant, avant qu'elle l'eût rencontré, Jacob Hope avait eu la chance d'acheter une réserve de la pierre cristalline bleue dans un bazar du Maroc. C'était tout ce qu'il en avait dit lui-même à Harper. Le marchand qui lui avait vendu la pierre avait dû lui raconter quelque version de la confession du moine de Belham, ou quelque légende sur le pouvoir qu'avait cette pierre de conférer la vie éternelle. À l'évidence, Iago avait sur-le-champ accordé crédit à l'histoire, ou bien il avait mis à l'essai les pouvoirs de la pierre et avait trouvé l'histoire véridique. En tout cas, Harper ne doutait pas que le plaisir de tuer un jeune enfant avait été pour lui un motif suffisant pour poursuivre ses méfaits.

Après cela, il était revenu en Europe et avait commencé à recruter ses disciples. À une époque où les cultes fleurissaient partout, il en avait inventé un de son cru. Mais, comme l'avait suggéré le sorcier, le Dr Mormo, le culte n'avait évidemment été qu'un prétexte. Ce que cherchait réellement Iago, c'étaient les femmes. Les femmes et les enfants qu'il pouvait en engendrer. Les enfants et leur sang. Le culte était un système parfait pour créer une source constante de ce « précieux ingrédient sans lequel la pierre est inutile ».

Et c'était ainsi que, dans le camp d'Argentine, il avait effectué ses expériences. Il dissolvait des fragments de la pierre bleue dans l'eau et complétait l'élixir en assassinant ses enfants pour leur sang. Il prenait tous les six mois un bain de cette mixture. À en juger, en effet, par son apparence, il avait continué à nourrir la pierre affamée, même après que Harper l'eut découvert et qu'il eut brûlé le camp — et ses enfants avec — jusqu'aux fondations. Grâce à son charisme et à la ruse, Iago avait entretenu le flot de sang d'enfants pendant les derniers vingt-cinq ans.

Mais trouver du sang d'enfants n'était que la moitié de son problème. Restait la pierre elle-même, le cristal. Comme en avait prévenu le moine, la pierre ne durerait pas toujours. Chaque séance exigeait que l'on dissolve un peu. Iago savait qu'il finirait par épuiser sa provision marocaine. Et il avait apparemment été incapable d'en analyser les composés ou de reproduire le procédé de sa fabrication. Il fallait donc qu'il trouvât le moyen de fabriquer la pierre lui-même. Et ce, avant que les traces de dépigmentation apparussent sur ses propres mains, avant qu'il souffrît, comme William et Anselm et le moine de Belham, l'agonie de la putréfaction vivante.

Là apparaissait la trace des histoires de fantômes. Vingt ans auparavant. Après la destruction du camp en Argentine. Après cinq années d'exil. « Dans un petit endroit sur Edgware Road », comme il le lui avait dit. Quelque chose avait mené Iago à *Annie la Noire.* Et quelque chose l'avait incité à relier cette histoire au *Château de l'Alchimiste,* qui était liée au triptyque de Rhinehart et au *Jeune William,* le tout prenant sa source dans la confession du moine.

Et c'était la confession, sûrement, qui avait déclenché sa recherche du triptyque pendant vingt-cinq ans.

Parce que, lorsqu'il avait lu la confession du moine, il avait remarqué, tout comme Harper, que le moine assurait avoir livré la formule de la pierre dans son document. Mais où l'avait-il donc couchée ? Elle ne se trouvait pas dans le texte. Elle n'apparaissait nulle part dans la traduction de M.R. James. Le scribe devait donc l'avoir codée dans les enluminures, les images. Qui avaient été détruites quand la British Library avait été bombardée en 1941.

Mais qui avaient peut-être, et même probablement, servi d'inspiration pour le triptyque de Rhinehart.

C'était le message ultime de la trace des histoires et de l'enchaînement compliqué qui menait de la confession du moine de Belham aux peintures de Rhinehart. Parce que, si le travail de Rhinehart était fondé sur la confession, le triptyque ne représentait pas, Iago en était d'ailleurs convaincu, les trois mages rendant visite à la Vierge et à l'enfant. Non. Il montrait plutôt les trois conspirateurs rencontrant Annie dans les bois pour perpétrer leur sacrifice.

Et si Rhinehart avait copié ses peintures du manuscrit de Belham, il aurait pu également, sciemment ou à son insu, avoir copié les instructions codées pour la fabrication du cristal.

Que celui qui a des yeux voie.

Pendant des années, une légende orale avait entouré le triptyque d'une aura de mystère. Les magiciens nazis, ces artistes maudits et fous qui fréquentaient les autres fous du Troisième Reich, avaient à l'évidence su qu'il résidait quelque pouvoir dans les peintures, un secret de valeur qu'il fallait décrypter. Ils avaient été incapables de le trouver, incapables de briser le code parce qu'aucun d'entre eux n'avait su ce qu'il fallait chercher.

Jusqu'à Iago. Maintenant.

Qu'est-ce qui l'avait guidé ? se demanda-t-elle, tandis que l'obscurité descendait devant elle. Que s'était-il passé dans ce « petit endroit près d'Edgware Road » qui l'avait conduit à *Annie la Noire* et aux autres récits ? Les liaisons n'étaient pas évidentes à établir. Comment les avait-il trouvées et comment avait-il même appris à les chercher ? C'étaient des questions importantes, parce que, dès l'instant où Storm avait lu l'histoire à la réception, Harper s'était avisée de l'insolite parfum de coïncidence et de destinée qui pesait sur toute l'affaire. Et si elle pouvait établir comment tout cela avait commencé, elle pourrait en reconstituer tout le dessin. Elle pourrait prendre le contrôle des événements ou tout au moins devancer Iago vers leur conclusion.

Quelques réponses possibles s'esquissaient déjà dans son esprit. Mais pour le moment...

Pour le moment, elle avait un plan pour attirer de nouveau Iago. Un plan qu'elle avait formulé quand elle se trouvait près des pierres levées en compagnie du Dr Mormo. Elle savait qu'il n'y avait qu'une manière de le faire. Et cette fois-ci, s'il mordait à l'hameçon, elle serait prête. Elle porterait tout de suite à son achèvement sa poursuite d'un quart de siècle.

Elle demeurait là, continuant à émettre des volutes et des jets de fumée de son crâne de pipe. Bernard cliquait toujours, pris à son jeu de solitaire. Storm tambourinait toujours des doigts sur la table à dessin. Et Sophia s'agitait nerveusement près du feu.

Et puis le téléphone sonna.

Harper se retourna. Les autres se figèrent. Le double trille du téléphone retentissait toujours quand Harper traversa le tapis pour aller près du bureau de Bernard.

Elle souleva le combiné.

— Oui ?

— Harper.

Elle reconnut tout de suite le croassement rauque, la voix du sorcier.

— C'est Mormo.

— Jervis, dit-elle sèchement. Comme c'est aimable à vous d'appeler.

— Laissons les compliments. Je l'ai.

Le cœur de Harper s'accéléra. Elle ravala sa salive sans rien dire.

— Ce n'était pas facile, laissez-moi vous dire. La concurrence fait rage.

— Mais vous l'avez maintenant en votre possession ? haleta Harper.

— Venez quand la nuit sera tout à fait tombée, poursuivit le sorcier. Et assurez-vous du diable que vous n'êtes pas suivie.

Après un déclic il avait raccroché.

Harper reposa lentement le combiné. Elle leva les yeux et affronta les regards soutenus des autres.

— Il l'a, dit-elle.

Storm et Bernard et Sophia exhalèrent ensemble un soupir. Elle dirigea vers eux le tuyau de sa pipe.

— Ce soir, quand il fera tout à fait noir, Bernard et moi irons à Lonsdale Square.

Storm serra les doigts et du poing donna un coup assourdi à la table.

— Et moi ? demanda-t-il.

Harper se tourna vers lui, puis vers Sophia.

— Vous avez une autre tâche, dit-elle. (Elle soupira.) Avant que nous puissions atteindre le terme de cette histoire, il est nécessaire pour nous d'en trouver le point de départ. Et j'ai une raison de croire qu'il se rapporte au suicide d'Ann Endering.

— Ma mère ? sursauta Sophia. Qu'aurait-elle à faire avec ça ?

— C'est ce que je ne sais pas, avoua Harper. Mais il est possible que votre père le sache.

Sophia se recula, se redressa et la regarda.

— Mes amis, dit Harper, je crains de devoir vous demander d'aller à Belham Grange.

2

Quand le Dr Mormo eut raccroché le combiné, il s'assit par terre, en désarroi. Son visage rond et bouffi était pâle. Son ventre rond et gonflé sous une chemise dorée et tachée de sueur gargouillait de façon menaçante. L'ennui de travailler pour le Diable, songea-t-il amèrement, est que vous recevez le salaire du péché.

Il s'assit en tailleur. La bannière noire de son pentagramme était étalée devant lui sur le tapis. Ses chandelles noires étaient allumées et leurs flammes basses chaviraient. Une tête de chèvre empaillée était posée près de lui, ses yeux de verre reflétant la lumière.

Et entre eux, au centre du pentagramme, se trouvait la Madone.

Le panneau se trouvait dans une boîte ouverte. La lumière des chandelles dansait sur les traits de la Vierge, s'étendait sur le fouillis brun à l'arrière-plan, lui conférant une vie mystérieuse. Le sorcier obèse considéra la peinture d'un air sombre.

Marie était représentée dans une forêt d'hiver. À genoux, elle tenait ses mains jointes. Elle était drapée dans un manteau d'un bleu royal, qui la détachait des lacis dépouillés des branches sans vie tout autour d'elle et du grand chêne mort et tordu qui penchait au-dessus d'elle comme un destin menaçant.

Son visage rond et charnu était celui d'une paysanne bavaroise, mais avec des yeux mystiques et tendres. Elle souriait d'un sourire exquis et lointain.

Elle ressemblait plus à une princesse de conte de fées qu'à la Reine des Cieux, pensa Mormo. Plutôt la Blanche-Neige de Walt Disney.

Il était impatient de voir la céleste salope quitter les lieux.

Il tendit un bras et s'accrocha au pied du lit. Il se hissa debout en soufflant. « Trop vieux pour ça », grommela-t-il misérablement. Les pieds nus, blancs sous le revers de son pantalon sale de velours côtelé, il gagna la porte et se trouva sur le palier.

La maison était obscure, tous volets fermés contre la pluie et la lumière déclinante. Mais Mormo connaissait les lieux, l'un de ses repaires les plus familiers. Il tâtonna dans la pénombre vers le sommet de l'escalier. Le plancher craquait dans le silence environnant. Le vieil homme continuait de marmonner. Toute cette intrigue. Tous ces dangers. Il était bien trop vieux. Il était temps depuis longtemps de quitter les affaires, de se retirer. De trouver un coin près de la mer, dans les Cornouailles. Se faire un petit nid douillet. Passer ses dernières années dans la méditation et les sacrifices sanglants, pour apaiser les puissances obscures dans l'espoir de la vie future.

Il commença à descendre lourdement les marches. Bon, la soirée devrait lui préparer le chemin et l'aider à se faire son petit nid. À supposer qu'elle ne le tuât pas pour commencer.

Il arriva lentement au hall d'entrée. Saisit un reflet obscur de lui-même dans le miroir. Pauvre vieux type sans un seul véritable ami, pensa-t-il. Dans une mauvaise passe. Traqué de toutes parts. À la vérité, il était difficile de savoir de qui il avait le plus peur. Le vieux nazi qui lui avait confié le panneau, un vieux toqué inquiétant s'il en avait jamais vu un. Délirant sans fin sur la mort et la culture. « Il faut des montagnes de cadavres pour faire une Madone ! » s'était-il exclamé, les yeux enfiévrés. Mormo n'avait eu de cesse de se défaire de ce tordu.

Mais le nazi était encore plus terrifié que lui. Il savait qu'il avait mis le doigt dans l'engrenage quand il avait téléphoné à Sotheby's pour enchérir sur *Les Mages*. Il savait que Iago ne le lâcherait pas et le retrouverait, sans coup férir. Et maintenant le pauvre Dr M. devait s'en inquiéter aussi, non ? Iago. Il frissonna.

Il poursuivit sa pérégrination traversant la salle de séjour enténébrée en direction de la cuisine. Pas un bruit, à l'exception de ses pas et de ses soupirs.

Il ne voulait pas penser à ce que Iago lui ferait s'il le prenait à faire ce qu'il faisait. Il ne voulait même pas y réfléchir une minute. Mais la vérité était la suivante : Iago finirait par lui régler son compte tôt ou tard. À la fin de la journée, on ne gagnait aucun pourcentage à traiter avec un homme comme ça.

Ce qui le laissait avec Harper, le Diable lui pardonne. Imaginez Mormo concluant un arrangement avec cette vieille vache pompeuse après toutes ces années. C'était contre sa religion, pas à discuter. Mais il était au bout du rouleau. Tout bien pesé, c'était son choix le plus sûr. Il pourrait échapper à Iago s'il le fallait. Il le faisait depuis des années, non ? Il était passé maître dans l'art de se déguiser en courant d'air. Il avait assez de maisons sûres pour devenir agent immobilier, et avec toutes les puissances de l'Enfer de son côté.

Mais Harper. Elle avait des relations. Elle semblait capable de le retrouver où que ce fût. Elle apparaissait soudain devant lui comme Hécate elle-même, vraiment. Et elle avait lancé le Yard à ses trousses.

Elle l'avait dit. À la porte de la cuisine, il frissonna et marmonna de nouveau : « Trop vieux. » Trop vieux pour la prison, ça c'était foutrement sûr.

Il appuya sur le commutateur. Les lampes fluorescentes crépitèrent, clignotèrent et s'allumèrent. Le vieux sorcier cligna des yeux dans la lumière soudaine. Les dalles de linoléum étaient froides sous ses pieds nus.

La cuisine, c'était la raison pour laquelle il avait toujours préféré cette maison. Une belle grande cuisine. Un beau grand placard à provisions derrière la porte à sa gauche. Un beau grand frigo, de vastes surfaces de travail autour de l'évier. Le Dr Mormo aimait la cuisine. Cela le détendait. Et un peu de détente lui ferait du bien en ce moment.

Il ouvrit le frigo et y fourra la tête. Fabrication américaine, on pouvait y entrer si l'on en avait envie. Rien que son bourdonnement était réconfortant. L'endroit était trop silencieux, oppressant pour lui tout seul.

Il tira des oignons, des tomates, des échalotes, du prosciutto. Porta tout ça à la table et le posa près de la planche à découper.

Il fourragea dans le tiroir et en tira un formidable couteau de cuisine. L'examina de façon experte à la lumière pour s'assurer qu'il était propre. Il était tout à fait propre. La lame d'acier inoxydable étincelait.

Le visage ricanant de Iago se reflétait dans la lame.

Mormo l'aperçut et laissa échapper un meuglement faible de terreur. Le couteau tomba de ses doigts sans force tandis qu'il se retournait vers la porte du placard à provisions, qui était ouverte. Il sentit ses jambes se ramollir, ses entrailles se liquéfier. Il sentit aussi le devant de son pantalon de velours côtelé devenir humide et chaud.

Le couteau étincelant tomba par terre, en tournoyant. Le reflet cruel et sardonique brilla sur la lame, disparut et revint.

La chute du couteau sur le linoléum fit un bruit énorme dans la maison silencieuse.

3

— Il n'en est pas question !

Quand elle le voulait, Sophia avait une voix aussi tranchante qu'un sabre. Elle avait vu des hommes qui, en l'entendant, avaient baissé les yeux, stupéfiés, comme si on leur avait coupé les jambes au niveau des genoux. C'est de cette voix qu'elle s'adressait maintenant à Richard Storm, accroupi dans la cuisine, fouillant dans le petit réfrigérateur de la jeune femme.

— Je n'ai jamais rien entendu de plus ridicule. C'est inutile. C'est cruel et stupide. De toute façon, ça ne se fera pas. Je n'irai pas.

— Laisse-moi te demander quelque chose, dit Storm sans la regarder. Y aurait-il comme un grand entrepôt dans votre pays où vous autres mettez les deuxièmes moitiés de vos réfrigérateurs ?

Sophia sentit une bouffée de colère lui monter aux joues.

— Je t'en prie. Ne refuse pas ce que je te dis.

— Je ne le refuse pas, dit Storm d'un ton égal, plongeant le bras dans les profondeurs du meuble. Je l'ignore. Ce qui est pénible, parce que tu es belle et que je t'aime comme j'aime la musique. Et je ne voudrais que te faire chanter tra-la-la et danser dans les prés en semant des pâquerettes. Mais tu m'as demandé

de t'aider et je pense que tu devrais réviser ta décision.

— Eh bien, je ne le ferai pas, bougonna-t-elle en
croisant les bras sur sa poitrine.

— Puis-je manger ceci ?

Il avait trouvé une assiette de poulet froid.

Elle s'était soudain écartée et le regarda à peine.

— Vas-y.

Storm se releva, vacillant, maîtrisant l'ankylose
dans ses genoux. Il passa à la salle à manger, vers la
grande table. Sophia se tenait de l'autre côté de celle-
ci, le dos tourné aux fenêtres du balcon, drapées de
rideaux. Elle frémissait de colère.

— Je suis sérieuse, dit-elle. Je ne le ferai pas.

— Hé, qu'est-ce que tu crois que je vais faire ? Te
jeter sur mes épaules et t'emporter là-bas ? Ça serait
amusant, mais je n'ai pas besoin d'une hernie.

Il posa le plat et commença à dépouiller son embal-
lage de plastique.

— Je pense que ton amie Harper est une toquée,
reprit Sophia.

Storm se mit à rire.

— Elle joue une sorte de jeu ridicule, poursuivit-
elle. Quelle que soit sa théorie d'un complot, je suis
certaine que ma mère n'avait rien à y voir.

— Oui, Harper est une excentrique, pas de doute.
Sauf que tout ce qu'elle dit se révèle toujours vrai.
Tu n'aurais pas un Coca... ?

La question interrompit le cours des pensées de
Sophia. Elle se frotta le front.

— Je ne sais pas. Non. Il y a de l'eau gazeuse dans
le placard à côté de l'évier.

Mais Storm resta une seconde sans bouger, se frottant le bras, gonflant ses joues. Fatigué. Elle remarqua qu'il avait l'air exténué. Les cernes sous ses yeux
mélancoliques. Le visage énergique maintenant bouffi
et mou. Elle sentit qu'elle s'adoucissait, ce qui était

irritant, parce que cela se répétait : quoiqu'il dît, il finissait toujours tôt ou tard par l'attendrir. À cause de cette affection qu'il lui lançait ouvertement au visage. Le sérieux et la gaucherie des Américains. Même le fait qu'il ne réagissait pas à sa colère de la manière à laquelle elle était habituée lui paraissait étrangement attachant.

— Tu te sens bien ? demanda-t-elle tout de go tandis qu'il déambulait dans la cuisine. Tu as l'air fatigué.

Il ne répondit pas. Il ouvrait le placard.

— Tu ne dois pas laisser cette vieille femme te mettre sur les nerfs avec ses sottises.

— À mon âge avancé, tu veux dire. (Il tendait la main vers la bouteille d'eau gazeuse.) Hé, peut-être que cela t'embarrasse de montrer à ton père que tu fréquentes un vieux.

— Ne sois pas stupide. Tu n'es pas un vieux. J'aime ton âge.

— Ou bien que je n'ai pas de culture.

— Aucune importance. Tu as beaucoup d'autres qualités charmantes.

Storm se mit de nouveau à rire, secouant la tête. Il la regarda comme... comme elle ne savait pas quoi. Cet homme ne contrôlait absolument pas son affectivité.

— Je t'aime vraiment, dit-il. Je pense que tu es la plus grande.

Elle réprima un sourire.

— Tu as ces qualités. Et je serais fière de te présenter à qui que ce soit.

— Bah.

— Je le ferais. Tu sais parfaitement bien que ce n'est pas ça.

— J'ai besoin d'un décapsuleur.

— Il est dans le...

— Oh, attends, je l'ai trouvé, dit-il, en ouvrant un

tiroir. On devrait annoncer à ces farceurs qu'on a inventé le bouchon dévissable.

Elle le regarda tandis qu'il revenait vers elle, buvant à la régalade. Et, pour la première fois, elle s'avisa avec une légère frayeur de ce qu'il représentait pour elle, du pouvoir qu'elle lui avait en quelque sorte conféré. Elle l'avait d'abord cru tout bonnement simplet, un Américain superficiel. Mais elle avait fini par comprendre que la superficialité américaine pouvait être très profonde. Il savait très bien ne pas tenir compte de certaines choses. Comme son histoire à elle. Comme ses problèmes au lit. Comme toutes les détestables failles de son caractère. Et elle comprenait, là, qu'elle en était arrivée à compter dessus.

— Ma mère n'a rien fait de mal, Richard, assura-t-elle, d'un ton implorant qui la déconcerta.

Storm haussa seulement les épaules, ce qui donna à Sophia une bouffée d'amertume. Il se mit à table, tira l'assiette vers lui. Ne regarda pas Sophia. Saisit la salière.

— Tu ne peux pas manger ça avec les doigts, murmura-t-elle.

Elle fit le tour de la table pour aller chercher un couteau et une fourchette dans un tiroir du grand buffet et une serviette de lin dans un autre tiroir.

Storm avait déjà attaqué une tranche de blanc, détachant la chair avec les dents et les doigts. Mais il prit les couverts des mains de Sophia et déplia la serviette sur ses genoux sans dire un mot. Il sala de nouveau le poulet et s'y reprit cette fois avec le couteau et la fourchette.

Sophia se tenait derrière lui, regardant ses cheveux couleur sable.

— Arrête, supplia-t-elle.

— Quoi ? Je mange. C'est comme ça que nous faisons.

— Je veux dire arrête de penser ça. Ce que tu penses.

Il posa couteau et fourchette et se gratta la tête.

— Ma mère était une... femme douce, libérale, charitable. Tout le monde le dit. Tout le monde. Je suis sûre qu'elle n'avait rien à faire avec aucun des salauds imaginaires de ton amie, avec rien. Et aller à Belham Grange et interroger mon père sur une tragédie qui remonte à vingt-cinq ans... Il n'a peut-être pas été parfait. Peut-être qu'il a été mêlé une fois à une affaire douteuse. Et je n'en suis même pas sûre...

— Oui, c'est le problème, dit Storm. (Il se tourna vers elle. Il choisissait ses mots.) Tu ne sais pas. Tu vois ?

Sophie allait se détourner quand il lui saisit la main. Il la retint, caressa le dos de ses doigts.

— Tu ne sais pas et ça te ronge. Tu ne sais pas quoi penser et tu ne cesses d'y penser, ce qui fait que tu ne peux penser à rien. Tu ne sais pas, alors tu ne peux pas oublier ce que tu ne sais pas. Tu vois ? C'est pour ça que je pense que tu devrais y aller. Parce que ça te vide et te paralyse.

Elle retira sa main et la glissa sous son bras.

— C'est exact... Tu as raison... en ce qui concerne le sexe. Il se trouve que ça n'a pas d'importance pour moi.

Il chiffonna la serviette et la posa sur la table. Il se leva et se tint près d'elle.

— Je parle du fait que tu es tout le temps déprimée. Et que tu as ces passages au noir. Et que tu es erratique et que tu fais des choses insensées.

Elle lui fit face et ressentit le pouvoir qu'il exerçait sur elle, mais cette fois-ci de façon plus évidente, plus alarmante.

— Je ne veux pas, Richard.

Elle ne parvenait pas à le croire : c'était elle qui plaidait maintenant.

300

— Interroger mon père sur cette histoire, l'affronter... Ce serait trop pénible.

— Pénible ? (Il lui caressa les cheveux avec douceur.) Excuse-moi, mais n'es-tu pas la fille qui s'est jetée d'un balcon ? Ce n'était pas pénible, ça ?

— Je veux dire pénible pour mon père. Il est vieux. Il n'est pas aussi fort qu'il le paraît ou qu'il croit l'être. Il n'est pas si indépendant. Il vit...

Elle allait dire *selon mon opinion autorisée.* Mais elle s'interrompit, car elle réalisa qu'elle vivait désormais selon l'opinion de Storm, qu'elle s'était laissée aller à y vivre. Et elle craignait ce qui allait advenir, ce qu'il allait lui faire faire.

— Susciter des problèmes sur toute cette vieille affaire. À quoi ça servira ?

Il avait introduit ses doigts dans les profondeurs de la chevelure de Sophia et il la peignait de la sorte tandis qu'il lui tenait le bras de l'autre main.

— Ça servira à ce que tu aies une vie.

— J'ai une vie.

— Une vraie vie, avoir une vraie vie, Sophia. Avec des choses comme du music-hall, des courses de chars. Même si ce n'est qu'à l'intérieur, avec un Fred, une Ginger qui dansent dans ta tête. C'est important. Fais-moi confiance sur ce point. Je connais tout ça.

Il sembla sur le point d'en dire plus. Son regard était devenu profond, chaud, et triste ; vraiment triste.

— Parce que le temps est compté, ajouta-t-il. Il est vraiment compté. Nous ne restons pas longtemps sur cette terre. Tu dois vraiment t'y consacrer.

Elle releva soudain le menton.

— Je n'ai pas la moindre idée de quoi tu parles.

Il retroussa les lèvres, dénudant ses dents, comme s'il cherchait de l'espace pour les mots à venir. Mais son regard demeura fixé sur la table.

— Regarde..., dit-il.

Il la laissa se dégager, saisit la salière et en dévissa

le sommet. Il lécha le bout de son index et le trempa dans la salière pour le ressortir garni d'un cercle de cristaux blancs. Et porta son doigt à ses lèvres.

— Regarde.

Sophia cligna des yeux, se recula.

— Quoi... ?

— Chut. (Il lui prit le coude.) Regarde.

Il rapprocha son index de plus en plus près des lèvres de Sophia. Il l'enfila doucement dans sa bouche jusqu'à ce qu'elle l'eût entouré de ses lèvres et qu'elle eût le sel sur la langue. Instinctivement, Sophia lécha le doigt, incapable d'échapper au regard de Storm et effrayée par sa soudaine intensité.

Puis il retira le doigt. Elle se lécha les lèvres, la saveur se diffusant dans son palais. Le visage de Storm restait proche du sien. Il la regardait toujours.

— Quoi ? bredouilla-t-elle, désarmée. C'est du sel.

— C'est du *sel* ! articula-t-il de façon tendre et pressante. Du sel ! Tu vois ? C'est comme... *Rencontres du troisième type,* tu sais ? Quand le vaisseau-mère descend du ciel et qu'il a la taille d'une ville ? Comme dans *Piège de cristal,* quand tout l'immeuble, bang ! explose et que la fontaine continue à couler. C'est du *sel* !

Sophia secoua la tête, effrayée. Elle avait les yeux mouillés de larmes.

— Regarde, regarde, dit-il. Laisse-moi goûter.

Il lui prit le visage à deux mains et le rapprocha de lui. Il posa ses lèvres sur celles de Sophia et glissa sa langue dans la bouche, sur sa langue.

Sophia goûta le sel et le poulet qu'il avait mangé et éprouva la chaleur et la taille de la langue de Storm. Elle était confuse, égarée. Et tandis que cette langue se mouvait sur la sienne, elle comprit, écrasée d'angoisse, qu'elle allait faire tout ce qu'il lui demanderait de faire. Ils en parleraient jusqu'à une heure avancée de la nuit et elle irait avec lui à Belham Grange.

Storm se recula et retira sa langue. Mais il tenait toujours le visage de Sophia. Ses yeux à lui aussi, elle le vit, étaient chavirés.

— Du sel, murmura-t-il d'une voix rauque. Vis. Vis, Sophia. C'est la seule chose que je te demanderai de faire pour moi.

4

Pendant ce temps-là, la Morris Minor de Bernard prenait des virages furieux dans les rues secondaires de Chelsea. La pluie giclait sur le pare-brise, le nappait d'eau visqueuse. La nuit était si noire et les rues étaient si mal éclairées que Bernard ne pouvait voir très loin. Néanmoins, la voiture fonçait comme un poisson dans l'orage, Bernard maniant volant et levier de la même manière nonchalante et molle qu'il touillait son ordinateur. Il consultait souvent le rétroviseur, pour s'assurer que personne ne le suivait.

Comme toutes les machines, l'auto était pour Harper un mystère total. Mais elle était tellement habituée à la maîtrise de son homme à tout faire dans ces choses qu'elle n'avait pas l'ombre d'une inquiétude. Bernard se faufilait dans le trafic, accélérant aux feux orange à la manière d'un joueur de rugby sur le terrain, appuyant soudain sur le champignon sur des lignes blanches rendues invisibles par la pluie : elle n'y faisait pas attention. La canne verticale sur le plancher humide, les mains croisées sur la tête de dragon et le menton posé sur les mains, elle réfléchissait paisiblement.

— Je pense, déclara-t-elle, que nous devrions parler arithmétique.

La Morris fila sur les quais et le long de la rivière, les ponts défilant l'un après l'autre.

— C'était de l'arithmétique simple, poursuivit Harper, qui, selon le moine de Belham, a mené ses deux partenaires à la mort, tandis que lui-même avait été sauvé par la *complicité,* c'est le mot qu'il utilise, la complicité de quelqu'un qui reste innommé. Vous comprenez où je veux en venir ?

— Est-ce que quiconque pourrait comprendre ? marmonna Bernard en jetant un coup d'œil dans le rétroviseur tandis qu'il slalomait en fonction du trafic arrivant en sens inverse afin de doubler une camionnette.

— C'est la base de toute l'histoire, insista Harper. La raison même pour laquelle ce moine a été enrôlé dans la conspiration est qu'il avait d'abord engrossé l'idiote du village ; elle arrivait à terme. Vous voyez, pour que les propriétés du cristal soient efficaces, il faut le dissoudre dans un bain d'eau et de sang et se plonger dans la mixture tous les six mois. Sans la répétition régulière de ce traitement, la dégénérescence fatale s'installe, commençant par les lignes de dépigmentation que décrit le moine de Belham. Dans le cas de William et d'Anselm, la réaction s'est déclenchée cinq ans après la première expérience. À cause de l'arithmétique. Vous voyez ?

La Morris fila sous le glaive dressé du roi Alfred, passa les tours jumelles de Westminster Abbey. Puis fit irruption comme un boulet de canon dans l'énorme rond-point de Parliament Square. Les alentours étincelaient de phares fugitifs et résonnaient de klaxons, dans une brume rayée par la pluie oblique. La voiture s'engagea dans la mêlée. Le boulet de canon devint une aiguille à coudre ; la Morris se faufilait prestement dans le chaos, grâce aux coups de volant et aux vifs changements de vitesse de Bernard. Ils en sortirent enfin et accélérèrent dans les vastes défilés entre les monolithes de granit de Whitehall.

— Il existe une condition si évidente que le moine n'a pas cru nécessaire de la mentionner : pour que la pierre soit efficace, le sang doit provenir de son propre enfant, poursuivit calmement Harper. C'était le problème arithmétique que Iago avait essayé de résoudre quand il a fondé son culte. Comme vous l'avez sans doute entendu dire, il faut neuf mois pour produire un bébé. La quantité de sang requise pour le bain suffit visiblement à tuer le bébé. Étant donné la durée de la gestation, sans parler de la résistance occasionnelle des femmes à un moment ou l'autre de la procédure, comment peut-on produire assez du précieux ingrédient pour s'y baigner tous les six mois ?

— Vous savez, je crois que j'ai eu ce problème à mon dernier examen de maths.

Harper ignora l'observation avec une dignité rigide. Et elle reprit :

— Mais si l'enfant d'Annie la Folle n'était pas le premier rejeton du scribe ? Et s'il avait déjà eu un autre enfant plus âgé ? Il aurait alors été possible de prendre la quantité nécessaire de sang d'un adulte sans le tuer, assez souvent, en tout cas, pour remplir le vide entre de nouvelles naissances.

Bernard réfléchissait en silence à ces questions tandis que deux énormes bus à deux étages convergeaient vers lui des deux côtés, menaçant de réduire la Morris en miettes. Il rétrograda agilement et fit bondir la voiture. Les deux bus traînèrent soudain derrière lui comme deux éléphants dans le sillage d'un avion à réaction.

— Ce qui nous ramène à ce mot *complicité*, continua Harper. Il faudrait la complicité d'un rejeton adulte. Or, on ne peut imaginer aucun scénario par lequel le sang serait soutiré de force. Même si la victime était enfermée, il serait difficile de la garder en vie pendant des années. Et ce serait impossible pour Iago, en dépit de tous ses pouvoirs. Parce que ses rejetons hériteraient au moins une partie de sa force de volonté. Un tel captif se suiciderait certainement plutôt que de rester gentiment esclave enfermé dans les vapeurs méphitiques d'un donjon.

— Iago a visiblement réussi à produire tous les rejetons qu'il lui fallait pendant le dernier quart de siècle, fit observer Bernard.

— Peut-être. Mais tout juste. Qui sait combien de fois il s'est trouvé proche des limites ? Et, pendant ce temps, il ne laissait derrière lui aucun enfant susceptible de devenir adulte et de lui fournir régulièrement ce dont il avait besoin.

Bernard eut un petit geste de la tête.

— Pourquoi n'y a-t-il pas pensé auparavant ?

— Je crois qu'il y a pensé pendant ces derniers vingt-cinq ans.

— Dites-moi, demanda Bernard avec une soudaine sincérité, nous prenons plaisir à nos petites subtilités, vous et moi, mais...

— Arrêtez la voiture !

Ils avaient atteint Lonsdale Square.

Harper releva quelque chose de singulier dans la maison à l'angle. Et cela en dépit du fait que, sur son ordre, Bernard avait freiné si fort que la Morris avait dérapé de façon diabolique. Ils tirebouchonnaient follement dans le passage étroit entre les voitures garées. Bernard se débattait désespérément avec le volant. Harper se tordait le cou pour garder l'œil sur la maison.

— Intéressant, remarqua-t-elle.

Il y avait un espace vacant le long du trottoir à côté du jardin. La Morris s'y glissa, rebondit sur la chaussée et se dirigea vers la grille en fer du jardin... puis stoppa, Bernard ayant rétrogradé et freiné à la suite du choc, reprenant le contrôle du véhicule. Celui-ci s'arrêta, deux roues sur le trottoir et deux sur la chaussée. Il adressa à Harper un regard chargé d'exaspération mesurée.

— Regardez, lui dit-elle. Éteignez les phares et regardez.

Bernard soupira. Éteignit les phares. Et pencha la tête pour observer à travers le pare-brise l'étroite maison à pignons qui se dressait devant eux.

Le square était calme et sombre. Un tas de maisons claustrophobes autour d'un jardin d'hiver broussailleux. Les façades resserrées et gothiques dardaient leurs toits irréguliers vers le ciel. Les pointes des pignons semblaient près de mordre les nuages violets.

La pluie diminuait, comme une mince buée qui courait sur les branches du jardin. Un réverbère diffusait un halo rose, mais la maison à l'angle semblait reculer pour s'enfoncer dans les replis de la nuit. Tous les volets étaient clos. Aucune lumière ne filtrait. Aucun signe de lumière ou de vie.

— Quoi... ?

— Attendez, dit Harper.

Puis ce fut là. Tandis que les deux passagers guettaient à travers les grands arcs nets dessinés par les essuie-glaces qui cliquetaient sur le pare-brise, une tache blanche apparut dans les lames d'un volet à l'étage. Elle s'allongea, devint un trait, bifurqua et disparut. Puis elle reparut, mouvante, étincela un instant à la jonction des volets et disparut de nouveau.

— Une torche électrique, suggéra Bernard.

— Oui.

Quelques moments plus tard, elle reparut de manière intermittente à une fenêtre de l'étage au-dessus. Celui qui tenait la torche descendait dans la maison.

— Pourquoi se servirait-il d'une torche ? demanda Bernard.

— C'est exactement ce que je voulais dire, répondit Harper Albright.

Le borsalino était posé sur ses genoux. Elle s'en coiffa, rabattant le bord sur ses sourcils. Elle serra sa canne, les yeux alertes derrière les lunettes. Elle observait, les nerfs électrisés, mais ne bougeait pas.

La lumière étincela de nouveau ; le bord externe de son halo effleura les lames d'une persienne au rez-de-chaussée.

— Il sort, dit Bernard à voix basse.

Trente secondes passèrent, aussi longues qu'une heure. Ils observaient. Les essuie-glaces cliquetaient.

Puis la porte de la maison s'ouvrit et se referma. Il y eut un mouvement indiscernable dans l'entrée. Harper entendait le pouls lui battre dans les oreilles et Bernard respirer.

Une silhouette massive et voûtée émergea du seuil et s'avança sur le trottoir. Il regarda à droite et à gauche dans la rue déserte. La pluie amollissait la coupe abrupte de sa chevelure châtaine. La lumière du réverbère se reflétait dans ses yeux roses et porcins, sculptant ses traits.

C'était l'homme à la cicatrice.

— Arrêtez les essuie-glaces, souffla Harper. Vite.

Bernard s'exécuta et le pare-brise s'embua. Le moteur de la Morris toussotait et bourdonnait.

L'homme à la cicatrice alla vers une voiture noire garée le long du trottoir. Il en ouvrit la portière et s'y engouffra.

— Il va nous voir s'il vient par ici, s'inquiéta Bernard.

— Chut. Non. Peut-être pas. Il est pressé.

La voiture noire se mit en marche, déboîta et vint vers eux. Harper entendit la respiration de Bernard s'arrêter. Sa propre respiration s'arrêta aussi. Ils restèrent absolument immobiles.

La voiture noire gronda et accéléra. Elle les dépassa et sortit du square.

Harper ouvrit la portière. Elle fut dehors en une seconde, se dirigea vers la maison.

— Je vais le suivre, cria Bernard, et il embraya.

Harper avait fait un autre pas avant de comprendre ce qu'il avait dit. Elle s'arrêta net, se retourna dans la brume et la pluie, les yeux agrandis de terreur.

— Non, non ! hurla-t-elle.

Mais c'était trop tard. La Morris se dandinait déjà sur la chaussée. Ses phares balayèrent Harper au passage, alors qu'elle tendait le bras, la bouche ouverte pour crier.

Mais Bernard ne la vit pas, ou bien il l'ignora. La Morris continuait de courir. Le moteur émit un grondement furieux et la Morris fonça à la poursuite de la voiture noire. Un moment plus tard le bruit des deux moteurs s'était dissipé, laissant le square résonner des bruits de la ville et de la pluie.

Le bras de Harper retomba. Elle resta là, contemplant l'endroit où les deux véhicules avaient disparu, son cœur battant lourdement.

Puis un cri déchirant et tourmenté retentit au-dessus d'elle.

Sursautant de frayeur, elle leva les yeux à temps pour voir une énorme masse noire s'élancer du sommet de la tourelle d'angle de la maison. Un corbeau, d'envergure considérable, s'envola au-dessus de sa tête. Une grande tache noire dans le ciel. Puis il s'en fut au loin, vers le jardin d'hiver. Hors de sa vue. Un autre cri dans le lointain. Et la rue redevint calme.

Harper poussa un soupir et porta une main à sa poitrine qui battait le branle. Elle regarda la porte sombre de la maison, puis l'angle de la rue où les voitures avaient disparu. Elle savait reconnaître un mauvais présage et l'angoisse tomba sur son estomac comme une pierre.

5

Elle ne sonna pas. Elle poussa la porte. Celle-ci s'ouvrit d'elle-même. Harper s'y attendait, mais elle ravala quand même sa salive.

Elle franchit le seuil. Le hall d'entrée était obscur, mais il y avait une lumière à l'arrière de la maison. Dans le brouillard lumineux qui en émanait, elle distinguait les objets épars sur le sol. Un porte-parapluie renversé. Une commode branlante, sous un miroir, tiroirs ouverts et vides. Des parapluies, des tiroirs, des papiers dispersés partout. Elle enjamba ce fatras pour passer dans la salle de séjour.

La lumière provenant d'une porte ouverte était plus forte dans cette pièce ; Harper aperçut un sofa renversé. Un lampadaire également renversé sur tout son long. Les livres avaient été arrachés des étagères et jetés sur le tapis. Lequel avait été tailladé en lanières. Toute la maison avait été saccagée.

Elle respirait difficilement. Elle affermit sa prise sur la canne et tâtonna, repoussant les livres du pied. Elle arriva à la porte éclairée et explora la cuisine du regard.

Dans la lumière bleuâtre des tubes fluorescents, elle repéra d'emblée le couteau de cuisine sur le linoléum. Il y avait une petite flaque à côté. Elle s'en approcha et s'agenouilla pour la flairer, le nez plissé. De l'urine.

L'angoisse s'appesantit en elle. Pauvre vieux Jervis, pensa-t-elle. Il avait dû être vraiment terrorisé quand ils étaient venus le chercher. Et à juste titre, sans doute aucun.

Elle revint sur ses pas, à travers la salle de séjour, le hall d'entrée et jusqu'au pied de l'escalier. Elle leva des yeux sombres vers les marches.

Elle gravit la première.

Puis elle monta, marche après marche, hésitante, n'y voyant goutte et se servant de la canne pour explorer ce qu'il y avait devant. Elle ne pouvait s'empêcher de se représenter la scène comme si elle y assistait de la première rangée d'un cinéma. Richard Storm lui-même aurait pu filmer pareille séquence. La maison apparemment déserte et vibrant de dangers. La vieille femme gravissant les marches dans les ténèbres menaçantes. *Espèce d'idiote,* aurait-elle alors pensé en croquant son pop-corn. *N'y va pas. Sors de là. Cours à un téléphone. Appelle la police.*

Ce qui était presque exactement ce qu'elle *pensait en fait* à ce moment-là.

Parvenue sur le palier, elle trouva encore des ténèbres ; jusqu'au bout du couloir à sa droite. À sa gauche tremblait une lueur faible, orangée : une chandelle. Elle se contraignit à y aller.

Elle lâcha la rampe de l'escalier et avança d'un pas mal assuré, une main devant elle pour tâter le mur. Elle s'attendait à l'irruption imminente des acolytes de Iago.

Mais il n'y eut pas d'irruption. Elle atteignit le seuil éclairé et regarda à l'intérieur.

La chandelle était posée au pied d'un lit à colonnes. Une seule chandelle noire, presque entièrement consumée. Sa lumière orangée dansait dans les yeux de verre d'une tête de chèvre empaillée. Et cette chose la fixait par-dessus un drapeau de soie noire orné d'un pentagramme d'argent.

Une boîte était posée sur le pentagramme, le couvercle ouvert. Harper dut faire un pas de plus avant de distinguer ce qui s'y trouvait.

S'étant approchée, elle regarda et vit. Et son corps fut imprégné de peur.

Il y avait dans la boîte une photo en noir et blanc d'une femme tenant un enfant dans les bras. Harper ne se rappelait pas si elle avait déjà vu cette photo auparavant. Mais elle connaissait bien le visage de la femme. Elle se rappela la profondeur désespérée de son regard, la détresse tremblante de son sourire. Elle reconnut la beauté de sa jeunesse, bien qu'elle l'eût vue dans un miroir se dégrader et s'évaporer à une vitesse inhumaine, presque en une nuit.

La photo était endommagée et partiellement couverte par un dessin à l'encre noire. Quelque chose comme un fer à cheval renversé enserrant un signe qui ressemblait à un huit.

La marque de Iago.

Harper serra la main sur sa canne, tremblante. L'acide de la peur se mélangea en elle à celui de la colère. Elle se maudit. Il était encore plus intelligent qu'elle. Encore. Plus intelligent et plus rapide et plus rusé de moitié. Elle avait voulu acheter la *Madone* et lui tendre un piège. Il l'avait devancée. Et c'était lui qui lui tendait un piège.

Non, pas à elle. Il l'avait tendu à Bernard.

Et Bernard y fonçait tête baissée.

6

Comme cela advient parfois en Angleterre, la pluie s'arrêta soudain. Les nuages déguerpirent du ciel de Londres en direction du nord-est et Bernard poursuivit son gibier dans un temps clair.

La voiture de l'homme à la cicatrice, une Mercedes, filait aisément sur les routes luisantes. Empruntant des chemins secondaires pour éviter le trafic, et des voies surélevées pour déjouer la complexité du réseau des rues à sens unique. Se frayant un passage comme un poisson d'argent parmi les algues. Se dirigeant vers le sud, observa Bernard, toujours vers le sud. Et peut-être plus vite que si elle avait emprunté les voies principales.

C'était une route de chauffeur de taxi, pensa Bernard, une route de professionnel. L'homme à la cicatrice connaissait visiblement son Londres.

Bernard craignit d'être repéré. Mais perdre de vue, même pour un moment, les feux arrière de la Mercedes dans cette succession de virages, ç'aurait été perdre la voiture elle-même. Bernard devait donc suivre de près. Parfois le radiateur de la Morris n'était qu'à quelques mètres du coffre de la Mercedes. Parfois les deux voitures se trouvaient seules sur un bout de route désert. Et par deux fois, l'une à Finsbury et l'autre en descendant vers Clerkenwell, Bernard crut voir le conducteur à la cicatrice lever ses yeux roses vers le rétroviseur et le regarder avec une intensité perçante. Bernard freinait alors et se fondait dans la nuit. Mais cela ne le rassurait pas beaucoup. Son cœur battait la chamade entre ses côtes. Il devait alors se raffermir l'abdomen et pratiquer sa respiration *nogare* pour garder une main ferme sur le volant. Avait-il été repéré ? Il n'en était pas certain.

La Mercedes fonçait donc, suivie par la Morris dans les allées denses, suffocantes, au-dessous du Barbican.

Bernard commençait à reconnaître de moins en moins les lieux qu'il traversait. Des bureaux modernes et des entrepôts se succédaient de part et d'autre de la chaussée, suivis par des maisons décaties et des blocs impersonnels qui le cernaient. Des pubs aux devantures barrées de planches, des boulangeries et des restaurants vides, un terrain de construction, tout cela sombre et déserté défilait puis disparaissait. La Mercedes continuait de tricoter détours et virages, à l'écart du trafic.

Et Bernard suivait, son visage angélique crispé et les yeux qui brûlaient à force de fixer les feux rouges devant lui. Ses mouvements sur le levier et le volant restaient souples, mais son corps se raidissait, ses muscles se durcissaient. Et l'allure de la Mercedes restait la même, elle ne se hâtait pas.

Était-il possible, se demanda Bernard, qu'on l'attirât dans un piège ?

Oh, Harper, pensa-t-il. Vieille sorcière. Il l'avait vue dans le square, la main tendue, la bouche ouverte. Elle avait essayé de l'arrêter. Et il l'avait ignorée. Parce qu'elle était toujours sur son dos, à tout lui expliquer, et elle avait toujours raison et ça finissait par lui taper sur les nerfs. Il l'avait donc ignorée et il avait poursuivi son chemin comme il pensait qu'il fallait le faire.

Était-il possible, se demanda-t-il en s'humectant les

lèvres sèches, qu'elle eût essayé de le sauver de ça précisément ?

La Mercedes prit un nouveau virage et s'engagea dans une rue courbe tellement étroite que les fenêtres antiques de style Tudor semblaient les surplomber directement. Puis tout d'un coup, dans un jaillissement d'eau, la voiture noire passa sur une flaque et disparut dans une venelle.

C'en était trop. Bernard aurait été fou de continuer. Il laissa la Morris dépasser l'angle et jeta un coup d'œil, juste à temps pour voir les feux arrière de la Mercedes s'éteindre.

Bernard stoppa non loin. Il coupa le moteur. Se laissa tomber en arrière, la tête renversée, las. Il ferma les yeux.

Il avait eu un aperçu de la rue dans laquelle la Mercedes s'était garée : un cul-de-sac, avec à peine la longueur d'une main de part et d'autre de la voiture. Allez suivre dans ce réduit l'homme à la cicatrice et vous le verriez apparaître avec sa tête sous le bras. Et dire qu'il avait espéré, lui Bernard, atteindre un grand âge de dégénérescence morale et d'exquise perversion.

Il jura à haute voix et poussa de l'épaule la portière de la Morris.

Son long corps se déplia hors de l'auto. Il était tout en noir. Seul son crâne rasé luisait sous le réverbère unique. Il se déplaçait agile, avec sa démarche sinueuse, le long des maisons, vers l'entrée de l'allée. Il se colla contre le mur d'angle, se sentant parfaitement idiot, pareil à un espion de cinéma, et jeta un regard à la dérobée.

La perspective était plus inquiétante qu'il ne l'avait craint. L'allée était plongée dans d'épaisses ténèbres. Les murs de part et d'autre semblaient vouloir se rejoindre. La forme renflée de la Mercedes luisait entre eux. Et derrière elle s'élevait une autre forme, grande, sombre, la silhouette d'un clocher. Un clocher sinistre, se découpant sur le peu qu'on apercevait du ciel. L'allée se terminait là-dessus de façon abrupte.

Bernard hésita. Une bizarre lueur bleue se dégageait de l'endroit et une ligne verticale de lumière jaune au bord d'une fenêtre aux rideaux tirés. Il s'humecta de nouveau les lèvres. Son cœur battait de façon sauvage et sonore. Ses paumes contre le mur étaient moites.

Il se dégagea du mur et s'engagea dans l'allée.

Voûté, les mains tendues devant lui, il se mouvait avec une grâce de prédateur. Il se rendit compte qu'il était absolument terrifié. Ses yeux allaient de droite à gauche. Vers des trous d'obscurité. Des amas de poubelles et de boîtes. La masse de la Mercedes, qui semblait prête à bondir à n'importe quel moment, en marche arrière. Le cul-de-sac se refermait au-dessus de lui, l'obscurité l'enrobait. Oui, absolument terrifié, c'étaient les mots qu'il fallait.

Il arriva près de la voiture. Regarda du mieux qu'il put l'intérieur obscur à travers la vitre de custode. Tout était calme. Aucun mouvement. Mais il ne distinguait pas le plancher à l'arrière, et il ne voyait rien du tout au-delà des sièges avant.

Et pourtant, il commença à se glisser autour de l'auto. C'était serré. Le mur de brique derrière lui griffait le dos de son blouson noir. Les poignées des portières cliquetaient contre la boucle de sa ceinture. Il était à peu près certain maintenant que la voiture était vide. Il la contourna, passant vers l'avant, sous l'église.

Il continua de ramper jusqu'au bout du cul-de-sac. La pointe du clocher éperonnait les cumulus. Le petit dôme hexagonal du bâtiment devenait plus massif et plus imposant au fur et à mesure qu'il s'en approchait. Les sens de Bernard étaient électrisés, ses terminaisons nerveuses à vif, se tortillant comme des fils chargés de courant. Il était capable de sentir des choses, pas seulement les choses ordinaires, mais toutes. Pas seulement les ordures aigres et l'odeur râpeuse des gaz d'échappement refroidis, mais aussi la poussière sous les semelles des chaussures et les mégots écrasés depuis longtemps sur la chaussée, la pointe d'eau de mer dans le vent du sud-ouest et quelque chose d'autre, une odeur citronnée qui ressemblait à celle de sa propre peur. Et il pouvait entendre les murmures de la ville, un éclat de rire lointain, un bébé qui pleurait, mais aussi, il en était presque certain, des résonances caverneuses de voix à travers les pierres épaisses des murs de l'église, le bourdonnement d'une conversation à l'intérieur. Et la bizarre clarté bleuâtre, il pouvait le voir maintenant, était de la lumière qui filtrait à travers un vitrail. Il distinguait même les silhouettes sur le vitrail et supposa que c'était le Christ avec Lazare ressuscité. Et il s'avisa que la barre de lumière jaune ne venait pas d'une fenêtre voilée par des rideaux, mais d'une fissure dans le dôme. Il distinguait bien les facettes étroites de celui-ci et, bien que la lumière fût faible, ses yeux étaient si grands ouverts et si sensibles que l'éclat en irritait presque ses pupilles. Et l'attirait.

Un obstacle l'arrêta. Il avait atteint une balustrade de fer devant le mur de l'église. Il fit une grimace, conscient du fait que le plus sage serait de faire demi-tour et de prendre la fuite. Au lieu de ça, il saisit les sommets de deux barreaux et enjamba la balustrade de ses longues jambes d'un seul mouvement pivotant. Il atterrit sans un bruit de l'autre côté du trottoir.

Le clocher s'élevait hors de sa vue. Un angle, c'est-à-dire deux facettes du dôme étaient devant lui. Il tendit la main et ses doigts touchèrent la pierre humide ; prenant appui sur l'angle, il glissa par-dessus vers la fissure lumineuse. Lentement, il se redressa pour regarder à travers la partie inférieure d'une lucarne.

Il percevait toujours le murmure d'une conversation, guère plus fort ni plus distinct qu'avant. Il n'en trouva d'abord pas la source. Son regard plongeait de biais à travers une voûte à l'extrémité d'un transept raccourci. Quant à la source de la lumière, elle n'était pas non plus visible. Tout ce qu'il en voyait était une lumière jaunâtre qui venait de quelque part dans les allées et qui mourait aux limites de son champ de vision. En se penchant d'un côté, il pouvait apercevoir quelques-uns des bancs devant l'autel, mais c'était noyé dans la pénombre.

Au bout d'un moment, il commença à se faire une idée du décor. Un escalier en spirale menait à une chaire ordinaire. Un énorme crucifix était accroché derrière. Une forme tourmentée y était pendue. Il perçut les couleurs assourdies, l'éclat estompé d'un vitrail sur le mur, au-dessus. Mais au-delà il n'y avait plus que des formes esquissées, éparses devant des anfractuosités invisibles. Les espaces reculés de l'église paraissaient baignés dans une sorte de fumée grisâtre et sombre. Puis un mouvement attira son regard...

Il vit trois hommes. Il ne distinguait pas leurs traits. Ils étaient réunis à l'autre bout de la balustrade de chœur. Ils se tenaient serrés. Ils chuchotaient. L'un d'eux se mit à rire, d'un rire profond. Un autre hocha la tête, dont l'occiput noir se balança.

Bernard se tendit pour voir, pour entendre. Il se dressa sur la pointe des pieds. Son cou lui faisait mal tant il le tendait pour ne pas perdre de vue les trois hommes.

Et tandis qu'il regardait, il entendit un autre bruit, un bruit affreux, un sanglot étouffé, douloureux qui provenait de quelque part dans la pénombre.

Les yeux de Bernard allèrent dans la direction du sanglot. Sa bouche s'ouvrit. L'air en sortit sous la forme d'un long hoquet.

La forme sur le crucifix bougeait.

Elle bougeait à peine. Elle gémit de nouveau. « Ne sais pas. Ne sais pas. » Bernard reconnut les traînées noires qui s'écoulaient depuis les paumes. Il vit les bras se débattre contre les cordes qui les tenaient. Le crucifié leva à peine la tête.

Bernard ouvrit de nouveau la bouche. Les yeux de l'homme n'étaient plus là. Des ruisselets de sang dégouttaient des orbites et sur les joues. Sa tête tomba sur sa poitrine.

Pétrifié, Bernard perdit prise. Il tomba en arrière et s'écarta de l'église. Il murmura à haute voix : « Seigneur Jésus ! »

Et il entendit tout de suite un autre rire, un autre rire profond.

Seulement cette fois, il venait directement d'à côté de lui.

— Pas exactement, mon pote, ricana l'homme à la cicatrice.

Bernard fut rapide. Il fit un saut en arrière tout en virevoltant pour faire face à son assaillant. Mais il était tellement secoué par ce qu'il avait vu qu'il fut également trop surpris pour s'esquiver. Et alors même qu'il bondissait et se mettait en position d'attaque, alors même qu'il levait les mains pour tenter de se protéger, les petits yeux incandescents et la bouche déformée de l'homme à la cicatrice emplirent complètement son champ de vision. Il fut subjugué.

La matraque tomba avant qu'il s'en aperçût. Elle l'atteignit de plein fouet sur le côté du crâne.

Bernard vit le ciel, le clocher basculer et tournoyer. Et puis il s'écroula sur la balustrade, s'y accrocha, pour finalement tomber par terre, inconscient.

7

Sir Michael Endering était assis, tout droit, à son vaste bureau d'acajou. Il se tenait dans son fauteuil à haut dossier de cuir comme une statue sur un trône. Toutes les lumières de l'étude étaient éteintes. Les rideaux de velours vert étaient tirés. On distinguait à peine les rayonnages de livres sur les murs.

Le silence régnait sur tout Belham Grange.

La posture du grand homme était résolue. Le menton en forme de proue était dressé, la tête puissante était droite. Il semblait ne pas s'apercevoir que ses traits s'étaient affaissés depuis plusieurs heures, qu'ils s'étaient étonnamment émaciés et qu'il avait vieilli. Ses lèvres écartées étaient parsemées de gouttelettes de salive. Ses joues, normalement sanguines, étaient creuses et pâles. Ses cheveux d'argent étaient en folie.

Ses yeux brillaient dans le noir, mobiles, rapides, inquiets.

C'était donc ainsi qu'ils allaient l'atteindre, se dit-il. De la manière la plus cruelle. Par l'intermédiaire de sa fille.

De longues minutes passèrent. Sir Michael remua. Il plongea les doigts dans son gousset et en sortit un trousseau de clefs. Il le regarda, posé dans sa grande main, comme s'il n'était pas certain de ce que c'était. Il murmura des sons incompréhensibles, pivota légèrement et se pencha pour déverrouiller le tiroir inférieur de son bureau.

Il en sortit une boîte élégante au couvercle de cuir vert clouté, la posa sur le buvard en face de lui, la déverrouilla et l'ouvrit.

Sur un plateau de la boîte étaient disposés des havanes et un briquet d'argent. Une fois soulevé, le plateau laissa voir une pièce de velours. Et sous le velours se trouvait un vilain revolver.

C'était un Smith & Wesson .38 à canon court. Tellement compact que la paume énorme de sir Michael l'englobait en entier. Une boîte de balles se trouvait à côté.

Sir Michael sortit le revolver, dégagea le barillet et le fit tourner une fois pour s'assurer qu'il était huilé. Ses longs doigts étaient malhabiles, mais il parvint à en retirer une balle, puis une autre. Il flaira l'arme, avec dédain, mais tout son corps frémit.

Sa fille venait le lendemain. Sa fille... et Richard Storm.

Il sembla à sir Michael qu'il avait craint ce jour depuis vingt ans, qu'il l'avait attendu depuis la mort de sa femme. Mais le fait était que, pendant le plus clair de ces années, il n'avait pas cru que les avertissements étaient réels. Il avait pensé que ce n'était qu'une élucubration d'Ann, dans sa folie terminale. Il n'en avait pas su assez. Il n'avait pas eu assez d'information. Rien que les délires de sa femme, ce qu'elle lui avait dit cette nuit terrible où elle gisait par terre, tandis que le sang jaillissait d'elle. *Obtiens le triptyque de Rhinehart. Ne le laisse pas t'échapper, à n'importe quel prix. Iago. Il te tuera pour l'avoir. Il tuera tout le monde.* Et elle avait poursuivi dans la même veine. *Ne parle à personne. Ne fais confiance à personne. Tout en dépend. Il te tuera. Il tuera tout le monde.* Mais grand ciel, qu'aurait-il pu comprendre à tout cela ?

322

Les choses étant ce qu'elles étaient, il avait fait ce qu'il avait pu. De temps en temps, par loyauté à son égard, il avait fait ce qu'il avait pu. Mais il était complètement aveugle ; il n'avait jamais été sûr de ce dont il s'agissait. Quand *Les Mages* avaient été mis en vente, il avait délégué Sophia pour faire une forte enchère, plus qu'une forte enchère, pensa-t-il, pour acheter le panneau. Ce n'avait été que lorsque la pauvre Jessica avait été dépassée, que les enchères étaient montées aussi haut, qu'il avait commencé à croire, à croire vraiment que les vaticinations hystériques d'Ann étaient fondées.

Et ce soir, les rumeurs venaient de la rue. Que la *Madone* était en jeu. Que ce vieux fou de Jervis Ramsbottom avait disparu et serait même mort. Et ce soir, la vraie peur, la terreur l'avaient frappé comme un coup de poing. Et il avait commencé à penser. Oui, c'est en train de se passer, tout comme elle avait dit que cela se passerait. *Iago. Il tuera tout le monde.* Et sir Michael avait subitement réalisé qu'il était le suivant sur la liste. *Ils vont venir vers moi.*

Puis, Sophia avait téléphoné. Elle venait demain à la Grange, avait-elle dit. Elle venait avec Richard Storm.

Et tout prenait forme. Il s'était méfié de Storm depuis le début. Démobiliser ainsi Jessica à la vente. S'immiscer dans la vie de Sophia. Maintenant, il en était certain : si Storm n'était pas ce Iago lui-même, il en était l'agent. C'était comme cela qu'ils l'atteindraient. À travers l'Américain. À travers Sophia. En corrompant la fille qu'il aimait plus que tout au monde. En volant ce qu'il aimait le plus, tout comme ils l'avaient déjà fait.

Ses larges épaules se redressèrent. Ses traits las se remirent en place. S'ils croyaient qu'il allait se déculotter et se laisser faire, ils feraient mieux d'y repenser. D'y repenser complètement.

Richard Storm ? pensa sir Michael avec colère, dans son fauteuil. *Richard Storm.*

Et lentement il commença à charger le revolver.

IX

SPECTRE

130. INTÉRIEUR DE LA CRYPTE DE ST. JAMES

Le *clang-clang* répété se poursuit et le DR PREN-
DERGAST, accompagné du fidèle HEDLEY, arrive, suivant le son.

Ils restent un moment, égarés. Et de nouveau,
clang-clang.

DR PRENDERGAST
Par ici, Hedley !

HEDLEY
Mais il n'y a rien, là...

Sans lui prêter attention, le DR PRENDERGAST
s'élance vers un grand sarcophage au centre de la
crypte. Il pose les mains sur le couvercle.

DR PRENDERGAST
Venez m'aider, Hedley !

Déconcerté, Hedley se joint au docteur. Avec un
effort énorme, les deux hommes parviennent à déplacer le couvercle. Il tombe par terre et se fracasse.

HEDLEY
Nom de nom, Prendergast : un escalier !

Le *clang-clang* résonne de nouveau sous la crypte, désormais beaucoup plus sonore.

DR PRENDERGAST
Suivez-moi !

Le DR PRENDERGAST, puis HEDLEY entrent dans le sarcophage.

131. INTÉRIEUR DE L'ESCALIER SECRET
Le DR PRENDERGAST et HEDLEY descendent dans l'obscurité profonde.
De nouveau *clang-clang*.

DR PRENDERGAST
Vite, Hedley, une torche électrique !

Hedley lui donne la torche électrique et le faisceau parcourt de manière fantomatique les murs vermoulus, illuminant soudain...
Le corps écorché du SERGENT ANDERSON, pendu à des chaînes.
Ils examinent le cadavre d'un air sombre.

DR PRENDERGAST *(poursuivant)*
Pauvre diable !

Clang-clang

DR PRENDERGAST *(poursuivant)*
Allons, Hedley, il n'y a pas de temps à perdre !

Le DR PRENDERGAST poursuit sa descente. Après avoir examiné le cadavre une dernière fois, HEDLEY le suit.

132. INTÉRIEUR D'UN PASSAGE SOUTERRAIN

Le DR PRENDERGAST et HEDLEY arrivent au bas de l'escalier et entrent dans un passage souterrain. Une alarmante *lumière rouge* apparaît à l'extrémité.

Le DR PRENDERGAST touche le bras de HEDLEY et fait un signe de tête pour indiquer la torche électrique. HEDLEY l'éteint.

Ils avancent prudemment le long du passage tandis que le *clang-clang* recommence.

La *lumière rouge* devient de plus en plus vive au fur et à mesure qu'ils approchent du bout du passage. Le visage tendu, ils empruntent un détour pour entrer dans...

133. INTÉRIEUR DE LA GRANDE VOÛTE

Toute la scène se déroule devant eux. JACOBUS, splendidement vêtu de sa mitre et de sa robe maléfique à pentagramme, se tient debout devant un autel recouvert d'un drap pourpre.

ANNIE, les vêtements déchirés, se tord dans les chaînes scellées à un mur.

Tandis que le *clang-clang* retentit de nouveau, nous voyons...

Le bossu GORGE forgeant la lame de l'*épée des Seirizzim,* ornée de pierreries.

JACOBUS regarde le DR PRENDERGAST avec un sourire calme, comme s'il l'attendait.

JACOBUS

Mais c'est le Dr Prendergast ! Je suis si heureux que vous ayez pu venir. J'ai laissé le sergent Anderson vous montrer le chemin.

HEDLEY s'élance, furieux, mais le DR PRENDERGAST le retient.

JACOBUS *(continuant)*

Vous arrivez à temps pour assister à mon apothéose finale.

GORGE, son travail achevé, porte en boitant *l'épée* à son maître.

ANNIE se débat contre le mur, criant à travers son bâillon.

JACOBUS prend *l'épée* avec amour, puis la dresse en l'air.

JACOBUS *(continuant)*

Pauvre Prendergast. Que vous ayez jamais pu croire que vous pourriez me vaincre. Ne pouviez-vous pas voir que je suis l'agent d'une puissance immortelle ? Dans une incarnation telle que celle-là, je voyage à travers les siècles.

Je me nourris de la moelle du temps. J'étais présent avant que les océans deviennent noirs de vie, et quand la mort aura blanchi les déserts, je demeurerai. Les petits obstacles que vous avez semés sur mon chemin n'ont servi qu'à m'amuser.

Mais tout cela est terminé.

Il lève *l'épée* plus haut. Et alors...

Avec des yeux brillants et un sourire impatient, GORGE monte à l'autel. D'un mouvement vif, il retire le drap pourpre pour révéler...

Le BÉBÉ D'ANNIE, qui gît nu sur l'autel.

ANNIE crie sous son bâillon et se débat sur le mur.

JACOBUS lève *l'épée* au-dessus de sa tête, prêt à l'enfoncer dans la poitrine de l'enfant.

Mais le DR PRENDERGAST sourit avec un calme sinistre.

DR PRENDERGAST
Pas si vite, Jacobus...

X

ANNIE LA NOIRE II.
CETTE FOIS-CI, C'EST PERSONNEL

1

Ses yeux ! Ses yeux étaient emplis de peur. Et bien que nous l'ayons vu à Londres deux semaines seulement auparavant, il semblait avoir vieilli depuis lors de plusieurs décennies. Il était à mi-chemin de la soixantaine. Il nous examina à travers la porte entrouverte de Belham Grange avec toute l'hostilité frémissante, l'appréhension exorbitée d'un vieil anachorète dérangé dans ses méditations les plus sombres.

C'est pas de la tarte, se dit Richard Storm quand le visage livide, flétri, hostile, aux yeux fixes, se tourna vers eux.

Nous avons déjà renvoyé le taxi. Nous entendions le moteur du véhicule qui s'éloignait derrière nous sur la longue allée de la Grange. L'après-midi d'hiver descendait sur nous, et les nuages bas poussés par le vent pesaient aussi sur nous. La maison elle-même, cette grande bâtisse de pierre, se dressait de façon menaçante comme avec un adsum *opposé à notre* conjuro te.

Certes, la maison elle-même n'était pas menaçante. C'était une riche et belle vieille demeure, un long bâtiment avec beaucoup de fenêtres, spacieuse et gracieuse. Il n'y avait pas non plus « de corbeaux atroces qui observaient avec noirceur depuis les gouttières et les pignons ». Mais Storm ressentit « un frisson d'appréhension » certain devant « les traits ravagés » de sir Michael, ses joues pâles et creuses et ses yeux méfiants lançant des regards furieux à travers l'entre-bâillement de la porte. Outre le frisson d'appréhension, il éprouva aussi le sentiment de franchir des distances à la nage, dans l'irréalité d'un rêve. Il souffrait en outre depuis le matin d'un léger mal de tête.

Sophia s'avança pour embrasser les joues affaissées de son père.

Storm jeta un dernier regard par-dessus son épaule. Jusqu'à l'allée déserte, « qui s'étendait vers des lointains dominés par de mornes rangées de hêtres cuivrés ». Les nuages qui déboulaient par-dessus les collines étaient chargés de gros orages imminents. Le vent de février était humide et glacé et la lumière déclinait dans un faux crépuscule.

À travers cette grisaille et les branches mortes qui pendaient au-dessus de l'allée, il distinguait à peine les ruines de l'abbaye au loin : « Le pan écroulé du mur d'une chapelle, les monuments inclinés de son ancien cimetière. »

Storm se redressa et aspira une goulée d'air, essayant de s'éclaircir la tête. Il se tourna de nouveau vers la maison.

Sophia avait franchi le seuil. Sir Michael tenait la porte ouverte pour Storm.

Bon, pensa-t-il, il était venu en Angleterre à la recherche d'une histoire de fantômes, non ?

Et, se forçant à sourire, il pénétra dans Belham Grange.

2

L'inspecteur William Pullod entra dans l'église ronde et regarda la vieille femme. Elle avançait lentement parmi les effigies des Croisés morts. Elle les piquetait du bout de son étrange canne, comme si elle s'attendait à les voir revenir à la vie. Renfrognée et marmonnant sous son chapeau à large bord, lançant des regards çà et là à travers ses lunettes en hublots.

L'inspecteur Pullod gonflait tantôt une joue et tantôt l'autre, roulant des yeux.

C'était un petit homme vif et délié, un haltérophile chauve dont les épaules semblaient devoir faire craquer les coutures de son imperméable. Il détestait perdre du temps autant qu'il exécrait les culs-de-sac. Et il détestait également les églises, pour être franc. Il les trouvait sinistres, solitaires et pourtant étrangement vivantes, comme une maison dont toutes les horloges se seraient soudain arrêtées.

Cette église-ci, Temple Church, était assez gaie avec ses grandes portes ouvertes au soleil de midi. Assez animée par un groupe de touristes japonais qui examinaient les vitraux à l'autre extrémité. Là, dans l'espace circulaire toutefois, des faces troublantes et déformées, sculptées sur les colonnes des arcs, regardaient de toutes parts les chevaliers de pierre convulsés sur le sol. C'était dérangeant, comme la vieille elle-même.

Toutefois, pensa Pullod, elle avait certainement quelque chose. De plus toqué qu'elle-même. Avec son saint Iago qui n'avait jamais existé et son culte argentin qui n'avait jamais existé non plus. Ses théories de conspirations surnaturelles. Des petits hommes gris et tout ça. Elle aurait dû travailler pour la télé, se dit-il. Néanmoins, ses yeux étaient perçants comme des aiguilles, et malins. Et elle avait l'air d'avoir toujours existé, illusion que renforçait sa voix rude et basse. Sans parler du fait qu'elle avait identifié Lester Benbow d'après sa photo, et que Pullod aurait donné ses dents pour attraper cet assassin à la cicatrice.

Il alla vers la vieille femme, enfonçant les mains dans les poches de son imper.

— Tout a l'air normal, chère amie ? lui demanda-t-il.

Il parlait bas ; les églises avaient cet effet sur lui.

— Oui, répondit Harper Albright au bout d'un moment. Oui.

Elle continua de piquer les Croisés morts du bout de sa canne.

Pullod jeta un coup d'œil aux visages grotesques sur les murs. Il ne put retenir un soupir las :

— Vous êtes sûre que c'est ici que vous l'avez vu pour la dernière fois, ce Iago ?

Harper hocha seulement la tête.

— Je ne m'attendais pas à ce qu'il revienne, mais il me paraissait que cela valait la peine d'essayer. J'ai l'intuition, voyez-vous, que non seulement il suit la trace de ses histoires, mais qu'il essaie d'une certaine manière de les habiter. Comme s'il pensait qu'elles le concernent toutes, qu'il en était le héros. Cela laisse supposer qu'il recherche les lieux qui ont un rapport avec elles. Qu'il pourrait les utiliser comme base pour ses opérations.

— Aha, fit Pullod, en s'efforçant de ne pas sourire.

Harper Albright lui lança un regard tranchant.

— Je ne m'attends pas à ce que vous me croyiez, inspecteur. Tout ce que je vous demande, à vous et à vos gens, c'est que vous m'informiez dès que vous aurez retrouvé la voiture de Bernard.

Saisi, Pullod perdit son envie de sourire et hocha la tête :

— Morris Minor. Nous ouvrons les yeux tout grands.

Elle l'examina à travers ses épaisses lunettes pendant un long et inconfortable moment. Puis elle renifla.

— Faites-le, dit-elle. Parce que, que vous me croyiez ou pas, la vérité est que nous n'avons pas beaucoup de temps.

3

Une cloche d'église sonna une heure inconnue et Bernard commença à revenir à lui-même. Il n'avait aucune idée de là où il se trouvait ni de ce qui lui était advenu. Pendant un long moment, la seule chose qui était certaine pour lui était que de rester en vie était devenu un assez sinistre boulot.

Puis, au bout d'un temps, ses yeux s'ouvrirent. Lentement. Déchirant la croûte qui les avait tenus fermés. Il regarda.

Rien. Le noir. L'obscurité la plus complète, la plus vide qu'il eût jamais connue. Il commença à se rendre compte qu'il était dans une position très inconfortable. Sur le dos, inerte, tordu. Les genoux d'un côté, une main sur le visage. L'air sentait mauvais. Il y avait un remugle de vomi qui lui donna un haut-le-cœur. Il pouvait sentir ce truc qui lui trempait la chemise jusqu'à l'épaule, visqueux, fragmenté. Il y avait aussi l'odeur d'urine. L'humidité en train de sécher lui démangeait le pubis et les cuisses.

Une pulsation forte au front lui devint vite intolérable. Le goût qu'il avait dans la bouche défiait toute description.

Bon, il s'était réveillé dans cet état un certain nombre de fois. Mais ce n'était pas une gueule de bois ordinaire. Maintenant il se rappelait. L'église. Le crucifix. Ce gémissement, cet homme. Sa tête qui se relevait. Ses yeux...

Bernard émit un son faible et affolant, un son qu'il ne se connaissait pas. L'obscurité semblait devenir plus lourde, plus épaisse. Elle l'enserrait. Elle l'étouffait. Elle l'enterrait.

Elle l'enterrait. L'idée déclencha en lui une onde de panique qui alla de sa poitrine à ses reins. Il sentait maintenant la pierre mal dégrossie sous sa tête tondue. Il tendit la main et sentit un mur de la même pierre à sa droite, un autre à sa gauche. De la pierre également se trouvait au bout de ses pieds quand il essaya de les allonger. Et puis, lentement, avec peur, *avec une prière,* il tendit les doigts au-dessus.

Il y avait une dalle de pierre au-dessus de lui, à moins de vingt centimètres de son nez.

Enterré vivant. La panique déferla sur lui à la manière d'une bande de rats. Une sueur froide le recouvrit de la tête aux pieds. Sa respiration devint courte, superficielle, et son pouls s'accéléra. Une voix chuchotait sans cesse dans sa tête : *enterré vivant, ils m'ont enterré vivant. Je suis enterré vivant...*

Il fallait foutrement sortir de là.

Avec un cri étranglé, il étendit ses deux bras dans l'obscurité. Instantanément, la douleur dans sa tête devint aiguë, les veines de ses tempes se gonflant comme des ballons emplis d'aiguilles. Il poussa la dalle au-dessus de lui, poussa, poussa, luttant de toutes les forces de ses tendons contre ce poids immuable.

La dalle ne bougeait toujours pas. Sa respiration s'échappait de lui en grognements intermittents. Puis il exhala ce qui lui restait de souffle et ses deux bras retombèrent.

— Au secours ! cria-t-il furieusement. Au secours !

Puis il vomit, se mettant sur le côté du mieux qu'il pouvait pour empêcher les renvois acides de retomber sur lui. Puis il se remit de nouveau sur le dos, regardant le noir.

Et il se mit à pleurer.

Enterré vivant. Seigneur, il ne voulait pas mourir comme ça.

— Seigneur, murmura-t-il, sanglotant. Seigneur.

Il dégagea un bras dans l'espace réduit et tendit la main vers sa joue pour essuyer les larmes brûlantes.

Son cœur s'emballa comme un moteur au banc d'essai.

Il y avait quelque chose qui gisait près de lui.

Il l'avait touché des jointures de ses doigts. Il pouvait le sentir là, à deux ou trois centimètres de son visage. Il sentait la surface lisse et fragile d'un os vermoulu. Les orbites vides. L'image s'en forma dans sa tête comme s'il pouvait la voir : un crâne humain. Qui lui ouvrait la bouche et riait. Il était dans un cercueil de pierre, un sarcophage, avec un cadavre en décomposition.

Le corps arqué de folle terreur, il poussa de nouveau le couvercle. Mais la douleur fut plus vive cette fois-ci. Des points blancs dansèrent devant ses yeux. Il perdit presque connaissance. Mais il mit toute sa force dans ses bras, il y mit son âme, un grincement aigu déchira sa gorge tandis qu'il essayait de bouger la dalle d'un millimètre, fût-ce d'un cil.

Ça ne servait à rien. La dalle ne bougeait pas. Bernard hoqueta, sanglota, trembla. *Enterré vivant dans un tombeau, je suis enterré vivant...* Il sentait son esprit qui essayait de se libérer de son étau, d'échapper à son contrôle. Il allait hurler...

Non. Il serra les dents. Non, non. Il se serra les poings contre la bouche, rongea la peau de ses articulations pour se forcer à ravaler le cri. Une fois qu'il aurait commencé, ce serait sans fin. Tenir, par la force pure, il n'y avait pas d'autre recours.

Il mobilisa sa volonté. Il étouffa les murmures de

la folie au plus profond. Il se concentra entièrement sur son abdomen, sa respiration.

Il resta immobile. Il y avait le noir et la frénésie intérieure que déclenchait son impuissance, l'odeur, l'humidité, la terrible douleur. Et pourtant il restait paisible, se concentrant sur sa respiration.

Peu à peu il se dégagea de la panique. Puis il se rendit compte qu'il gémissait et il se força à s'arrêter. Ses muscles commencèrent à se relaxer. Ses poings descendirent lentement, de sa bouche à ses côtes. Il ramena les mains directement au-dessus de lui, les coudes pressés sur les côtes pour éviter de toucher cette horreur près de lui, cette horreur béante.

— Au secours ! Au secours ! Au secours ! cria-t-il, sans frénésie cette fois, mais aussi fort qu'il pouvait.

Puis il resta tout à fait tranquille, tâchant de contrôler sa respiration pour pouvoir entendre. Il gardait les yeux dans ce noir impénétrable. À l'écoute, à l'écoute.

— Au secours !

Chaque fois que sa voix s'arrêtait, le silence semblait plus profond qu'avant. Il semblait palpiter et retomber sur lui comme un linceul. Un homme pouvait suffoquer dans un pareil silence. Il entendait presque les vers ramper. Il entendait presque le crâne près de lui parler, chuchoter : *enterré vivant enterré vivant enterré vivant...*

— Au secours ! Au secours !

Une note aiguë d'hystérie entra dans sa voix et il se ferma la bouche de la main, ferma les yeux. Il noua ses mains sur son estomac et ramena les coudes le long de ses côtes. Il entendait sa respiration, son cœur et le crâne qui murmurait près de lui : *enterré vivant...*

Et, peut-être, il entendit quelque chose d'autre. Un bruit. Peut-être. À l'extérieur.

Il ouvrit les yeux. Son corps déjà tendu se tendit davantage. Il cessa tout à fait de respirer et il n'y eut plus que le battement de son pouls et de la douleur dans sa tête.

Oui, quelque chose d'autre. C'était maintenant certain. Un grincement, un craquement, un crissement, un claquement. Le bruit d'une porte. Une lourde porte avec un loquet de métal. S'ouvrant et se refermant.

— Oh ! fit-il, et de nouvelles larmes jaillirent de ses yeux, des larmes de soulagement et de gratitude.

Il n'était pas sous terre, il n'était pas encore enterré.

— Au secours ! cria-t-il.

Douloureusement rigide, il écouta, tentant d'entendre au-delà du couvercle de pierre.

Puis il y eut des pas. Des pas sur de la pierre. Réguliers, éveillant des échos. Ils approchaient.

Ils s'arrêtèrent.

Bernard, en larmes, n'osait plus parler. Il regarda vers le haut, tendu, implorant. Quelqu'un se tenait là, juste au-dessus de lui, de l'autre côté de la pierre, de l'autre côté de l'obscurité. Il sentait la présence. Debout, là, dans la lumière, à l'air. Et le regardait de haut.

Bernard lécha le mucus sur sa lèvre supérieure. L'avala et renifla. Et parla à travers ses larmes dans un chuchotement tremblant :

— Au secours. S'il vous plaît.

Il y eut un silence. Et puis la présence parla. Une voix distincte et melliflue. Détachée, douce et même aimable. Étrangère et pourtant étrangement familière.

Au son de cette voix une émotion chaude et puissante, impossible à décrire, jaillit en Bernard comme le sang d'une blessure, et l'inonda.

— Je suis ici, fils, dit la présence. Je suis ici.

4

Le silence était oppressant. Le tintement des couverts sur la porcelaine. La lente mastication de plats froids. Sir Michael siégeait à la tête de la longue table, faisant tourner le vin dans son verre de cristal. Regardant devant lui sans parler. Storm trouvait les traits ravagés du vieux monsieur, ses cheveux décoiffés et son regard fou pénibles à supporter. Il gardait la tête baissée, chiffonnant le rosbif et les carottes sur son assiette.

La salle à manger était petite, mais coquette et assez plaisante. Le déjeuner avait été servi dans une vaisselle étincelante bleu et blanc. Le lustre de cristal disséminait des arcs-en-ciel sur les convives et les arabesques qui décoraient les longs murs. Des guéridons bas et une desserte garnissaient l'un de ces murs. Au-dessus était accroché un tableau au cadre doré, représentant des bergers sur des collines ensoleillées. C'était presque le reflet du paysage visible à travers les hautes fenêtres du mur auquel Storm faisait face. Là-bas, à travers les rideaux bordeaux attachés par des cordelières dorées, il apercevait les collines qui s'étendaient au loin sous la masse noire des nuages qui accouraient. Un roulement de tonnerre résonnait de temps à autre, d'abord lointain, ensuite de plus en plus proche.

Sophia tournait le dos au paysage. Ses cheveux noirs et son visage pâle en forme de cœur se détachaient nettement dans la lumière jaunâtre et trouble de l'après-midi. Storm la regarda. Un chandail flou de couleur bois garni de flocons de neige estompait ses formes. Mais elle se tenait très droite et il sentait la tension qui l'habitait. Il essayait de capter son regard pour lui télégraphier la question : quand parlerait-elle ? Quand commenceraient-ils ?

Elle ne semblait pas le regarder. Sa tête bougeait imperceptiblement, animée de petits mouvements impérieux qui signifiaient : pas maintenant, pas encore.

Le tonnerre retentit, beaucoup plus longuement cette fois, et plus proche. Storm crut avoir aperçu un éclair d'argent vif à l'horizon. La lumière jaunâtre à l'extérieur baissa et se fit plus épaisse. Des arbres isolés s'inclinaient çà et là sous le vent. Storm pouvait sentir le feu du regard de sir Michael.

Finissons-en avec cette foutue enquête, se dit-il. Mais, ayant de nouveau consulté Sophia du regard, il se vit opposer le même refus et les mêmes gestes de la tête.

— Je fais du café ? proposa-t-elle avec douceur.

Storm et sir Michael restèrent assis en silence, écoutant le bruit des pas qui s'éloignaient.

— Je vais vous tuer, monsieur Storm, gronda alors sir Michael.

Storm découpait son dernier morceau de bœuf. Il entendit un autre roulement de tonnerre. Il lui fallut toute une seconde pour comprendre les mots de sir Michael. Il leva les yeux vers l'autre homme. Sa bouche s'ouvrit, mais il ne trouva rien à dire.

Sir Michael reposa son verre. Il était détendu, les mains croisées sur son ventre. Sa grosse tête semblait s'être effondrée sur elle-même. Elle rappela à Storm des cadavres qu'il avait vus dans des musées, à moitié conservés, la chair encore attachée au crâne. Sauf pour les yeux. Ces yeux-là étaient vivants, en ébullition, exorbités, et le regardaient. Storm ressentit une crampe d'estomac et une pointe de douleur lui piquer la tempe.

— Quoi ? sursauta-t-il.

— Je vais vous tuer, répéta sir Michael, calme, rauque. Vous croyez que je me soucie de ce qui m'adviendra ? Croyez-vous que je vais rester passif et vous laisser vous ou vos gens me faire ça de nouveau ? Grand ciel, à qui croyez-vous donc avoir affaire ?

— Pardon ? s'écria Storm.

— Vous devriez être plus prudent, monsieur Storm. Vous devriez apprendre à laisser à un homme quelque chose qui vaille la peine de vivre. Je n'ai que Sophia et je ne vous laisserai pas l'utiliser pour m'atteindre et pour obtenir ce que vous voulez.

— Hé, attendez une minute..., dit Storm.

Mais sir Michael poursuivait, imperturbable :

— J'ai fait des enquêtes. Comprenez-vous ? Je ne suis pas sans connaissances, ici et aux États-Unis. Je devrais incessamment recevoir des rapports sur vous, peut-être même aujourd'hui, peut-être dans l'heure. Et de la minute où je serai assuré de celui que vous êtes, je logerai une balle dans votre tête.

— Écoutez donc une minute..., tenta Storm.

— Non, c'est vous qui allez écouter. Je vais vous brûler la cervelle, mon garçon, et avec un immense plaisir. En mémoire de ma femme et pour l'amour de Sophia, et je me fous des conséquences. (D'un geste bref et sec, il saisit son verre de vin.) Je vous conseille fortement de prendre vos jambes à votre cou.

Storm ouvrit les mains, puis la bouche. Il se trouva totalement incapable d'articuler un mot. Son cœur battait la chamade. Son esprit battait la campagne. Sir Michael faisait-il une erreur ? Ou bien savait-il la rai-

son de la présence de Storm et avait-il parlé sérieusement ? Storm ne savait par où commencer pour lui
répondre :

— Regardez...

Des pas précipités dans le couloir l'interrompirent,
Sophia revenait. Pâle, les lèvres frémissantes, elle se
dirigea sur-le-champ vers la chaise de Storm et lui mit
fermement les mains sur les épaules.

— Venez, Richard, dit-elle rapidement, pendant
que le café passe, je vais vous montrer les lieux avant
qu'il pleuve.

— Sophia..., commença-t-il.

— *Venez !*

5

Le marché d'Edgware Road battait son plein. Harper Albright se frayait lentement un passage dans la foule. La chaussée était encore humide de pluie, mais le ciel s'était dégagé. Les gens étaient sortis en masse, remplissant les espaces entre les étals et les bazars, fouillant dans des rangées de ces T-shirts qu'on teignait dans les années soixante après les avoir noués, ce qui donnait des dessins erratiques, ou bien tout noirs, *heavy metal,* ils tournaient autour des cageots de légumes, des tables garnies de poteries, de bijoux, d'antiquités et de bric-à-brac. Des haut-parleurs dissimulés sous les toiles qui couvraient certains étals diffusaient une musique bruyante et sans mélodie. Les cris des camelots leur faisaient contrepoint. « Choux ! Laitues ! Cinq tomates pour une livre ! » Le flux de la foule la freinait, mais Harper s'y enfonçait résolument. Les épaules voûtées, la canne piquant le ciment, la tête renfrognée et relevée, elle parcourait la scène de ses yeux vifs, abrités par le rebord de son chapeau.

Elle regardait tout. Un jeune homme perçait et décorait les oreilles, les nez et les paupières. Une jeune femme portant un bébé sous un bras examinait de l'autre une chemise des Grateful Dead. Un pichet représentant John Bull. Une bannière de football de Chelsea qui battait dans le vent, fixée à un crochet...

Elle regardait tout mais ne savait pas ce qu'elle cherchait. Elle ne savait même pas exactement pourquoi elle était venue. Elle supposait qu'il suffisait à ce point-ci qu'un instinct l'eût convoquée en ce lieu. Cela devait suffire, il n'y avait pas d'autre motif.

Bernard était quelque part. Prisonnier, mais toujours vivant, elle en était certaine. Ça, elle pouvait le sentir. Elle le sentait dans les grouillements de l'anxiété qui lui rongeaient les entrailles comme les termites rongent le bois. Iago n'avait pas encore de raison de tuer le garçon. Pas encore. Ce n'était pas à sa vie qu'il en avait. Il voulait son sang. Il en voulait des quantités infinies. Et pour ça il lui fallait gagner le bon vouloir de l'homme à tout faire. Il lui faudrait intoxiquer l'esprit de Bernard pour obtenir sa complicité. En d'autres mots, il lui fallait voler l'âme de Bernard.

Et cela prendrait quelque temps. L'âme de Bernard était forte. Cela prendrait quelque temps, mais pas une éternité. Elle devait trouver Bernard... vite.

Et elle devait le trouver toute seule.

Elle avait vu l'expression sur le visage de l'inspecteur. Elle avait déjà vu cette expression sur le visage d'autres policiers. Elle en avait même parfois vu des pires ; elle savait que Iago avait des hommes dans la police. Elle ne pouvait pas leur faire confiance. Elle ne pouvait faire confiance à personne. Elle n'avait pas de piste, pas de direction à suivre, pas un seul point dans le grand monde qui lui parût plus intéressant qu'un autre. Ses ennemis étaient légion et elle n'avait que trois alliés. Elle n'avait nulle part où aller et personne vers qui se tourner.

Le temps était venu pour elle de sauter dans le courant de l'Insolite.

C'était pour ça qu'elle était là, supposa-t-elle. Cherchant son inspiration au marché. Inspectant les allées entre les rangées de vêtements. Parcourant du regard les laitues. Observant les visages des acheteurs et les rythmes saccadés de leurs démarches juvéniles. Elle cherchait la coïncidence, les traces de pattes de son adversaire.

Un petit endroit près d'Edgware Road. C'est ce que lui avait dit Iago. *Sur le chemin de Damas,* avait-il ajouté. C'était là qu'il avait trouvé sa propre inspiration vingt ans auparavant. Quoi qu'il fût advenu alors, quelque part près d'ici, cela l'avait lancé sur la piste des histoires. D'*Annie la Noire* à la chronique de Belham Abbey. Tout ce qui avait suivi émanait de cet instant-là. Le suicide d'Ann Endering. La chasse au triptyque de Rhinehart. Peut-être même l'arrivée de Storm. L'instant où Iago avait eu sa révélation près d'Edgware Road les avait tous menés jusqu'à cette heure.

Elle se frayait donc un passage parmi la foule sur Edgware Road. Le regard inquisiteur. L'anxiété la rongeant. Cherchant, supposait-elle, l'étincelle mystique qui lui permettrait de pénétrer dans l'esprit de Iago. Cela la conduirait à Bernard.

Sa chance d'établir une pareille connexion était, en termes ordinaires, quasiment nulle. Il n'y a pas d'autre vie que la vie, elle le savait. Et aucun autre monde que celui-ci. Si l'Insolite agit, ce n'est pas en outrepassant les lois de la nature, mais grâce à elles. L'invisible se propage toujours dans l'évident, l'esprit parle un langage matériel ; l'âme vit dans les échanges entre les neurones ; et Dieu, s'il est quelque part, réside dans les détails. On pouvait même démontrer que la coïncidence, la piste qu'elle cherchait, s'insérait dans les lois de la probabilité. Mais cela existait, courants et schémas secrets. L'astuce était de les trouver quand on en avait le plus besoin.

Et cette astuce, comme toujours, consistait à ne rien croire. Sinon, les schémas de ses convictions se plaqueraient sur celui des faits. Ne rien croire et garder les yeux ouverts. Dans une sage passivité, s'efforcer, chercher... et ne pas céder...

Elle atteignit l'angle de l'avenue. Elle avait en elle une lumière, mais elle s'arrêta, hésitante. Le marché s'achevait de l'autre côté de la rue. La foule s'amenuisait. Le vent poussait des ordures le long de la chaussée, entre les murs chaulés, au-delà des réverbères, des feux tricolores, jusqu'au bout de l'avenue, sous un ciel moucheté. À sa gauche, un homme vendait des casquettes de sport. À sa droite, une Anglaise morose, habillée comme une diseuse de bonne aventure, était assise à une table couverte de livres d'occasion. Une vagabonde avec une voiture d'enfant tendait la main.

Pour se rassurer, Harper tripota les oreilles de la tête de dragon. L'anxiété l'inondait. Elle se sentait comme un sac plein de nerfs irrités.

Et une voix lui dit à l'oreille : « Oh, hé, regarde. Regarde ça. »

Sans y penser, elle observa celui qui avait parlé, à sa droite. Il n'y avait là qu'un jeune garçon, en fin d'adolescence. Un visage pâle piqueté de points rouges sous une touffe de barbe. Une fille aux yeux ternes lui tenait le bras ; elle avait le nez, les lèvres et les yeux si pleins d'anneaux et cloutages qu'on l'eût dite tenue ensemble par ces bijoux.

Le garçon avait saisi un livre sur la table et le montrait à la fille.

— Regarde ça. Est-ce que nous avons celui-ci ?

Harper examina le livre. Et tandis que le garçon tournait l'ouvrage dans sa main pour l'examiner, elle reconnut la couverture du *Quatorzième Livre Fontana des Grandes Histoires de fantômes*. Le livre dont Storm avait lu une histoire à la soirée de Noël chez Bolt.

Elle s'arrêta pour considérer le livre. Elle ressentit

un changement lent qui s'opérait en elle. Ses nerfs continuaient de grincer, mais là, au lieu de la tourmenter, ils commençaient à lui fournir du carburant, de l'énergie. L'anxiété se changeait en excitation. Elle avait trouvé ce qu'elle cherchait.

Un petit endroit près d'Edgware Road.

La chasse continuait.

6

— Sais-tu qui je suis ?

La voix s'introduisit dans le sarcophage comme une volute de fumée. Elle se mélangeait comme une odeur avec les odeurs de vomi, d'urine, de transpiration et de peur. Elle s'enroulait autour du corps de Bernard qui gisait là, les larmes coulant sur ses joues, la morve coulant de son nez et les atroces pulsations toujours dans sa tête. Il avait maintenant compris qu'il y avait du sang à l'endroit douloureux, une blessure mi-sèche, mi-gluante là où la matraque l'avait atteint. Il se sentait de nouveau cotonneux, faible et malade. Et la voix qui résonnait dans le noir absolu lui arrivait avec la fraîcheur du grand air et la lumière du jour. La première émotion qu'il avait ressentie en l'entendant l'habitait toujours.

— Oui, répondit-il d'une voix tremblante. (Il s'éclaircit la gorge.) Oui, je sais qui tu es.

— Bien. Il était temps que nous fassions connaissance.

Le poids du couvercle oppressait Bernard, et le remugle devenait encore plus pénible. Bernard sentait ce crâne près de lui, à quelques centimètres de son visage, qui le regardait et ricanait.

— Je n'ai cessé de veiller sur toi, dit la voix. Tu pourrais savoir ça.

Bernard ferma les yeux et les rouvrit. Ça ne faisait aucune différence ; il n'y avait que le noir.

— Oui, murmura-t-il.

— Quelques-unes des personnes que tu as rencontrées dans tes virées nocturnes. Quelques-unes de celles avec lesquelles tu t'es amusé... tu as été intime...

— Oui.

— Tu savais cela.

Bernard pleura en silence.

— En fait, je sens que je te connais déjà assez bien, poursuivit la voix. Je sens que tu me connais. Si cela a un sens. Je ne sens pas que tu t'avoues me connaître aussi bien que c'est le cas.

— Laisse-moi partir.

La supplique sortit de la bouche de Bernard avant qu'il pût l'arrêter. Il fit une grimace, furieux de sa faiblesse. Mais quand il essaya d'arrêter ses larmes, il ne produisit qu'un sanglot sonore et humiliant.

— C'est pourquoi je suis là, dit la voix posément, remplissant toujours le sarcophage comme de la fumée.

Et le pire, songea Bernard, était que cela valait encore mieux que rien. Il sentit avec quel désespoir il s'accrochait à cette voix, au pouvoir de cette présence qui se trouvait au-dessus de lui, le pouvoir de le libérer. Il devait s'y accrocher. Tant qu'il y a de la vie, pensa-t-il...

— Je veux te faire sortir, reprit la voix. C'est tout ce que je désire. C'est dans mon intérêt autant que dans le tien. Et peut-être plus. Mais je dois m'assurer que tu entends d'abord ce que j'ai à dire. Donc, la condition est que tu promettes de m'écouter et je promets de te libérer ? Est-ce équitable ?

Bernard frissonna, essaya de contrôler sa respiration et de maîtriser sa panique. Il ne voulait pas répondre. Il était dégradant d'accepter quand il n'avait pas le choix.

Mais la voix insistait :

— N'est-ce pas loyal ?

— Oui, oui, dit-il avec colère, la voix pleine de larmes.

— Parce que tout ce que tu sais de moi, absolument tout, t'a été dit par une personne, une seule personne. Et cette personne, je te le dis en toute honnêteté, a toutes les raisons de me détester. N'est-ce pas ? Même après ce que tu sais, ne crois-tu pas qu'elle n'est pas un observateur objectif ? N'en conviendrais-tu pas ?

Bernard se serra les bras.

— Je ne sais pas, bégaya-t-il avec lassitude. Je ne sais pas.

— Si tu ne sais pas, c'est qu'elle ne t'a pas tout dit. C'est parce qu'elle n'a pas été aussi sincère avec toi que je le suis maintenant.

Seigneur, pensa Bernard, *Seigneur, Seigneur.* Il replia les épaules et se croisa les bras comme un cadavre. Il ne savait que répondre, même en lui-même. Il avait toujours pensé que ça n'avait pas d'importance et que ça ne l'intéressait pas. Qu'il se satisfaisait des non-dits et de la compréhension tacite entre lui et Harper. Il avait été élevé par une famille d'hôteliers rigoureux, là-haut, dans la région des lacs. Puis il avait été en pension, près de Londres. Mais les visites que lui rendait Harper avaient été fréquentes, même quand il était enfant. Leurs conversations avaient toujours été intimes et précises. Elle lui avait expliqué sa mission de façon si complète et constante, avec tant d'assurance maternelle qu'il avait compris, depuis sa tendre enfance, que c'était aussi sa mission, de droit et de naissance. Était-ce de la malhonnêteté de la part de Harper de ne pas dire tout haut ce qu'il savait déjà ?

— *Je ne peux pas respirer !* cria-t-il.

Ses mains se heurtèrent contre le couvercle de

pierre. Il se déchira les doigts, le sang coula. Puis ses mains retombèrent.

— Je ne peux pas respirer, sanglota-t-il.

— Quand je l'ai rencontrée, poursuivit la voix, impassible, froide, nuageuse. Quand je l'ai rencontrée, elle était une ruine. Sa mère était partie, son père était en prison. Sa vie à elle n'était qu'une succession de misères de la pire espèce : la tienne, crois-moi, n'en est qu'une pâle copie. C'est elle qui s'est attachée à moi, Bernard, et pas l'inverse.

— Je le sais, reconnut Bernard à mi-voix, pour ne pas être entendu.

— Bon. Je suis content qu'elle t'ait au moins dit cela. Parce que le reste fut pareil. Quand je l'humiliais, quand je la faisais souffrir, c'est parce qu'elle me le demandait. Elle m'implorait. Elle venait m'implorer en rampant à genoux, Bernard. À genoux.

Bernard sentait qu'il allait de nouveau se sentir mal et, cette fois-ci, mal à mort. Il allait vomir tout ce qu'il y avait à l'intérieur de lui, le sang et les entrailles et jusqu'à la dernière étincelle de vie en lui. L'odeur et le manque d'air qui empiraient avaient été remplacés par les miasmes de cette voix. Elle lui pénétrait la peau, fraîche et vitale et vivifiante. Sa propre et singulière émotion se combinait à elle et il se sentait malade et intoxiqué à mort.

— Et maintenant, reprit la voix. Maintenant que le souvenir de tout cela la trouble, elle rejette toutes les fautes sur moi. Elle ne tient pas compte de ses propres désirs et je suis devenu le méchant de la pièce. Et c'est... déformé. Ce n'est pas la vérité. Non seulement ça m'enlève le droit de me défendre, mais ça te lèse toi aussi. Ça te prive de cette partie de toi qui me ressemble. Parce que tu me ressembles, Bernard. Et ça te fait peur. Tu veux l'ignorer. C'est un anathème pour toi. Tu te laisses aller à des perversions minables et humiliantes pour, comment dire, masquer les vrais besoins, le véritable élan de ta nature. C'est elle qui t'a fait comme ça. Elle t'a appris à te mépriser, à mépriser cette partie de toi qui me ressemble. Et pourquoi ? Parce qu'elle propage une vision du monde dans laquelle elle n'a pas de responsabilité et dans laquelle je fonctionnerais comme une sorte de... grand marionnettiste sur la scène du monde, tandis qu'elle danserait. Tout ce que je te demande d'accepter, Bernard, c'est la possibilité, simplement la possibilité qu'il existe une autre vision du monde. Une vision du monde dans laquelle tu peux vivre librement comme ce que tu es vraiment.

Bernard se couvrit le visage de ses mains sanglantes. Ses doigts sentirent la surface moite et collante de sa peau. Il éprouvait une sensation d'apesanteur, comme s'il se détachait de son propre corps. Comme si quelque partie de lui était aspirée par les pores et dans la fumée et qu'elle devenait partie intégrante de cette fumée. Il aspira à flotter avec cette fumée, à travers le couvercle du sarcophage et dans la liberté de la présence qui le dominait.

— Je regrette, Bernard, dit la voix, mais il vient un temps, il vient pour nous tous, où l'on doit considérer la possibilité que tout ce qu'on a appris est un mensonge, où il faut se faire à l'idée que les gens qu'on aime le plus vous ont en fait dupé.

Bernard flottait dans la fumée. La fumée le caressait.

— Je suis celui que tu veux être, Bernard. Et tu me contiens en toi, dit la voix. Nous sommes tous les deux saint Iago.

7

Le ciel au-dessus de Belham Grange grouillait de noirs nuages d'orage. Le vent qui les poussait depuis le sud secouait les branches nues des arbres de l'allée principale. Il creusait des traces énigmatiques dans l'herbe, sillons éphémères d'un vert plus vif quand les brins se couchaient. Ces traînées apparaissaient devant Storm, se courbaient et disparaissaient pour revenir quand le vent gagnait en force, et elles couraient vers les collines comme des sillages de fantômes.

Sophia allait d'un pas rapide dans le jour déclinant, s'éloignant impétueusement de la maison et de l'allée pour gagner les prés. Storm devait faire de longues enjambées pour se tenir à sa hauteur, serrant la ceinture de son trench-coat contre le froid.

Le tonnerre retentissait au-dessus d'eux et les yeux de Sophia jetaient des éclairs. Son propre imperméable était ouvert et battait au vent. Le vent secouait ses cheveux, plaquant des mèches contre son visage et sa bouche ; elle les repoussait avec impatience.

— Nous ne pouvons pas continuer, haleta-t-elle. Nous ne pouvons pas. Il est malade. Ça se voit. Il est malade, Richard, il y a quelque chose qui ne va pas en lui.

— Tu parles, grinça Richard, frottant son front douloureux. Il vient de me menacer de me tuer.

— Quoi ?

Elle ralentit à peine son allure et lui jeta tout juste un regard.

— Ne sois pas ridicule.

— Il l'a fait, chérie ! Il a dit qu'il allait me faire sauter la cervelle. Vraiment.

Elle ricana.

— Je suis sûre que c'était une plaisanterie.

— Ha, ha, ha. Ce type est un génie du comique.

Elle s'arrêta et lui fit face avec sauvagerie, devant les hêtres qui se balançaient et une aile de la maison sur les fenêtres de laquelle se reflétaient les nuages noirs. Elle se croisa les bras sous la poitrine. Oh mon vieux, se dit-il, stoppant net. Il avait déjà vu *ce* regard. Il y avait deux de ces regards qu'il devrait se faire extirper de la nuque. Seigneur, il y avait des moments avec les femmes où un homme était toujours en retard de deux excuses.

— Je ne peux pas croire que je t'aie laissé me persuader de venir ici, soupira Sophia. Je ne peux pas *croire* que tu t'attendes à ce que je t'interroge et... et que je tourmente cet homme à propos d'un... d'un drame dans sa vie qui est advenu il y a vingt ans. Surtout maintenant, surtout maintenant. Il est malade, Richard.

C'était une chose tragique, tragique dans ta vie aussi, voulut dire Storm. Mais il était trop expérimenté. Affrontez de face une fille dans cet état et vous finissez par expliquer au juge que vous devriez être autorisé à garder votre chemise sur le dos. La situation appelait un peu de judo relationnel.

Sophia lui lançait toujours des regards furieux. La première fourche d'éclair étincela loin de l'horizon. Storm sursauta, mais pas à cause de l'éclair. Le vent froid leur apporta le tonnerre, long et bas.

— Et pourquoi tu ne lui demandes pas ce qu'il a ? dit à la fin Storm.

— Quoi ?

— Tu arrives à la maison, ton père a l'air d'une souris que le chat a ramassée, comment se fait-il que tu ne lui demandes pas : « Qu'y a-t-il, papa ? Dois-je appeler le médecin ? » Comment se fait-il que tu ne le lui demandes pas ?

Le regard s'adoucit. Dieu merci.

— Bien, je... je ne sais pas, je...

— Je veux dire, comme tu l'as vu, Sophia. Regarde-le.

Elle se balança d'un pied sur l'autre. Détourna le regard.

— S'il ne veut pas en parler... Je veux dire, s'il... hésite.

— Il veut parler de quelque chose, ça c'est sûr. Il a menacé de me tuer.

— Oh, tu racontes des histoires.

La douleur traversa le brouillard que Storm avait dans la tête.

— Il m'a foutrement menacé de mort, grogna-t-il, avec plus de dureté qu'il n'en avait eu l'intention, et il le regretta sur-le-champ.

Mais il vit qu'elle le croyait. La panique envahit son regard ; ses lèvres tremblèrent, et c'était pire que la colère.

— Il y a quelque chose qui ne va pas du tout ici, Sophia, reprit-il avec plus de douceur. Je pense que tu devrais essayer de savoir ce que c'est.

— Je ne sais plus quoi est quoi, murmura-t-elle. Tu m'as fait perdre le nord.

— Regarde. (Il s'approcha.) Harper ne nous a pas envoyés ici pour rien.

— Je ne donne pas un *pet de lapin*...

— Bon, bon. Mais... (Il leva la main pour la calmer.) Elle pense que, si l'on apprend la vérité sur ta

mère, cela permettra de découvrir ce que recherche
Iago.

— Oh, Iago !

— D'accord. Mais ces types... ces sales types qui
ont tué tes amis...

— Ce n'étaient *pas* mes amis.

— D'accord, d'accord. Mais le fait est que... Je
crois qu'ils se rapprochent. Ce doit être ce dont ton
père a peur. C'est mon hypothèse. Il doit penser que
je suis un de leurs émissaires.

La manière dont elle fronça les sourcils donna à
Storm des brûlures dans la poitrine.

— Peut-être en es-tu un, murmura-t-elle. Comment
le saurais-je ?

Il faisait tout à fait noir et les nuages étaient si
lourds que l'air semblait avoir épaissi. Aucun oiseau
ne chantait. Et bien que Storm pût apercevoir une
petite route dans les collines, près d'un clocher au
loin, il n'y avait aucun bruit de trafic, aucun son plus
fort que le vent.

— Tu ne crois pas ce que tu dis, répliqua-t-il. Tu
préfères dire ça plutôt que d'enquêter sur la mort de
ta mère, plutôt que de mettre les choses au clair et
de parler avec ton père de la façon dont elle est morte
et de ce que tu te rappelles. Et ça ne sert à rien,
Sophia.

Il poussa un soupir et leva le visage. Le vent était
humide ; cela lui rafraîchit le front et lui éclaircit
l'esprit :

— Tout ce qui touche à vous deux dépend de ces
secrets, poursuivit-il. Tout ce que vous ne vous dites
pas, ce que vous ne demandez pas. Je ne crois pas
que tu aies le temps de continuer comme ça.

Sophia porta les deux mains à ses cheveux et les
enserra de ses doigts. Storm se sentit terriblement seul.
Il n'avait fallu qu'un instant de la colère de Sophia
pour lui rappeler que l'affection qu'elle lui portait était

le seul réconfort qu'il avait et peut-être le seul réconfort pour toujours. Il n'avait fallu qu'un instant de la confusion de Sophia pour rappeler à Storm l'écart entre ce qu'il était et ce qu'il attendait d'elle. Combien de bois mort ne faudrait-il pas déblayer avant qu'ils pussent être vraiment ensemble.

Ce n'était pas le genre de fantômes qu'il espérait trouver.

— Pourquoi me fais-tu cela ? demanda-t-elle d'une voix douce, d'une voix qui ne lui ressemblait pas du tout. Si je ne suis pas capable de régler cette affaire, eh bien je n'en suis pas capable. Pourquoi me forces-tu et me forces-tu sans cesse ? Pourquoi est-ce tellement important pour toi ? Pourquoi, Richard ?

C'était comme si elle avait lu dans ses pensées. Storm sut que sa détresse offrait la réponse dans ses yeux. Son échec. Son hypocrisie. Tous ces discours sur l'honnêteté, sur la mise au net des secrets. Et il n'avait jamais trouvé, lui, le courage de lui avouer la vérité fondamentale. De lui dire : je suis en train de mourir. Mon amour est aussi égoïste que celui du premier venu. J'ai besoin que tu sois libre dans ta tête pour te donner à moi. J'ai besoin que tu te libères de ton passé pour que je sois persuadé que j'ai fait quelque chose pour toi et que j'ai laissé derrière moi une vie que j'aime.

Il tendit la main et la posa sur la joue de Sophia. Et, à sa surprise, elle ferma les yeux et pencha la tête sur sa main, qu'elle saisit dans la sienne. Ce geste brisa le cœur de Storm.

— D'accord, dit-il, ravalant péniblement sa salive. Écoute. Il y a quelque chose que je dois te dire...

— Sophia !

Dans le vent qui se levait, l'appel semblait venir de loin. Mais en scrutant le pré, Storm put apercevoir le mouvement dans la haie de hêtres. Sir Michael se tenait à la porte de la maison.

— Sophia !

Il l'appelait.

Elle regarda Storm. Ils croisèrent rapidement leurs regards. Il essaya de reprendre la parole, mais en vain. Elle lui tapota la main et s'en alla sans un mot.

Storm resta seul sous les nuages bas, tandis que le vent dessinait des traces dans l'herbe tout autour de lui. Les mains dans les poches de son trench-coat, il la regarda courir vers la maison.

Puis avec un soupir, il se détourna. Et il affronta pour la première fois tout ce qu'il avait laissé derrière lui.

Là-bas derrière la silhouette sinueuse de l'orme, se dressaient les ruines de l'abbaye, désolées, noires et maussades. Une apparition menaçante et mélancolique : le pan brisé d'un mur de la chapelle, les monuments inclinés de son ancien cimetière. La lumière défaillante, entremêlée comme elle l'était des ombres en fuite des nuages, conférait à la scène une qualité immatérielle, étrange et onirique.

Peuh, se dit Storm, le cœur aussi lourd qu'une pierre.

Et comme s'il y était contraint, poussé par le vent, il s'avança dans les prés.

Vers l'abbaye. Vers ses tombeaux anciens.

8

Une histoire de fantômes. *Un petit endroit près d'Edgware Road,* c'était le titre d'une histoire de fantômes. Une assez jolie histoire, écrite en fait par Graham Greene. Elle était incluse avec *Annie la Noire* dans le recueil dont Storm avait lu un extrait. C'était ça, sans doute aucun, qui avait soufflé cette phrase singulière à Iago quand il parlait de son inspiration.

Harper passa plusieurs heures dans le sous-sol de la London Library. Feuilletant lentement les volumes reliés de journaux d'il y avait vingt ans. Elle savait maintenant ce qu'elle cherchait. Elle avait en tout cas une idée de ce qu'elle allait trouver. Mais elle ne pouvait pas se permettre de trop compter sur la coïncidence. Une seule erreur équivaudrait à perdre le peu de temps qu'elle avait. Elle devait s'assurer de sa piste avant de commencer. Elle avançait donc, page après page.

Le jour d'hiver tirait vers la nuit. À l'intérieur, les lampes fluorescentes diffusaient leur lumière bleuâtre sur les hautes étagères et les longues tables de bois. Sur la tête de Harper aussi et ses courts cheveux gris. Sur la canne inclinée contre sa chaise et sur le chapeau posé près d'un volume ouvert.

Ses yeux parcouraient lentement les colonnes. Et quand elle trouva enfin la publicité qu'elle cherchait, elle ressentit en elle quelque chose qui ressemblait à un long et lent soupir. Elle ne savait pas encore de quelle utilité lui serait sa trouvaille. Mais la confirmation de ses soupçons était encourageante. Elle indiquait au moins que Iago était comme tout le monde à certains égards : quand il parlait, il en révélait bien plus qu'il n'en avait eu l'intention.

Le titre de l'histoire de fantômes n'avait revêtu aucune ambiguïté pour lui, tandis qu'il repensait à l'événement révélateur. Il n'y avait aucune raison que Harper l'eût retenu, ni qu'elle s'en fût souciée. Mais là, seule dans le sous-sol sans fenêtres, sous la fluorescence papillotante des tubes au néon, elle comprenait pourquoi elle y avait prêté attention.

Parce que le petit lieu près d'Edgware Road était, dans l'histoire de Greene, un cinéma. Iago était au cinéma quand, vingt ans plus tôt, il avait eu la révélation qui l'avait lancé sur la piste des histoires. Et la publicité dans le journal que feuilletait Harper était celle du cinéma Odeon, sur Church Street, juste à côté d'Edgware Road. Cette publicité lui disait ce qu'elle avait su depuis toujours. Que ce qui avait mené Iago à *Annie la Noire* et aux autres histoires ainsi qu'à la confession du moine était un film.

Un jour, il y avait vingt ans, Iago était allé voir *Spectre*. Film écrit, produit et dirigé par Richard Storm.

9

Bernard sanglotait toujours, faiblement, mais sans larmes. Elles semblaient s'être taries. Tout en lui semblait s'être desséché, de telle sorte qu'il ne transpirait plus et que même son sang semblait avoir cessé de circuler. Sa panique déferlante s'était changée en une chose immobile, une boule d'anxiété posée sur sa poitrine comme une gargouille.

Seul son esprit... Seul son esprit continuait à vaguer, flottant, se perdant dans la substance fumeuse qu'était cette voix. Celle de Iago.

— Laisse-moi te demander quelque chose, Bernard. T'ai-je jamais fait du mal ? Avant ceci, je veux dire, où je suis contraint par les circonstances ? T'ai-je personnellement jamais fait du mal ?

— Cet homme... (Bernard parvenait à peine à bouger ses lèvres.) Tu as... crucifié cet homme.

— Ah ! fit Iago. (Il rit avec gaieté.) J'ai tué des milliers de gens. J'en ai torturé des tas. Et j'ai ri ; laisse-moi te dire, pour nous détendre. Il n'y a rien de plus hilarant que la souffrance des autres. Quand ils bondissent comme des boules de billard électrique, criant, suppliant... Oh ! Un jour, tu comprendras ce que je veux dire. Non, non, non, ce n'est pas ce que je te demande. Il faut écouter, Bernard.

Il sembla maintenant que Iago se penchait, qu'il

collait presque ses lèvres au sarcophage. La voix calme semblait couler sur le visage de Bernard, le rafraîchissant de manière singulière avec son aura de liberté et de puissance. Un souvenir entra dans le courant capricieux du prisonnier, celui d'une fille qui fumait des cigarettes, l'embrassait avec les poumons pleins de fumée et exhalait la fumée dans sa bouche, ce qui faisait qu'il respirait cette fumée pendant qu'ils s'embrassaient. C'était nauséeux, excitant, superbe.

— Je ne te parle que de toi, poursuivit la voix. D'accord ? Ai-je jamais fait quelque chose qui te blesse ou te fasse mal personnellement ? Ou à Harper, puisqu'on en parle ? Ou à n'importe lequel de tes amis ?

Bernard était couché sous le poids de l'anxiété, de la pierre, de la fumée et de la douleur.

— Je ne t'ai jamais fait de mal à toi ni aux tiens d'aucune façon. Rien. Et si c'est vrai, et ce l'est, Bernard, toutes tes objections contre moi, toute ta peur de moi, ta haine à mon égard, c'est purement abstrait, purement philosophique. Tu me détestes et me crains parce que tu as une idée, une idée philosophique selon laquelle les choses que je fais seraient mauvaises. Qu'elles seraient méchantes. Qu'on n'est pas *censé* faire ces choses. Et qui t'a enseigné cette idée, Bernard ? Qui t'a dit qu'elles étaient mauvaises ? Hein ? Je sais que tout le monde pense qu'il est mal de tuer, mal de causer de la douleur, mais qui se soucie de ce que disent les autres ? Les gens ont souvent tort, et plus souvent qu'à leur tour. Non, qui t'a appris à *toi*, qui te dit tous les jours que ce que je fais est mauvais ?

Bernard sentait presque que son esprit errant fonctionnait indépendamment de lui, qu'il pensait et répondait pour son propre compte tandis qu'il dérivait dans l'obscurité et la fumée. Son esprit semblait ne plus se servir de son corps que comme support pour la parole.

— Harper, répondit-il, d'une voix rauque.

— Harper, c'est exact, dit Iago, satisfait. Harper, qui était mienne, qui avait supplié d'être mienne au prix de n'importe quelle dégradation. Qui implorait cette dégradation pour me prouver qu'elle était mienne. Et qui maintenant ne peut pas supporter l'image d'elle-même telle qu'elle était avec moi et qui prend donc sa vengeance en essayant de détruire ce qu'il y a de moi en toi. Parce que là réside toute la question, en réalité. Ses idées abstraites sur ce qui est faux et qui est juste, le bien, le mal, où existent-elles ? Si tu peux me les montrer, je m'inclinerai devant, je le jure. Si tu peux me les montrer, Seigneur, je les mangerai. D'accord ? Mais elles n'existent nulle part. Excepté dans l'esprit vindicatif de Harper. Que sont donc ses notions de bien et de mal, si ce n'est sa manière de te dresser pour réprimer la part de toi dont elle a peur ? En fait, je vois ça tous les jours, Bernard. Les faibles enseignent aux forts à avoir peur de leur propre force, et pourquoi ? Pour que les faibles n'aient pas à souffrir de la main des forts, plus que ça même, pour qu'ils n'aient pas à affronter leur propre inclination à souffrir. Toi, Bernard, tu dois vivre dans un monde contraint et contrefait à l'intérieur, afin que Harper soit libérée du souvenir de son propre désir, qu'elle n'ait pas à s'affronter elle-même. Si tu veux parler de la vérité, c'est ça la vérité. Et ce n'est pas juste. Je veux dire, je t'ai demandé si je t'ai fait du mal et tu sais que je ne t'ai pas fait de mal. Maintenant, je te demande : t'a-t-elle, *elle*, fait du mal ? Harper. T'a-t-elle fait du mal personnellement ? Pas dans l'abstraction, mais dans la réalité.

Il n'attendit pas la réponse.

— Je crois qu'elle l'a fait, reprit-il. Je t'ai enfermé dans une boîte, un cercueil. Mais elle a fait du monde entier ton cercueil. Elle t'enferme, elle enferme ta vraie nature dans un cercueil tous les jours. Je ne t'offre pas seulement de te libérer de *cette* boîte, Bernard. Je t'offre de te libérer de la boîte dans laquelle elle t'a enfermé, la cage des idées de Harper où ta vraie nature est prisonnière comme un animal. Parce que tu me ressembles plus que tu ne lui ressembles. Tu es plus mon fils que le sien.

Bernard prenait lentement conscience du fait qu'il se perdait. Il perdait vraiment le contrôle de ses fonctions mentales et de ses propres réactions. Ses propres pensées et cette voix qui s'insinuait en lui se fondaient ensemble. Tandis qu'il gisait là dans cette agonie cotonneuse, il observait cela comme si c'était d'un point distant et serein. C'était un sentiment étrange, onirique, agréable même, sensuel. Tellement agréable, en fait, tellement sensuel qu'il ne voyait aucune raison valable de l'arrêter. Tout ce qu'il avait à faire, après tout, c'était de rester là et d'écouter, et à la fin, on le libérerait de cette prison, ce qui était tout ce qu'il voulait au monde. On soulèverait le couvercle et il serait reçu avec des sourires, les bras ouverts, dans le réconfort de la lumière du jour. Tout ce qu'il avait à faire était de cesser de s'agiter, de cesser de résister, de cesser de corrompre sa félicité par sa volonté, et le pire serait passé.

Qui lui avait donc appris, d'ailleurs, qu'il devrait en être autrement ?

— Et je t'offre bien plus, dit la voix au-dessus de lui, autour de lui, en lui. Je t'offre la vie, Bernard. Je t'offre une vie libre, sans entraves et sans fin. Sors de ce cercueil, viens à moi, et tu seras libéré pour toujours de la peur de l'enterrement. Libre de la pourriture, du destin de cette chose hideuse qui est près de toi. Pour toujours, Bernard.

— *Je ne le ferai pas !*

Le cri sortit du sarcophage comme une bombe,

comme un éclair de lumière avant que Bernard se rendît compte qu'il sortait de sa propre bouche.

— *Je n'écouterai plus !*

C'était comme s'il s'était soudain éveillé, qu'il était sorti d'un sommeil profond pour trouver un voleur en train de s'emparer de ses possessions les plus précieuses. Son esprit. Il voulait récupérer son esprit. Et ses mains s'étaient dressées une fois de plus contre le couvercle, ses doigts écorchés saignant de nouveau tandis qu'il poussait et se débattait violemment avec la dalle de pierre. L'air chaud et puant emplit ses poumons. La nausée tordit son estomac. Ses mouvements lui rappelèrent combien étroitement il était enfermé, et cela raviva sa panique et sa terreur.

Et à la fin, il fut vaincu par tout ça, par ses propres efforts. Il était épuisé par son impuissance. Ses mains s'agitèrent au-dessus de lui.

— Je n'écouterai plus.

Il toussait et sanglotait.

Un long et atroce silence suivit. Bernard essaya en vain de se mettre sur le côté. Il toussa et les spasmes du vomissement n'expulsèrent rien. Il suffoquait à cause de l'air et de son dégoût de lui-même. Combien peu de souffrance physique il faut pour réduire un homme à rien, rien.

Et Iago parla de nouveau :

— Très bien.

Haletant, Bernard s'efforça d'arrêter sa toux. Il ravala une goutte chaude de son propre vomi. Suffoqua, hoqueta. Essaya d'écouter.

Il entendit un son qui déclencha la chute d'une sphère massive de froid sur son estomac. Il se tendit, ravala sa salive, retint sa respiration. Écouta.

Des pas sur la pierre. Qui s'éloignaient, s'éloignaient tout à fait.

Il se mit à hurler :

— *Non ! Ne pars pas ! Ne me laisse pas ici ! Ne me laisse pas ! S'il te plaît !*

Il balbutiait d'une voix aiguë, folle, cassée qui ne semblait plus être la sienne.

— Reviens ! *S'il te plaît ! S'il te plaît !*

Il s'arrêta, frissonnant, le visage déformé tandis qu'il essayait de faire revenir la voix par la force de la volonté, s'efforçant désespérément d'écouter.

Il entendit.

Un choc, un grincement, un craquement, un crissement, un claquement. La porte qui s'ouvrait et se fermait.

Puis le silence.

— Ne me laisse pas, murmura-t-il. Père.

Et il resta seul, pleurant dans le noir.

10

À ce moment-là, Storm se rendit compte soudain qu'il était arrivé.

Il se tenait sous le mur de l'abbaye, parmi les pierres tombales inclinées, rongées par le temps et les intempéries, et les nuages s'abaissaient. L'après-midi grondait, noir. Le vent était humide et piquant. Un éclair étincela, du ciel jusqu'à son point de dissipation, et le tonnerre suivit, violent, énorme. Des stèles brisées gisaient dans l'herbe. Un unique caveau s'effondrait. Les ombres qui s'agitaient sur le pan de mur lui prêtaient une vie spectrale.

Il se trouvait sur le théâtre sonore de son imagination.

Il se rappela une histoire de fantômes qu'il avait entendue. Une femme rêve qu'elle se tient à l'extérieur d'une maison. Et chaque nuit elle se retrouve au même endroit, regardant la maison. Troublée, elle décide de prendre des vacances. Tandis qu'elle parcourt la campagne en auto, elle tombe sur la maison même de son rêve. Incapable de résister, elle sort de sa voiture. La porte s'ouvre. Un majordome apparaît.

— Cette maison, dit la femme. Il faut que j'en voie l'intérieur.

— Bien sûr, madame, répond le majordome. Mais je dois vous prévenir : la maison est hantée.

— Hantée ? répète la femme. Et par qui ?

— Par vous, répond le majordome.

Storm considéra les ruines de Belham Abbey.

Combien souvent, se demanda-t-il, avait-il fait figurer ce lieu dans ses films ? Ou un endroit similaire. Il ne pouvait pas faire le compte des fois où il avait rêvé de ce lieu, l'emplissant toujours de nouveaux vampires, goules et monstres. Il y avait une église comme celle-ci dans *Spectre*. Et dans *Castle Misery*. Et dans *Hellfire*. Mais ce n'était qu'aujourd'hui qu'il comprenait pleinement que tous ces décors avaient préfiguré celui-ci.

Parce que c'était le décor d'*Annie la Noire,* qu'il avait découverte quand il avait dix ans. Et qui avait fait de lui ce qu'il était.

Il se rappelait, non pas le jour, mais la couleur que le jour avait prise quand il avait lu cette histoire pour la première fois. Les brises qui agitaient les palmiers de Santa Monica, fleurant les oranges et la mer. La végétation luxuriante sous ses fenêtres et le mur chaulé de la maison du voisin, les tuiles colorées du toit. Les oiseaux pépiaient. Les abeilles bourdonnaient autour de fleurs géantes dont il ne connaissait pas le nom. Il entendait les éclaboussements de quelqu'un qui nageait dans sa piscine à l'arrière de la maison. Sa mère. Et il était seul dans sa chambre, sur son lit. Le petit Rick le Californien, en short et en T-shirt. Les maquettes de monstres Aurora sur leurs étagères le regardaient avec bienveillance. Frankenstein, Godzilla, la Créature du Lagon noir avec de vraies écailles vertes. Dracula, sur le menton de plastique noir duquel il avait tracé à la main une traînée de rouge. Le livre d'histoires de fantômes était posé sur son estomac, *Apparitions et Fantômes.* Le livre que son père lui avait donné, résigné au fait que le garçon y trouverait plus de plaisir que dans les récits de westerns de Jack Schaefer et Louis Lamour. Le jeune Richard s'était allongé sur le lit, dans le printemps californien tout frais, et son esprit avait vagabondé vers l'automne de l'Angleterre victorienne. Il était parti dans la maison hantée avec Neville et Quentin. Vers la ruine de l'abbaye, cette ruine même qui se dressait là. Il avait adoré cette histoire, adoré.

Et il ne s'était jamais demandé pourquoi. Qu'est-ce qui le portait à s'attacher à des décors et des situations tellement différents de tout ce qu'il connaissait ? Il n'avait jamais produit un film qui ne fût plein de l'atmosphère sinistre et victorienne d'*Annie la Noire*. Et pourquoi ? Il ne pouvait s'empêcher de se le demander, maintenant qu'il se trouvait là.

Parce que les pierres du mur médiéval, les stèles penchées et même le temps menaçant, le décor classique d'une histoire de fantômes, lui étaient aussi familiers que s'il était venu là un million de fois, aussi familiers que le visage d'une célébrité. Ils s'inséraient dans la case vide d'un puzzle mental. Ils lui étaient familiers à ce point et, en même temps, il ne s'était jamais autant senti étranger en terre inconnue.

Que diable faisait-il ici, d'ailleurs, si loin de chez lui ? Qui étaient ces gens autour de lui, Harper, Bernard, sir Michael, Sophia ? Pourquoi donc était-il mêlé à toutes leurs vies ? Et pourquoi y mettait-il un tel désordre ? Il était en train de mourir, nom de nom. Il devrait se trouver dans la compagnie de gens qu'il connaissait. Des copains qui compatiraient à son malheur et des médecins qui lui diraient des choses qui avaient un sens. Dans un monde qu'il connaissait vraiment, pas celui-ci, qu'il s'était approprié comme un enfant et qu'il avait passé sa vie à réinventer.

Il se rappela ce sentiment de dépaysement, d'être un étranger déconnecté, qui l'avait saisi juste avant son attaque de convulsions, le mois dernier. Une bouffée de peur froide et rapide descendit de sa poitrine à son pubis. Et il se dit : *Pas maintenant. Pas encore. Pas de nouveau.*

Mais non, ce n'était pas ça. Ce n'était pas aussi facile que ça. C'était ce lieu-ci, cette abbaye, ce cimetière abandonné, cette résidence campagnarde, cette Angleterre. Qu'avait-il à voir avec tout ça ? Lui, le fils d'un cow-boy, étoile de cinéma de la côte dorée ? Il n'était pas bienvenu en ces lieux, il le sentait. Ils le rejetaient. Ils voulaient qu'il s'en aille et les laisse tranquilles. Merde. Ils avaient jadis tué des gens comme lui dans cet endroit. Des intrus juifs, exaspérants. Ils les avaient enfermés dans l'infirmerie et les avaient grillés. *Yippee-aye-oh-kay-ye,* mon vieux. Cet endroit n'était pas du tout pour lui.

Et s'il n'était pas à sa place ici, où donc l'était-il ? Qui diable était-il, d'ailleurs ?

Il renifla. C'était un peu tard pour se poser la question.

L'éclair scintilla au-dessus de lui et craqua. Quelques secondes plus tard, le tonnerre éclata. Les nuages noirs roulèrent et le vent dévala parmi les tombes. Storm marcha avec le vent, ses yeux tristes parcourant les pierres muettes et hantées.

Qui diable était-il ? C'était la question. Qui diable était-il pour venir ici torturer Sophia à propos de son passé ? Et la rendre malheureuse pour ses propres fins égoïstes. Elle ne le voulait pas ici non plus. Il était aussi étranger à Sophia qu'il l'était à ces lieux. Il ne faisait que lui empoisonner la vie, la forçant à cette chose étrangère à sa nature. Parce qu'il était étranger à cette nature et qu'il n'avait rien à faire avec elle et n'appartenait pas à son monde.

Il lui avait fait défaut, non ? Il aurait commis un meurtre pour être son héros et il lui avait manqué, complètement fait défaut.

Il se retrouva devant le caveau croulant. Un petit temple qui lui arrivait à la ceinture et dont les pilastres étaient réduits à l'état de bandes perlées, avec une porte de fer rongée par la rouille et cassée. Il secoua la tête.

Hantée par qui ? se dit-il.

Hantée par toi, mon vieux.

C'était la plus effrayante histoire de fantômes jamais racontée. Il fallait y être.

La pluie commença à tomber lentement. Une goutte atteignit la joue de Storm. Il leva les yeux et le ciel semblait être à deux mètres au-dessus. Une autre goutte tomba, puis d'autres. Elles crépitèrent sur les pierres tombales. *Tip-tip. Tip-tip.*

Oui. Il sourit d'un coin de la bouche. *Tic-tic.* C'est ça, l'heure avance, Hortense.

Et puis son sourire disparut. Il regarda de nouveau le caveau devant lui et le trou en forme de croissant dans la porte. Cela descendait sans fin dans le néant pour autant qu'il en sût. Il leva les yeux vers Belham Grange et l'aile de la maison qui s'étendait derrière la double rangée d'arbres.

Ils se trouvaient souvent, je le savais, dans les abbayes et les maisons voisines, dans des chambres secrètes et des cachettes... des passages secrets...

Il se rappela l'histoire de Sophia, celle qu'elle lui avait racontée sur le bruit dans la maison et la nuit où elle avait trouvé son père penché sur sa mère avec le couteau ensanglanté. Il avait deviné alors que quelque chose manquait. Maintenant que la pluie devenait drue, il comprit ce que c'était.

Le vent glacé se leva et la pluie commença à obliquer. Un autre grondement de tonnerre sembla provenir des entrailles du ciel.

Richard Storm releva le col de son trench-coat. Il se détourna du caveau et prit le chemin de la maison à travers les prés.

11

Quand Sophia eut atteint la porte, son père était rentré. La porte était ouverte ; elle la referma derrière elle.

— Daddy ?

— Dans la salle de séjour, répondit-il.

Mais elle resta un moment dans le hall au pied de l'escalier.

— J'arrive, dit-elle à mi-voix.

Elle fit un geste des deux mains : elle les tint ouvertes devant elle et les poussa dans l'air en un geste d'apaisement. Elle voulait se ressaisir. Sa conversation avec Storm l'avait agitée, elle était nerveuse et confuse. Pleine d'appréhension aussi. Tous sentiments qu'elle détestait.

— J'arrive, redit-elle.

Elle se défit de son imperméable et le pendit à une patère près de la porte. Lissa son chandail comme pour se lisser elle-même de l'intérieur. Tout en allant du corridor à la salle à manger, elle essaya de se donner une expression d'ironie froide. Elle n'en était pas très satisfaite quand elle arriva à la porte de la salle de séjour.

Elle franchit le seuil ; c'était une longue pièce, de la cheminée aux hautes fenêtres, et elle était sombre : des tableaux ténébreux et brumeux pendaient aux murs et les fenêtres étaient tendues de draperies vert sombre. Son père était à l'autre bout, près de la fenêtre qui donnait sur les prés et l'abbaye. Il se tourna vers elle quand elle entra. Les nuages noirs lui servaient de fond et un éclair les zébra, suivi par le tonnerre.

— Entre, Sophia. Nous devrions parler.

Elle hésita et se rendit compte tout à coup qu'elle avait peur, peur de lui. Mais elle rejeta ce sentiment ; c'était ridicule ; il était son père. Elle approcha lentement.

Une grande partie des meubles était disposée dans une moitié de la pièce ; sofa, table et chaises se trouvaient groupés autour de la cheminée. Elle les contourna, mais s'arrêta de nouveau ; près du sofa, une main sur le dossier. Ce qui laissait un certain espace, de la longueur du tapis persan, entre elle et son père.

— Oui, qu'y a-t-il ? demanda-t-elle.

Elle ne pouvait soutenir son regard et elle détourna les yeux. Elle regarda la fenêtre, la ruine de l'abbaye et Storm, là-bas, près du mur brisé, examinant les pierres tombales tandis que le vent soulevait son pardessus et agitait ses cheveux. Elle eût voulu qu'il fût présent, ici, avec elle. Qu'avait-il été sur le point de lui dire ? Pourquoi était-elle tellement troublée ? Elle n'aimait pas du tout l'être.

Son père fit un pas dans sa direction. Sophia serra plus fort le bois du dossier. Son père avait l'air grand et imposant. Sa tête paraissait bizarrement tendue de chairs pendantes et ses yeux étaient étrangers, fiévreux, inquiétants. Les nuages noirs qui couraient derrière lui donnaient l'illusion que c'était lui-même qui s'élançait vers elle.

— Pourquoi l'as-tu amené ici ? gronda-t-il.

Sophia secoua la tête, troublée, à la recherche d'une réponse.

— Je ne l'aime pas, dit sir Michael. Je n'ai pas confiance en lui. Que vient-il faire ici ?

— Pas confiance... ? répéta Sophia.

Elle ne parvenait pas à mettre ses pensées en ordre. Pourquoi avait-elle tellement peur ?

— Ça ne t'est pas venu à l'idée de te demander pourquoi il traîne autour de toi ?

Sophia s'entendit ébaucher sa réponse, comme si elle écoutait quelqu'un d'autre :

— Ça ne t'est pas venu à l'idée que... ?

Elle serra ses lèvres.

— Quoi ? Continue.

— Qu'il pourrait traîner alentour parce qu'il m'aime ? Ça pourrait ne rien avoir à faire avec toi et cette... rien à faire avec toi.

Son père émit un grognement d'exaspération et de rejet. La lumière changeait derrière lui avec les nuages. Le coup de tonnerre suivant fut violent.

— Non, insista Sophia sans assurance. Je suis sérieuse. Je ne vois pas où est le problème.

— Pour l'amour de Dieu, Sophia, ne sois pas puérile !

— Suis-je supposée te soumettre mes amis pour approbation ?

Sur quoi il fit un autre pas vers elle, un grand pas inhabituel.

— Des amis comme ça, oui. Il y a plein de partis convenables autour de toi.

Elle parcourut des mains le dossier du sofa. Elle se sentait très petite en face de lui. Et ses genoux commençaient à faiblir et trembler.

— Je ne sais pas ce que tu entends par *convenable*. Richard est parfaitement *convenable*...

Il refit ce bruit de rejet, qui évoquait un coup de fouet.

— Il est ridicule, pour dire le moins. Et il est déjà d'un certain âge... Il doit avoir au moins quarante ans.

Sophia s'humecta les lèvres.

— C'est ça qui te contrarie ?

— Est-ce que tu joues un jeu avec moi ?

— De quoi s'agit-il alors ? Il dit que tu l'as menacé.

— Je ferai plus que le menacer...

Il approcha ; elle le voyait mieux. Les plis de chair graisseuse et tremblante, le dessin de l'os des pommettes, les yeux fiévreux. Le spectacle lui donna une vague nausée.

— Je ne comprends pas, murmura-t-elle. Je ne comprends pas ce qui ne va pas. Pourquoi te comportes-tu de cette façon ?

— Sophia, dit-il.

Le ton était plus doux, le ton et la voix familiers, ceux de son père. Le geste des mains qu'elle connaissait aussi. Mais il semblait différent.

— Je suis certain qu'il y a des douzaines d'hommes qui s'intéressent à toi, qui voudraient être avec toi. La moitié de nos clients sont amoureux de toi. Là n'est pas la question. La triste vérité est que cet... cette personne se sert de toi.

— Se sert de moi ?

— Pour m'atteindre.

— Et pourquoi diable... ?

— Très bien, si tu as décidé de ne pas comprendre : obtenir le Rhinehart.

— Mais tu n'as pas le Rhinehart.

— Maintenant, tu fais *exprès* de ne pas comprendre.

— Je ne fais pas exprès. Je ne comprends simplement pas.

Il secoua la tête d'un air sévère.

Sophia lâcha le dos du sofa. Elle se frotta les mains avec impatience. Elle avait la bouche sèche et des papillons dans l'estomac.

— Daddy, supplia-t-elle. Daddy, ne parle plus par énigmes. Dis-moi ce qui se passe.

— Que veux-tu dire ? Je ne veux pas qu'on se serve de ma fille...

— Je veux parler du Rhinehart. Pourquoi es-tu tellement contrarié à ce sujet ? Si tu m'expliques...

Sir Michael la considéra comme s'il était perché sur une hauteur. À travers la fenêtre et sous les nuages amassés, elle vit Storm se pencher devant un caveau bas. Elle souhaita qu'il vînt la rejoindre.

— T'a-t-il priée de m'interroger là-dessus ? demanda sir Michael.

— Quoi ? Non. Bien sûr que non, je...

— Qu'est-ce qui te fait penser que je suis contrarié ?

Elle eut un rire forcé.

— Regarde-toi. Tu as une mine affreuse.

— Je n'ai rien du tout.

— Tu as l'air malade. Que se passe-t-il ? Pourquoi te conduis-tu comme un paranoïaque ? Qu'est-ce qui te fait peur ?

Il recula et Sophia fut près de défaillir. Il y eut un autre grondement dans le troupeau de nuages. Et puis un léger crépitement sur les hautes vitres entre les rideaux. La pluie. L'instant d'après, l'eau se déversait avec force contre les vitres. Sophia aperçut Storm qui s'éloignait des ruines et traversait les prés en direction de la maison. Elle l'attendit avec impatience.

— Est-ce un contre-interrogatoire ? demanda sir Michael.

— Quoi ?

La main de Sophia se posa sur son estomac. Elle commençait vraiment à se sentir mal.

— Moi, faire un contre-interrogatoire ? C'est toi qui m'as appelée...

— Je t'ai appelée parce que tu as permis à ce personnage déplaisant...

— Oh, Daddy.

— ... de s'insinuer dans cette maison, de te séduire... Car il t'a séduite, n'est-ce pas ?

— De quoi parles-tu ? Séduire... C'est insensé. Je suis une adulte...

— Tu lui as permis de te séduire et de s'insinuer dans cette maison dans le seul but d'obtenir ce triptyque. Si tu es une adulte, tu devrais te montrer plus clairvoyante. Tu aurais dû te servir de ton jugement.

Sophia se cachait presque derrière le sofa. Elle cria :

— Ce que tu dis n'a aucun sens. Pourquoi Richard ferait-il une chose pareille ?

— Ne sois pas ridicule.

— Je ne le suis pas...

— Parce que c'est un criminel.

— Il ne l'est pas.

— C'est un renard, un assassin...

— Assassin ?

— ... un salopard qui se fiche éperdument de toi.

— *Ce n'est pas vrai ! Arrête ! Tu dis n'importe quoi ! Arrête !*

Elle leva soudain sa main à sa bouche. Le vent précipitait la pluie avec force contre les fenêtres. La fourche d'un éclair s'enfonça dans les collines, projetant l'ombre de l'abbaye sur les pierres tombales. Son soudain accès de rage avait pris Sophia par surprise, la laissant choquée. Elle ne se souvenait pas d'avoir élevé la voix comme elle venait de le faire contre son père.

Il lui tourna le dos à demi, leva le menton et, le visage renfrogné, parcourut la pièce d'un regard enflammé, étrange et terrifiant.

— Je regrette, Sophia, dit-il. Je ne me rendais pas compte qu'il avait été si loin avec toi.

Révulsée comme elle l'était, elle se remit sur-le-champ en colère. Les larmes emplirent ses yeux, malgré elle.

— Ne dis pas ça. Ne me dis pas ça. Comment oses-tu ? Richard est peut-être le seul homme décent et droit que j'aie jamais rencontré. Pourquoi voudrait-il le triptyque de Rhinehart ?

Sir Michael la rejeta d'un geste de la main.

— Et *toi*, pourquoi le veux-tu ? demanda-t-elle.

Il lui lança un autre regard furieux et lui tourna tout à fait le dos, faisant face à la fenêtre inondée de pluie.

— Parce que c'est toi, ajouta-t-elle, tremblante. C'est toi qui t'es comporté de manière... malhonnête. je ne sais pas à quelle affaire tu es mêlé. Je ne l'ai jamais su. Tu ne me le diras pas. Tu ne me dis rien. Tu te comportes comme si j'étais censée comprendre, comme si c'était entendu entre nous. Mais je ne comprends pas. Je ne comprends pas du tout ce qui se passe. Comment le pourrais-je, Daddy ? Tu n'expliques jamais rien. Tout entre nous dépend de tous ces... secrets. Tout tourne autour de ce que tu ne dis pas et que je ne suis pas supposée demander. Ça a toujours été comme ça. Ça a toujours...

Faible et nauséeuse, elle ne put achever sa phrase. Elle saisit le dossier du sofa d'une main et porta l'autre à son estomac. Un éclair changea la forme massive de sir Michael en une simple silhouette. Le tonnerre fut si fort qu'il sembla cette fois se répercuter dans le plancher. Le vent secoua les fenêtres.

Et le grand homme se tourna de nouveau vers Sophia. Il considéra sa fille avec des yeux qu'elle reconnaissait à peine, tant ils étaient chargés de dédain et de dégoût.

— C'est exactement ce qui est arrivé à ta mère, dit-il.

Un pas résonna sur le seuil de la porte derrière elle. Étourdie, Sophia se retourna et vit Storm entrer.

— Sortez d'ici, hurla sir Michael. Sortez de ma maison, fils de chienne !

Une autre rafale de vent ébranla les fenêtres et les rideaux frémirent. Et le vieil homme, massif, sembla se convulser. Mais Storm se trouva l'esprit soudain calme et clair.

Elle l'avait fait. Cela se voyait à leurs expressions. Sophia avait mis le sujet sur le tapis. La crise était déclenchée.

Il sourit et s'essuya les cheveux d'une main. Puis il glissa les mains dans les poches de son pantalon. Il s'avança lentement dans la pièce.

— Je crois que vous vous trompez complètement à mon sujet, commença-t-il.

Il arriva près de Sophia et s'arrêta. Il sentit ses frémissements et l'agitation qui émanaient d'elle par vagues.

— Je crois que vous me prenez pour un des types de Iago.

Sir Michael fronça le nez.

— Je suppose que vous allez me dire que vous n'en êtes pas un.

— Exactement. Puisque je ne le suis pas, je pensais que je ferais aussi bien de vous le dire.

Il s'avança sur le tapis, vers sir Michael, jusqu'à

ce qu'ils ne fussent plus qu'à quelques pas l'un de l'autre. Storm n'était pas beaucoup moins grand que le père de Sophia, mais le vieil homme n'en demeurait pas moins impressionnant. Et la rage et la peur qui se reflétaient sur ses traits flétris et affaissés le rendaient terrifiant.

— Je ne vise aucun but, enchaîna Storm. Excepté votre fille. Et à cet égard, il faudra vous y habituer. On n'est plus autorisé à tirer sur des gens pour ça.

Sir Michael sembla grandir, gagner en hauteur, prêt à jeter Storm à terre d'un seul coup de poing. Storm serra ses poings dans ses poches. Il se demanda si sir Michael était armé. Les deux hommes se firent face, s'incendiant du regard.

— Que voulais-tu dire à propos de ma mère ?

La voix de Sophia avait jailli derrière Storm, presque au travers de lui. Il ne lui avait jamais entendu ce ton, et il n'avait même jamais entendu ce ton chez personne : rauque, fiévreux, désespéré, terrible. Cela lui serra le cœur. Il ne savait pas que les choses étaient allées si loin.

Mais sir Michael le transperçait de son regard et il le lui rendait. Storm ne pouvait pas se retourner vers Sophia.

— C'est vous qui l'avez mise au courant, n'est-ce pas ? demanda le vieil homme.

— Qu'est-ce que tu voulais dire, Daddy ? insista Sophia.

Sa voix semblait au bord des larmes. Storm la voyait du coin de l'œil ; elle avançait à grands pas pour se placer entre les deux hommes.

— Fils de chienne, cracha sir Michael à Storm.

— Votre fille vous parle, mon pote, répondit Storm.

— Qu'est-ce que tu voulais dire par ce qui s'est passé avec ma mère ? répéta Sophia, la voix brisée par les larmes. Que s'est-il passé avec elle ? Que s'est-il passé ?

Sir Michael l'ignora. Sa bouche pâle se tordait et on lui voyait le blanc des yeux. Un éclair révéla les ruines au loin, comme si elles étaient proches et ténébreuses. Le tonnerre éclata juste au-dessus de la maison. Storm pensa que c'était un bel effet, un peu exagéré, mais artistique.

— Regarde-moi, Daddy, supplia Sophia. Dis-moi.

Mais sir Michael ne la regarda toujours pas.

— Vous êtes un salaud de basse extraction, dit-il à Storm.

— Pourquoi ne la regardez-vous pas ? lança Storm.

— Parce que c'est vous qui la contrôlez.

Sophia était presque entre eux.

— Daddy, ce n'est pas lui. C'est moi. Regarde-moi. Dis-moi ce qui est arrivé à ma mère.

— Vous vous servez du sexe. Tout comme avec Ann, dit sir Michael à Storm. Est-ce que vous pensiez que j'allais laisser cela se reproduire ?

— Vous êtes dans l'erreur, mon vieux. Parlez-lui. Elle vous en supplie.

— C'est moi, Daddy, implora Sophia. Regarde-moi. Je ne suis pas bien. Tu ne m'as jamais rien dit, et maintenant je ne suis pas bien. J'ai failli mourir, Daddy. Et je n'aurais pas dû mourir. Je ne devrais pas être comme ça. Est-ce que c'est normal ? Que je me fasse du mal ?

— Reste tranquille, aboya sir Michael sans la regarder.

— J'essayais de te protéger, toi, dit-elle. J'ai essayé de te protéger, et je ne sais même pas pourquoi. Pourquoi ma mère est morte, pourquoi je suis comme ça, qu'est-ce qui se passe, dis-moi.

Storm en avait assez de son duel de regards. Il entendait ce qui advenait à Sophia, sa voix le disait assez, le ton qui montait, l'hystérie proche. Et il voyait son visage tendu et baigné de larmes.

Mais sir Michael ne voulait pas détacher son regard

de Storm, il le fixait avec fureur comme s'il était l'un des crânes vivants sortis des films de Storm.

— Je jure devant Dieu que vous êtes un homme mort, murmura sir Michael.

Et Storm lui sourit d'un coin de la bouche.

— Hé, écoutez, mon vieux. Ça n'a pas d'importance. Il faudra quand même que vous vous expliquiez avec votre fille.

— Ne me dites pas ce que je dois faire avec ma fille, vous...

Soudain, Sophia perdit le contrôle d'elle-même. Elle commença à crier des mots inintelligibles d'une voix folle, suraiguë, frénétique qui fit reculer sir Michael et frappa Storm d'épouvante. Ses poings volaient en l'air, les yeux fermés, elle secouait ses cheveux autour de sa tête et continuait de hurler.

— *Ce n'est pas lui ce n'est pas lui c'est moi c'est moi qui suis en train de mourir c'est comme si je mourais je meurs Daddy écoute regarde-moi regarde-moi parle-moi. Dis-moi ! Dis-moi ! Dis-moi !*

— Seigneur, Sophie, geignit Storm.

Il tendit la main vers elle, mais elle vacilla hors de sa portée. Elle se tenait l'estomac, pliée en deux, hoquetante. Puis elle se couvrit la bouche de la main, les yeux grands ouverts, horrifiés.

Elle fit « Oh » et, avant que Storm eût pu aller à son aide, elle bascula, agrippa le dossier du sofa et avança. Storm craignit qu'elle ne tombât. Mais elle s'était élancée hors de la pièce.

Storm s'apprêtait à la suivre quand sir Michael émit un grognement et le saisit par le bras. Storm se dégagea, le poing tendu vers le menton du vieil homme. Sir Michael recula et leva un bras, s'attendant à un coup.

Ils se figèrent dans ces attitudes, tandis que le vent secouait les fenêtres et qu'un roulement de tonnerre résonnait, atténué, venant de loin.

Sir Michael baissa le bras, congestionné.

— Vous..., cracha-t-il. Espèce de sale...

Storm sourit, ouvrit le poing et laissa son bras retomber aussi. Il plissa les yeux comme un tireur du Far West.

— Juif, grommela-t-il, c'est le mot que vous cherchez ?

Et il tourna le dos à sir Michael et courut après Sophia.

13

Quand Storm trouva le chemin du hall d'entrée, il entendit de l'eau couler à l'étage et le bruit d'une chasse d'eau. Il monta l'escalier quatre à quatre.

Il arriva dans un long corridor obscur, sur les murs duquel des portraits le regardaient de haut. Le tic-tac d'une horloge de parquet près de lui lui rappela les *tic-tic, tic-tic*...

Et au bout du corridor une porte s'ouvrit. Sophia apparut dans un rectangle de lumière jaune, inclinée, lasse, s'appuyant au chambranle.

Storm s'élança vers elle. Elle lâcha son appui, s'avança et tomba presque dans ses bras.

— J'ai été malade, dit-elle piteusement.

— Tout va bien. Tu vas t'en remettre. Il y a bien dans cette baraque un endroit où tu puisses t'étendre ?

Elle indiqua une porte et il l'aida à y parvenir. Ils pénétrèrent dans une chambre à coucher, la sienne. Il n'alluma pas la lumière. Les fenêtres étaient petites et brouillées par la pluie, et le ciel qu'on voyait au travers était noir. La chambre était pleine d'ombres et de formes imprécises. Un lit à colonnes se dessinait, il aida Sophia à s'y allonger. Elle se mit sur le côté, lui tournant le dos.

Storm s'assit près d'elle, sur le bord de la couette. Il lui massa doucement l'épaule. Au bout d'un moment il porta son regard sur le mur opposé ; il y reconnut le portrait d'une femme. Il n'en distinguait pas les traits, mais sentait qu'elle veillait. Il continuait à masser l'épaule de Sophia.

— Je ne sais pas ce qui vient de se passer en bas, murmura-t-elle.

Storm haussa les épaules.

— Tu as pété un boulon. Ça arrive.

— Dans ta famille peut-être.

Il se mit à rire.

— Dans ma famille c'était un bon moment, comme le pique-nique de l'école.

Sophia se tourna sur le dos et tout à la fois commença à rire et à pleurer.

— Tu es bon avec moi, articula-t-elle à travers ses larmes.

Il hocha la tête.

— Tu veux dire que je suis bon avec toi et que tu es tellement horrible.

— Oui.

— Que puis-je dire ? Je ne suis pas bon juge des caractères.

Elle se déplaça pour poser son visage contre la hanche de Storm. Il sentit qu'elle tremblait sous sa main. Quelle drôle de fille, se dit-il. Elle se serait vraiment pendue plutôt que de s'expliquer avec le vieux vautour qu'était son père. Quel pays de fous.

Il se pencha par-dessus le corps de Sophia, tira la couette, la replia sur elle et la borda.

— Qu'est-ce que tu fais ? demanda-t-elle d'une voix étouffée. Tu vas défaire le lit.

— D'une certaine manière, oui. Il faudra que je me fasse une raison.

Elle se remit à rire, et puis à pleurer.

— Chut, murmura-t-il. Chut.

— Que va-t-il se passer maintenant ?

Il changea de position pour poser la tête de Sophia

sur sa cuisse. Il embrassa ses cheveux et les caressa. Elle frissonna un long moment dans ses bras, et la chambre devint lentement plus obscure.

Enfin elle s'apaisa. Et retrouva une respiration plus régulière, toujours blottie dans ses bras.

Il se pencha pour déposer un baiser sur ses cheveux. Il ferma les yeux et se demanda si sir Michael montait les escaliers un revolver à la main.

Qu'allait-il se passer maintenant ?

14

De longues et lentes heures tirèrent la nuit sur eux tous. Sur Sophia, qui dormait et sur Storm qui la tenait dans ses bras. Sur sir Michael, qui s'était affaissé dans un fauteuil dans la salle de séjour. Sur Bernard qui frissonnait dans son cercueil. Et sur la demeure de World's End où Harper Albright était assise à la table de dessin, étudiant un ouvrage obscur.

La journée d'hiver arriva à son terme sur Belham et sur Londres.

Après un temps, Storm posa tendrement la tête de Sophia sur un oreiller et se leva. Il alla à la fenêtre et considéra les ténèbres. La pluie avait cessé et une brume se levait sur les prés, contournant le mur de l'abbaye et les pierres tombales. Storm la regarda monter tandis que sa propre image se reflétait pâlement sur la vitre.

Sir Michael se mit lourdement sur pied. Tête basse, il traversa la pièce et parvint au corridor. Il franchit le passage sombre qui menait à son étude, ferma la porte et s'installa à son bureau. Il se laissa tomber dans son fauteuil de cuir et ouvrit un tiroir d'un seul doigt.

Et il resta un long moment à contempler la boîte

de cuir clouté qui contenait les havanes, le briquet d'argent et le calibre .38 chargé.

Bernard grelotta et gémit. Il se parla à lui-même à mi-voix, à demi conscient. Dans son esprit, il se promenait sous un ciel bleu, dans des prés verts. Et se demanda de façon détachée si c'était cela, la mort, et s'il était en train de mourir.

Harper Albright, assise, lisait, et lisait et lisait. Le gaz n'était pas allumé et le bureau de *Bizarre !* devenait froid, mais elle lisait. La seule lumière était celle de la lampe fixée au bord de la table. Elle inondait les pages blanches d'une lumière aveuglante, mais Harper ne détachait pas ses yeux des pages. Dix ou onze ans plus tôt, se rappela-t-elle avec amertume, elle avait décodé les signes gothiques gravés sur un fragment de poterie trouvé près d'Avesbury. Sa version, qui révélait une incantation à la déesse mère, avait été rejetée comme une intuition aléatoire par toutes les autorités de renom, mais elle avait inspiré toute une branche du Wicca[1]. Le déchiffrement avait été lent, ardu et harassant et il avait requis six mois de travail. Mais ce n'était rien, se dit-elle avec frustration, en comparaison avec ça.

Elle lisait, en effet, le manuel du magnétoscope VCR de Bernard. C'était un texte européen en quatre langues. Elle avait finalement opté pour la version allemande, l'anglaise étant incompréhensible. Elle la déchiffrait page après page. À la fin, fatiguée, elle quitta son tabouret.

Elle saisit de ses doigts épuisés et tremblants la vidéocassette qui se trouvait sous la table inclinée. La cassette n'avait pas été facile à obtenir. Harper avait dû se rendre dans trois agences de location. Puis elle

1. Société secrète d'occultistes (*N.d.T.*).

avait dû revenir chez elle pour trouver une pièce d'identité acceptable ; cela avait été long et elle avait entrepris le long trajet de retour vers l'agence. À la fin de la journée, la vie lui avait paru bien lourde, mais elle avait enfin en main une copie de *Spectre*.

Elle l'emporta à l'étage supérieur. Elle gravit lentement l'escalier, s'appuyant lourdement sur sa canne à tête de dragon, et entra voûtée dans la pénombre de la chambre de Bernard. Elle y alluma la lumière.

La petite pièce était telle que Bernard l'avait laissée, totalement en désordre. Le lit étroit était défait. Des jeans, des chemises, des sous-vêtements jonchaient la carpette. Des plats contenant des reliefs de repas et des verres à moitié pleins de gin étaient brunis par des mégots écrasés ou débordaient de cendres. Les étagères blanches haut perchées au-dessus du lit étaient chargées de piles de livres et de magazines, dans lesquelles étaient insérées des pages déchirées. En face, d'autres piles s'élevaient sur la table de nuit. L'un des livres, intitulé *Les Origines de la conscience dans l'échec de l'esprit bicaméral,* gisait sur les draps, près de l'oreiller douteux. Un journal, appelé *La Canne à sucre,* se trouvait juste au-dessous. Une jolie religieuse clignait de l'œil sur la couverture, une férule à la main. *Les Sœurs de l'impiété.*

Harper fit la grimace et secoua la tête. Combien de temps le garçon tiendrait-il ? Mais ce n'était pas du tout la vraie question. Harper se demanda plutôt si elle lui avait donné assez de munitions pour tenir assez longtemps. Iago trouverait à coup sûr ses points faibles, mais en avait-elle honnêtement enseigné assez à Bernard pour lui éviter d'être piégé ? La vérité avait-elle bien été évidente entre eux, ou n'avait-elle fait que l'espérer pour s'épargner la peine d'en parler ?

Elle avança à petits pas vers la télévision au pied du lit. Parfois, pensa-t-elle, il semblait que les catholiques eussent raison : peut-être n'y avait-il rien qu'on pût refuser de pardonner, sinon l'impuissance à se confesser. Les dieux lui apparurent alors comme les exécrateurs du secret par-dessus toute chose. Plus que la cruauté, le vol, le déshonneur, ils vous punissaient pour ce que vous n'aviez pas dit, et, pis encore, ils punissaient ceux que vous aimez, ceux auxquels vous eussiez dû tout dire.

Elle s'échina sur la boîte de la cassette qu'elle finit par dégager. Elle jeta un coup d'œil impatient à la télévision sur sa table noire et à la longue boîte noire sur l'étagère au-dessous, puis elle se pencha ; elle appuya sur le bouton de la télé et l'image apparut sur-le-champ. C'était encourageant. Un commentateur en costume bleu clair commença à lui parler de rugby. Elle appuya sur le sélecteur de chaîne, *Ein, zwei, drei, fier, fünf. Fünf,* c'était ce que le manuel avait recommandé. Mais le commentateur en bleu clair apparut de nouveau. Pourquoi ? Qu'est-ce que cela signifiait ? Elle fut emplie du sentiment familier d'appréhension qu'elle ressentait chaque fois qu'une machine faisait quelque chose de vraiment épouvantable.

Néanmoins, soufflant sous l'effort, elle se pencha plus bas et poussa la cassette devant la fente sur la boîte.

À son alarme, la bête sembla lui arracher la cassette des mains et l'avaler.

— Pas mal, dit-elle, en se redressant.

Les heures d'étude n'avaient pas été vaines. Car le commentateur en bleu clair disparut dans un néant de couleur jade.

Et un moment plus tard, se laissant péniblement tomber sur le bord du lit de Bernard, Harper appuya sa canne sur le sol, serra les mains autour de la tête de dragon et posa son menton dessus : *Spectre* commença à se dérouler sur l'écran devant elle.

15

Entre-temps, Bernard avait commencé à réciter de la poésie. C'était tout ce qui le maintenait loin des portes de la folie.

Dans leur bienveillance éclairée, ses professeurs modernistes ne l'avaient jamais contraint à emmagasiner beaucoup de vers dans sa mémoire. « Vous pourrez toujours les consulter dans les livres », lui avaient-ils dit, ce qui montrait l'étendue de leur ignorance.

Harper, en revanche, lui avait instillé de la poésie par force depuis son plus jeune âge. « Ce sont des pierres, avait-elle un jour déclaré, avec lesquelles tu pourras un jour consolider tes ruines. » Il n'avait jamais vraiment compris ce qu'elle entendait par là, mais l'heure était venue.

Parce qu'il était certainement en ruine. Il se convulsait dans les ténèbres. Il tremblait dans son confinement de pierre. Couvert de vomissures et d'urine. Fiévreux, aveugle. Heure après heure. Marmonnant comme un insensé quand son esprit dérivait. Et quand il reprenait conscience, il était habité par une horreur qui lui donnait l'impression qu'une bombe éclatait en lui et qu'il n'avait pas d'espace pour exploser. Et cela, heure après heure.

Il mourait. Il mourait certainement à l'heure qu'il

était. Il ne pouvait pas respirer. Il eût dit que ses organes internes baignaient dans de la fange. Il dérivait volontairement loin d'une conscience qui lui était devenue intolérable. La tête de mort invisible près de lui le regardait et ricanait. Heure après heure.

Enfin, rassemblant le courage qui lui restait, il commença à réciter.

C'était une de ces situations, et l'abondance en est surprenante, auxquelles seul pouvait convenir William Blake.

Voir le monde dans un grain de sable,
Et le ciel dans une fleur sauvage,
Tenir l'infini dans la paume de ta main,
Et l'éternité dans une heure.

Oui, ça c'était bien. On pouvait réfléchir sur les mystérieux couplets pendants des heures. Bernard s'humecta faiblement les lèvres. Il y trouva comme un goût de pourriture, mais il poursuivit :

Un rouge-gorge en cage
Met tout le ciel en rage.

Oh, il en savait un brin, ce fou de Bill Blake.

Il avait les yeux fermés, la mâchoire pendante, la bouche ouverte. Chaque expiration qu'il exhalait lui revenait avec une odeur rance. Il suffoquait dans ses propres exhalaisons.

Chaque soir et chaque matin
Certains naissent pour le chagrin,
Chaque matin et chaque soir,
Certains naissent pour le bonheur.

Il s'enlaça les épaules, pas trop fort. Il n'avait plus la force. Il s'enlaça donc simplement, se berçant dans des nuages d'anémie nauséeuse.

Certains sont nés pour le bonheur,
Certains pour des nuits sans fin.
Certains sont rouges et d'autres bleus,
Certains sont pleins d'un tas visqueux.

« Je ne peux pas respirer », murmura-t-il. Et, pendant un temps indéterminé, il se perdit lui-même. Dans un domaine d'herbe émeraude et de colza jaune vif. De musique et d'une rivière constellée de lumières. Et là, dans la prairie, se trouvaient allongés des corps nus, doux, blancs. Une vision des fils et des filles d'Albion...

Puis il reprit conscience du couvercle sur lui et retomba dans le noir et la puanteur de son propre corps pourrissant. Et il trembla et cria : « Mère. »

Et sa voix lui répondit clairement : on nous fait croire un mensonge...

Oui, oui, se dit-il, écrasé par l'émotion de ce retour soudain à la réalité.

On nous fait croire un mensonge
Quand nous ne voyons pas de nos yeux,
Qui furent nés un soir pour mourir une nuit,
Qui ne sont pas clairvoyants,
Mais me voici,
Sans raison ni rime,
Mais qui ne s'en moque,
Ce qui nous mène à Dieu,
Et Dieu est là, Il est lumière,
Aux pauvres âmes dans les ténèbres ;
Il apparaît sous forme humaine
À ceux qui n'œuvrent

Que sur terre,
Car la miséricorde a face humaine
Et la pitié a face humaine...

Non, c'était quelque chose d'autre. Toujours Blake, mais un autre poème.

Oh, quelle différence, Harper, pensa-t-il. Laisse-moi tranquille, pour l'amour de Dieu. Laisse-moi partir.

Car la miséricorde a face humaine, insista-t-elle,
Et la pitié a face humaine,
Et l'amour la divine forme humaine,
Et la paix, le vêtement humain.

Il s'enlaça et se berça dans les ténèbres. Ne me dis pas ça, pensa-t-il. Ne me dis pas ça, sale pédante, et laisse-moi ici. Je meurs. Et j'ai peur.

La miséricorde a un cœur humain, Bernard. Un cœur humain. Et la pitié a un visage humain. Et l'amour, la divine forme humaine. Crois-moi en cela.

Il porta ses doigts sanglants à son front sanglant. Les traîna sur ses joues, étalant le sang. Il gémit : « Cruauté ! »

Un spasme de nausée le secoua. Il se saisit l'estomac. Tourna la tête. Essaya de vomir, mais n'y parvint pas. Pleura.

La cruauté, se dit-il, *a un cœur humain,*
Et la jalousie visage humain ;
La terreur, la divine forme humaine,
Et le secret, le vêtement humain.

Ça aussi Harper l'avait dit.

« Le secret », murmura Bernard.

Oui.

Il s'étira, essayant de respirer, essayant de supporter le poids des ténèbres. Très bien, très bien, se dit-il. Où en étais-je ? Le secret ?...

La miséricorde, dit-elle.

Juste, juste.

Car la miséricorde a visage humain... N'avons-nous pas déjà dit cela ?

Non, non. C'est toujours valide, c'est toujours juste, Bernard.

Et la pitié, la pitié, la pitié, un visage humain. Pitié. Et l'amour, dit-elle, l'amour et le visage...

« La divine forme humaine », chuchota Bernard, s'enlaçant, respirant la puanteur de ses déjections, suffoquant. *Et la miséricorde...*

Et la paix, dit-elle,

La miséricorde, miséricorde.

Ce sont les pierres...

Miséricorde.

Avec lesquelles tu pourras consolider tes ruines.

« Dieu ! » cria Bernard. Ou plutôt essaya de crier, exhalant un cri étranglé.

Ces pierres... ces pierres...

« Dieu, notre père, notre père qui es aux cieux, viens-moi en aide ! »

Et puis, comme en réponse à sa prière, il y eut de nouveau ces bruits. Était-ce vrai ? Venaient-ils ? Il se couvrit de ses bras. Ouvrit les yeux ou essaya de les ouvrir, ne pouvant dire s'ils étaient ouverts ou non. Resta avec la mâchoire pendante. Écouta.

Oui. Le crissement d'un loquet. Le cliquètement du pêne. Le grincement, oh, le grincement d'une porte qui s'ouvrait. Le choc quand on la refermait.

Et des pas. Des pas sur la pierre. Approchant.

Bernard essaya de voir à travers le néant. Tout son corps était une prière.

Il y eut une pause. Et puis la voix, la voix comme la fumée, qui s'enroula lentement et froidement autour de lui.

— Es-tu prêt à écouter maintenant, Bernard ?

La pitié a un cœur humain, un cœur humain, un cœur humain...

— Oui, dit-il, tremblant, pleurant. Oui. S'il te plaît. S'il te plaît. Je suis prêt.

16

— Grand ciel, Prendergast, cria Hedley. Un escalier !

Les yeux de Harper se fermèrent et son corps
s'inclina en avant. Elle et sa canne à tête de dragon
semblaient sur le point de basculer vers le plancher.

Mais elle se redressa, ouvrit les yeux et se força à
regarder l'écran de télévision.

Grand ciel, marmonna-t-elle. *Des andouilles.*

Elle continua de regarder le film de Storm tandis
que ses détectives d'un ridicule consternant descendaient dans les voûtes sous l'église en ruine. Sous des
ombres anguleuses, une maçonnerie de traviole, des
arches suspendues, ils avançaient, suivant le *clang-
clang* répété qui montait de dessous.

Même là, elle se rappelait à peine qu'elle avait déjà
vu ça. Elle ne parvenait à se rappeler ni de l'avoir
vu, ni de l'époque où elle l'aurait vu. Et certainement
pas pourquoi. Cela n'avait rien de surprenant, en réalité, étant donné la qualité de ce truc.

Bizarre, pensa Harper, somnolente. Storm n'avait
sans doute pas su que c'était du bon vieil expression-
nisme allemand. Elle constatait bien qu'il rendait une
sorte d'hommage à *Annie la Noire* : le style des ruines,
la répétition de ce bruit, *clang-clang,* les deux
hommes qui descendaient sous terre. Mais en fait, le

genre du film et son ambiance étaient directement empruntés aux classiques de l'horreur de l'ancien Universal Studio, comme *Frankenstein* et *Dracula*. Et ces films avaient été réalisés par le juif allemand Carl Laemmle avec son écurie de metteurs en scène émigrés. Hollywood et ses propres tendances avaient en somme tapissé la cervelle de Storm avec l'imagerie de Rhinehart, transformée en célébration expressionniste préfasciste de la terreur et de la volonté. En d'autres mots, Storm aussi faisait partie de la succession des histoires.

C'était la seule chose intéressante qu'elle pût trouver à penser sur ce film. Pour le reste, c'était un amoncellement de clichés.

Elle se pencha sur sa canne et regarda. Prendergast et Hedley descendaient toujours dans les profondeurs, à la lumière dansante d'une torche électrique. Et ils tombaient sur le cadavre de ce pauvre sergent Je-ne-sais-pas-quoi qui pendait au mur.

— Pauvre diable, dit le Dr Prendergast.

Tu l'as dit bouffi, pensa Harper Albright.

La musique d'atmosphère enfla, comme enfle toujours la musique d'atmosphère, et les deux héros vêtus de capes entrèrent dans une grande salle souterraine. Il y avait là le prince des salauds, Jacobus, accoutré de sa robe à pentagramme devant l'autel drapé. Et bien sûr l'héroïne, qui se tordait au mur dans sa blouse déchirée de façon suggestive. Les poignets enchaînés, un bâillon sur la bouche, tout à fait séduisante si on aimait ce genre de choses. La pauvre fille faisait de son mieux pour bien réciter son texte, « *Mmf, mmf* », avec une apparence de conviction. Et elle s'appelait, bien sûr, Annie.

Et le salaud était donc Jacobus. Harper leva un sourcil gris. Jacobus cherchant l'immortalité. C'était quelque chose, de toute façon. Si on se représentait Iago assistant au film vingt ans auparavant. On pouvait l'imaginer, encore secoué par la destruction de son culte, cherchant désespérément un signe de sa chère destinée. On pouvait imaginer les cheveux se hérissant sur sa nuque devant une telle coïncidence.

Mais ce n'était pas assez. Pas assez pour le lancer sur sa piste. Comment aurait-il pu aller de ce film ridicule à *Annie la Noire* et aux autres contes ?

Puis la réponse, ou du moins une réponse possible, commença à émerger dans l'esprit de Harper. *Un soda renversé.* Elle avait oublié ça. Iago n'avait-il pas parlé d'un soda renversé, là-bas, dans l'église des Templiers ? *Un soda s'était renversé et la seconde scène m'était offerte.* Oui, c'était ça.

La peur la poignit, sa première vraie peur pour la vie de Richard Storm.

— Mais c'est le Dr Prendergast ! Je suis si heureux que vous ayez pu venir, dit Jacobus à la télé.

Et la sonnette de la porte d'entrée tinta.

Harper cligna les yeux et regarda autour d'elle, momentanément troublée par l'intrusion de la réalité.

— Vous arrivez à temps pour assister à mon apothéose finale, dit encore Jacobus.

La sonnette tinta de nouveau.

Harper se leva, agitée. La porte. Ce pouvait être la police. Elle pourrait apporter des nouvelles de Bernard. Ce pouvait être Bernard lui-même...

Elle s'agita sans but devant la télé, essayant de décider ce qu'il fallait faire. Si elle arrêtait la télé, la bande continuerait à se dérouler et elle en perdrait le fil. Si elle essayait d'arrêter la bande... de toute façon elle n'avait pas la moindre idée de la façon dont il fallait le faire.

La sonnette tinta de nouveau. À regret, Harper s'éloigna de la télé et contourna le lit.

La voix de Jacobus la suivait, teintée d'une résonance métallique à cause du petit haut-parleur de l'appareil.

— Pauvre Prendergast. Que vous ayez jamais pu croire que vous pourriez me vaincre. Ne pouviez-vous pas voir que je suis l'agent d'une puissance immortelle ?

La sonnette tinta de nouveau, avec insistance. Harper se heurta à la table de nuit et à la pile de livres, qu'elle rattrapa avant l'écroulement et remit en place. Puis, après un dernier regard à l'écran, elle se pressa vers le corridor.

— Dans une incarnation telle que celle-là, je voyage à travers les siècles, dit Jacobus. Je me nourris de la moelle du temps.

Harper s'arrêta, la main sur le chambranle de la porte. Elle allait quitter la pièce. Elle se retourna vers la télé. *Je me nourris de la moelle du temps.* C'était exactement ce que Iago lui avait dit dans l'église des Templiers. Et l'air sérieux, par-dessus le marché. Elle avait pensé à ce moment-là que c'était un peu exagéré...

Elle considéra l'écran. Gros plan du mauvais génie. Gros plan des détectives au visage fermé. La fille qui se débattait, *mmf, mmf* Jacobus.

— J'étais présent avant que les océans deviennent noirs de vie..., enchaîna-t-il.

— Et quand la mort aura blanchi les déserts, récita Harper à l'unisson, je demeurerai.

La sonnette tinta. Jacobus poursuivit :

— Les petits obstacles que vous avez semés sur mon chemin n'ont servi qu'à m'amuser. Mais tout cela est terminé.

Et là-dessus, le bossu arriva, rigolard. Avec le coup de main d'un magicien, il arracha la draperie de l'autel et là...

Harper sentit une sueur froide perler sur son front. Toutes les peurs qu'elle éprouvait, pour Bernard, pour Storm et désormais pour elle-même, se fondirent en une anxiété bouillonnante. Elle fixa l'écran de télé.

Et là, il y eut l'enfant, bien sûr. Bien sûr. L'enfant sur l'autel. Jacobus levant l'épée. La femme bâillonnée et criant.

Grand ciel, c'était exactement comme ç'avait été dans la jungle, exactement ce qu'elle avait vu quand elle avait écarté les branches et qu'elle avait découvert l'horrible vérité sur l'homme qu'elle aimait.

Elle ne l'avait pas oublié, elle l'avait simplement réprimé.

Elle s'était fait violence pour repousser les hypothèses et les avait étouffées en elle, même après l'arrivée de Storm. Même après qu'il avait lu cette histoire à la soirée.

Vous souffrez pour ce que vous omettez de confesser, pensa-t-elle, même si c'est à vous que vous omettez de le confesser.

Et elle pensa : un soda renversé. Oui. Ça collait tout à fait.

Elle comprenait, maintenant. Elle comprenait tout ce qui s'était passé. Elle commençait même à voir, dans sa terreur croissante, ce qui allait advenir ensuite.

La sonnette tinta de nouveau.

Harper quitta la pièce en hâte.

Quand elle ouvrit la porte d'entrée, l'inspecteur William Pullod avait renoncé à la trouver chez elle. Il était descendu du perron et traversait la rue étroite où sa Peugeot était garée, devant *Le Signe de la Grue*. Assis à l'avant, son assistant, le commissaire Slade, le regardait revenir.

Mais Pullod entendit la porte s'ouvrir derrière lui. Il se retourna et vit Harper. Elle l'observa, immobile, tandis qu'il revenait vers le trottoir et le perron.

Elle tenta de se remettre, physiquement, en prenant de tout son poids appui sur sa canne. Elle vit que l'inspecteur se composait une expression fausse de sympathie officielle. L'air glacé de la nuit tomba sur elle, une question glacée monta en elle. Était-ce trop tard ? Était-ce déjà trop tard ?

Au pied des marches, le policier haltérophile remuait, gêné dans son imperméable. Il plissa un œil vers la vieille femme. Et fit tinter un trousseau de clefs dans une main.

— Miss Albright, commença-t-il.

Il avait détourné les yeux et regardait la rue. Mais il n'y avait pas de trafic, pas de passants et rien à voir. Il regarda ensuite les clefs dans sa main.

— Je crains..., reprit-il.

Les doigts de Harper se recroquevillèrent sur la tête de dragon. *Je crains,* se dit-elle. Voilà une bonne vraie tournure anglaise. *Je crains qu'il y ait eu un peu de guerre nucléaire.* Extérieurement, elle demeura impassible, bien qu'elle se sentît près de vaciller. Elle détestait ce *Je crains.*

— Je crains que nous ayons trouvé la voiture du jeune Bernard, acheva l'inspecteur Pullod d'un ton désolé.

Harper leva le menton.

— Je vois. Et où craignez-vous qu'elle se trouve ?

— Je crains qu'elle se trouve juste là. (Il fit un geste vers le pub, de l'autre côté de la rue.) Juste devant la mienne. (Il tendit les clefs.) Un *constable* les a trouvées sur le tableau de bord.

Harper hocha simplement la tête.

— Je suppose qu'il n'est pas rentré..., dit Pullod.

— Non.

— Et vous êtes certaine qu'il n'aurait pas... fait une fugue ?

— Oui. Je suis certaine.

L'inspecteur examina attentivement les clefs dans sa main. Ses traits nets et énergiques ne semblaient pas en place.

— Alors je crains...

— Que la voiture soit un message pour moi. Oui, je le crains aussi, marmonna Harper.

Un mouvement attira son regard. Elle aperçut Slade qui la regardait de la portière de la Peugeot. Elle ne le connaissait pas ; pouvait-elle lui faire confiance ? Et pouvait-elle faire confiance à Pullod ?

Un long silence suivit tandis que l'inspecteur retrouvait un peu d'aisance dans son imperméable.

— Inspecteur, demanda Harper, combien d'églises St. James croyez-vous qu'il y ait à Londres ?

C'était le nom de l'église dans le film de Storm. St. James. Santiago.

La bouche du policier s'abaissa et il écarta les bras de part et d'autre de son corps.

— Je... Je ne sais pas. Au moins une demi-douzaine, je dirais.

— Oui, murmura-t-elle. Au moins.

Et elle se mit à réfléchir. Le discours dans le film de Storm avait confirmé son intuition : Iago avait trouvé sa destinée ce jour-là, vingt ans auparavant, dans un cinéma d'Edgware Road. Il l'avait trouvée et il s'y accrochait. D'une manière superstitieuse, il essayait d'habiter les histoires qui l'avaient mené au triptyque. Sans doute essayait-il d'habiter surtout *Spectre.* Mais quand Storm avait tourné ce film, il avait inventé une Angleterre qu'il n'avait jamais vue. Cela soulevait des problèmes logistiques...

— Alors dites-moi, reprit-elle, connaissez-vous une église St. James qui aurait été abandonnée ? Ou même détruite ?

Pullod prit de nouveau l'air interloqué. Mais tout d'un coup il s'anima :

— Oui. Il y a eu cette bombe près du Barbican. Il y a six ou huit mois. Ça a déclenché un incendie dans une église de ce côté. C'était peut-être St. James. Oui, je pense que c'était ça. Je crois que je me rappelle...

Mais Harper n'était plus au sommet du perron. La porte de sa maison était ouverte, mais elle n'était plus là.

Pullod consulta Slade du regard. Les deux hommes haussèrent les épaules.

Et Harper réapparut. Elle enfilait sa cape, s'enfonçait le borsalino sur ses mèches grises jusqu'au-dessus de ses lunettes et descendait prestement le perron.

— Euh..., fit Pullod. Miss Albright, que se passe-t-il ?

— Ne vous alarmez pas, inspecteur, répondit Harper passant devant lui et se dirigeant vers la Peugeot. Ce n'est que l'Insolite. Mais je pense que j'en ai repéré le filon, ajouta-t-elle en se retournant vers le policier. Oui, je crois que nous tenons le bon bout maintenant.

17

— Tu vivras sans douleur, tu vivras sans vieillir. Tu vivras sans la peur de la mort et au-dessus des lois de l'homme.

Bernard gisait comme un pantin désarticulé, toute tension et presque toute vie enfuies. Ses bras étaient inertes au fond du sarcophage, un jambe repliée contre la paroi. Sa tête était immobile au bout d'un cou cireux, les yeux ouverts, la bouche ouverte.

L'amour, se dit-il. *L'amour a la divine forme humaine.*

— Tu penses maintenant, poursuivit Iago, que tu répugneras à faire couler le sang et à tuer tes propres enfants. Mais je te le promets, tu ne défailliras pas. Plus que ça, je te promets que tes actes te libéreront, te donneront un pouvoir sur ta propre vie, et la joie dans cette puissance, que tu ne peux même pas imaginer. N'importe quel animal peut engendrer des rejetons. Mais nous seuls pouvons nous donner sans fin de la vie à nous-mêmes.

Bernard était inerte. Les yeux ouverts, il ne regardait ni ne voyait rien. *La divine forme humaine,* pensait-il.

— Cela deviendra ta nature, Bernard, je le jure. C'est déjà ta nature, si seulement tu te l'avouais. Tu ne peux t'empêcher de le penser. Tu ne peux pas t'empêcher de t'imaginer : levant le poignard sur le corps d'un enfant, sans crainte d'être arrêté ni du péché. Tu ne peux t'empêcher de l'imaginer et de sentir combien cela est excitant. Cela t'excite, n'est-ce pas, Bernard ? N'est-ce pas ?

Bernard respirait à peine, bras et jambes inertes, les yeux ouverts. *L'amour a la divine forme humaine.*

Puis comme un joint rouillé, sa bouche bougea :

— Oui, articula-t-il distinctement.

Il crut avoir entendu Iago soupirer.

— Tu vois, cela est possible, dit la voix fumeuse au-dessus. Nous pouvons être honnêtes l'un avec l'autre sur ce que nous sommes réellement. Maintenant, poursuivit-il, avec encore plus de force, maintenant, me laisseras-tu te libérer ? Me laisseras-tu te libérer de ton cercueil ? Voyageras-tu avec moi un moment, rien qu'un petit moment, joindras-tu ta vie à la mienne et me donneras-tu une chance équitable de te plaider mon cas ?

L'amour, pensa Bernard sans savoir ce qu'il disait. Couché sans réaliser que les larmes avaient commencé à rouler sur ses joues.

— Accepteras-tu ? demanda Iago.

Bernard dit « Oui ».

Il y eut tout de suite un son qui était un grincement épais. La tête de Bernard ne bougea pas, mais ses yeux se tournèrent un peu. Il regarda vers le haut. Le profond grincement de la pierre recommença. Un long grincement.

Soudain, un rai de lumière grise tomba sur son visage comme une épée. Il ferma les yeux, mais la lumière était rouge derrière ses paupières. L'air frais tomba sur ses joues et son corps sembla l'aspirer.

— Oh, fit-il.

Il remua et ouvrit les yeux. Puis il tourna la tête tandis que le rai s'élargissait. Il plissa les yeux, avala l'air frais. Un sorbet dans le désert. Il hoqueta longuement, l'estomac révulsé par ces soudaines délices. C'était exquis. La douleur dans sa tête et dans son corps, tout cela était exquis, c'était la vie exquise et la promesse d'une vie exquise éternelle.

Ses épaules furent secouées tandis que ses sanglots s'accentuaient, mais c'était de joie cette fois-ci. Il regarda la cascade de lumière. Elle semblait se fragmenter comme des baigneurs dans un ballet aquatique, elle semblait s'épanouir comme des fleurs, et de cascade, se changer en un plafond de lumière rayonnante.

Et, au centre de ces rayons, il y avait Iago.

Il fut difficile pour Bernard de dissocier la bouffée de plaisir passionné qui l'avait inondé à l'ouverture du tombeau et la chaleur puissante et affolante qu'il ressentit en découvrant ce visage. Le visage aux méplats brutaux encadré de longs cheveux noirs. Les yeux étaient aussi sereins et brumeux que la voix avait été fumeuse, détendus, presque spirituels. Son sourire était celui de l'accueil.

C'était son père.

— Maintenant, tu vois, dit Iago, dont la voix ruisselait avec la lumière radieuse. Avec moi, par-dessus tout, tu n'auras jamais honte de celui que tu es.

Bernard essaya de hocher la tête.

— L'amour..., murmura-t-il.

Mais ses yeux roulèrent et il s'évanouit.

18

Quand Bernard rouvrit les yeux, Iago n'était plus là. Un autre visage avait remplacé le sien.

L'homme à la cicatrice était incliné sur le flanc du sarcophage. Ses yeux porcins brillaient sous les cheveux fauves coupés court. Sa bouche déformée le fut encore plus par un sourire. Il fronça le nez de manière comique.

— Pfut ! On est vraiment sale, hein ? Très bien, mon garçon. Allez, lève-toi. On va faire un peu de toilette pour la route.

Il se pencha et saisit le bras mou de Bernard. Ahanant d'effort, il redressa le corps du jeune homme et le plaça en position demi assise. À chaque nouveau mouvement, des éclairs verts irradiaient le corps de Bernard, sillonnant ses nerfs des orteils à la tête. Sa tête retomba de côté et il eut l'impression qu'elle avait heurté une planche à clous. Il agrippa les épaules puissantes de l'homme à la cicatrice pour prendre appui.

— Voilà. Doucement, maintenant, dit l'autre.

Avec son aide, Bernard parvint à passer une jambe au-dessus de la paroi du sarcophage. L'homme à la cicatrice le porta quasiment pour le tirer des profondeurs du tombeau. Il le fit sans peine et reposa Bernard sur le sol avec douceur, comme si celui-ci ne pesait rien du tout. Bernard resta là debout, les épaules voûtées, la bouche ouverte, une main appuyée sur le rebord du sarcophage. Il regardait, l'œil vitreux, à travers les mares de douleur sanglante qui s'étendaient, puis disparaissaient de son champ de vision.

— Voilà, voilà ! s'exclama l'homme à la cicatrice. Tu ne peux pas sortir dans l'état où tu es. Il faut t'enlever ces vêtements.

Bernard le repoussa d'abord du geste, ou du moins essaya de le faire. Il essaya de se déshabiller. Pendant un moment, sa main tira sans succès le col de sa chemise. Puis elle retomba sur le côté. Il redevint inerte, contemplant les dalles du sol. L'homme à la cicatrice saisit le col de la chemise et la tira au-dessus de la tête de Bernard comme s'il déshabillait un enfant. Puis il défit la ceinture de Bernard et le pantalon noir tomba sur ses chevilles.

Bernard déglutit et tenta de retenir sa nausée. Quand il parvint à lever les yeux, les profondeurs d'une crypte devant lui oscillèrent et tournoyèrent. Les colonnes, les arcs, les écoinçons et les niches ténébreuses s'abaissaient et se soulevaient comme sur un bateau. Tombes de pierre, statues de défunts, plaques fixées aux murs et au sol, tout cela se télescopait et valsait de façon nauséeuse. Tout était obscur et vide et tournait sans fin.

Bernard se lécha les lèvres, vacillant. Il sentit quelque chose d'humide dans la main et ferma les doigts dessus. L'homme à la cicatrice lui avait donné une éponge. Il se rendit compte qu'il était nu.

— Voilà, tu fais ça, dit l'homme d'un ton autoritaire. Le visage aussi, il y a du sang partout.

Bernard hocha la tête. *L'amour a la divine forme humaine*, pensa-t-il. Et il commença à se nettoyer à coups d'éponge désordonnés et mous.

— Magne-toi le rond, s'énerva l'homme à la cicatrice. Nous n'allons pas y passer la nuit.

Bernard hocha vaguement la tête et recommença à

se nettoyer de la même manière. C'était agréable de sentir l'eau chaude lui couler sur la peau. Il s'immobilisa, penché, le regard vague, songeant à ce visage, celui de Iago.

Avec moi, par-dessus tout, tu n'auras jamais honte.

L'amour, pensa Bernard, *a la divine forme humaine.*

— Bon, ça suffit, dit l'homme à la cicatrice.

Il enleva l'éponge des doigts sans résistance de Bernard.

— Enfile ces vêtements.

Bernard considéra un long moment les vêtements pliés qu'on lui présentait. Un pantalon d'entraînement gris, un sweater d'entraînement blanc et des chaussures de tennis. Il inspira et tira la chemise. Il se débattit pour enfiler ses bras dans les manches et ajusta maladroitement le reste. Pour le pantalon, il dut s'appuyer sur l'épaule de l'homme à la cicatrice. La douleur palpita dans sa tête alors qu'il se penchait et qu'il entreprenait la longue et complexe opération qui consistait à enfiler les jambes.

— Très bien. Et maintenant ça, dit l'homme à la cicatrice d'un ton plutôt amène.

Bernard s'appuya sur le sarcophage tandis que l'autre s'agenouillait pour lui passer une chaussette sur un pied, puis l'autre. L'homme lui fit ensuite chausser les tennis.

L'amour, pensa Bernard. Il essaya de toutes ses forces de se concentrer sur cette idée.

L'homme à la cicatrice se releva, face à face avec Bernard. Il lui donna une tape sur l'épaule. Ses yeux rosâtres rayonnaient.

— Te voilà propre comme un sou neuf, sourit-il. Et un visage d'ange, n'est-ce pas ?

Bernard hocha la tête et se détacha du sarcophage, tout en gardant un appui sur le rebord. Il dut articuler ses mandibules et ouvrir et fermer la bouche plusieurs fois de suite avant de pouvoir parler :

— Savez-vous..., bredouilla-t-il d'une voix pâteuse. Savez-vous ce que je... ce que je pensais tout le temps pendant qu'il parlait ?

L'homme à la cicatrice eut un rire.

— Non. Je donne ma langue au chat. À quoi pensais-tu ?

Bernard s'humecta encore les lèvres.

— L'amour, répondit-il. Je pensais tout le temps... L'amour a la divine forme humaine. En dépit de ce qu'il disait. Je pensais ça.

— Hmm-hmm, fit l'autre.

— C'est ce qui m'a sauvé, affirma Bernard.

Et il frappa l'homme à la cicatrice à la gorge.

Ce n'était pas un coup très fort ; ce n'était pas nécessaire : cela prit l'autre complètement par surprise. Le tranchant de la main atteignit le malandrin dans la pomme d'Adam. Sa bouche s'ouvrit. Il écarquilla les yeux. Sa langue darda hors de sa bouche. Il suffoquait.

Bernard lui saisit l'entrejambe.

Le corps de l'homme à la cicatrice se plia violemment, le derrière en arrière, le torse cassé en avant. Bernard recula d'un pas maladroit. Il joignit les mains et les serra. Il leva haut ses deux bras. Une profonde vague de douleur éclata dans sa tête et il cria. Puis il abattit ses mains comme une hache sur la nuque de l'homme à la cicatrice.

Le coup projeta la tête de l'autre sur le rebord du sarcophage. Le sang jaillit des deux côtés de sa tête.

Bernard vacilla et se mit à genoux, vomissant quelque chose de fluide et de noir. Vomissant toujours, à quatre pattes, il essaya de se relever avant que l'homme à la cicatrice pût se ressaisir et attaquer.

L'amour..., pensa-t-il.

L'homme à la cicatrice ne se remit pas. Il pendait par-dessus le bord du sarcophage comme s'il y cherchait quelque chose. Puis il glissa, d'abord lentement et de plus en plus vite. Et son grand corps tomba sur les dalles de la crypte.

Bernard se remit sur pied. Il tituba jusqu'au sarcophage et s'y agrippa pour ne pas retomber. Il se pencha par-dessus le cercueil, l'estomac chaviré.

La puanteur de l'intérieur du tombeau monta vers lui. Sa propre odeur, l'odeur de sa propre mort. Et là, dans la poussière sur le plancher du sarcophage, il y avait le crâne, avec la mandibule inférieure qui manquait, les orbites ébréchées et cassées. Avec ses longues dents et son faux regard fixe, aveugle et stupide.

Bernard haletant se pencha pour le saisir. L'os était pourri, mince et friable. Quand Bernard l'attrapa, un fragment de la boîte crânienne céda sous la pression du pouce. Bernard sortit le débris et l'éleva à sa hauteur : avec sa tête tondue, sa peau grise, ses joues creuses, son rictus cadavéreux, c'était presque son propre reflet qu'il regardait. Il lui murmura presque avec douceur : « Vends ton âme au Diable, espèce de bâtard. Parce que ton cul m'appartient. »

Et avec un grognement presque animal, il leva le bras et projeta la chose dans la tombe ; elle heurta la pierre, des échardes s'en échappèrent et elle roula dans un angle.

Bernard s'en détourna, les yeux fous de colère. L'homme à la cicatrice gisait recroquevillé et inconscient à ses pieds, le sang s'étalant au-dessous de sa tête. Bernard s'écarta du sarcophage et le contourna.

Il alla en titubant vers l'escalier.

C'était un escalier de pierre, en spirale. Il en gravit les marches une à une. Une corde passée dans des anneaux de fer dans le mur était la seule rampe ; il la saisit des deux mains. Tirant dessus, il se hissa vers le haut. L'escalier semblait se rétrécir, puis s'élargir comme un accordéon. Bernard se sentit de nouveau mal. Il avait l'impression qu'on lui frappait le crâne de l'intérieur avec un ciseau et que les coups se multipliaient au fur et à mesure qu'il montait. Il serra les dents et continua de monter. L'escalier devenait de plus en plus obscur autour de lui, les taches rouges se multipliaient devant ses yeux.

— Merde, hoqueta-t-il.

La bile remontait jusqu'à ses dents serrées. Il la ravala, se hissant d'une main après l'autre, gravissant une marche après l'autre.

Et puis il tomba contre la porte. Il heurta le bois épais de son épaule. Le choc sembla lui enfoncer une pique de fer dans le corps et jusqu'au sommet du crâne. Mais sous la pression de son épaule, la porte s'ouvrait presque. Il bascula quand elle s'ouvrit et faillit tomber, puis il déboucha en titubant dans l'église.

Saisi de vertige, il regarda autour de lui. C'était la même église. Celle où il avait vu les hommes parler au pied de la croix. Où il avait assisté à la crucifixion. Tout avait disparu. Les lieux semblaient déserts. Une fausse lumière étrange brillait derrière les silhouettes des vitraux. Mais il n'y avait pas de lumière à l'intérieur. Les bas-côtés, les bancs, l'autel à sa droite, le nef, le transept devant lui, tout était sombre.

Il grommela, avec un rictus : « Venez. Sortez. »

Il s'éloigna de la porte, tituba, un pas mal assuré après l'autre, et parvint à la croisée du transept et des nefs latérales. Il regardait autour de lui, les yeux tellement agrandis par la peur qu'il les croyait protubérants. Partout, les silhouettes confuses des vitraux le regardaient avec indifférence.

Sors ! » cria-t-il à la cantonade. Sa voix semblait déchirer sa gorge et sa chair, elle lui infligeait une douleur aiguë. Mais les hautes voûtes l'absorbaient sans lui rendre d'écho, et personne ne répondait.

« *Sors, viens te battre !* hurla-t-il. *Viens te battre*

comme un démon immortel ! » Il se mit à rire.
« *Espèce de pédé !* »

Il rit de nouveau. *Te battre comme un démon immortel,* c'était pas mal. Il était incliné, vacillant sur place, riant jusqu'à en avoir mal aux côtes. Sa tête lui faisait mal. Les personnages des vitraux le considéraient de toute leur hauteur.

Il poussa un grondement et rejeta la tête en arrière. « *Viens, papinet ! C'est l'heure de l'Œdipe !* »

Il riait trop fort pour continuer, vraiment trop fort. Il était secoué de rire et des larmes lui coulaient sur les joues. Une traînée blanche de morve lui pendait à une narine. Il s'essuya le nez et la bouche d'un large geste de la paume. Il tourna en rond, pleurant et riant à la fois, se tenant le ventre. Enfin, il s'arrêta et s'accroupit, la bouche mauvaise, comme un animal blessé.

Et ce fut alors qu'il s'aperçut qu'il était encerclé.

Des silhouettes sombres s'avançaient. Elles sortaient subrepticement de tous les côtés, des profondeurs les plus obscures des murs et elles s'avançaient dans la lumière grisâtre. Pas à pas, elles avançaient vers lui.

Oh-oh, ce fut sa première réaction. *Moi et ma grande gueule.*

Il se tourna pour leur faire face, dans une direction, puis une autre et une autre. Elles avançaient résolument vers lui, sortant des nefs latérales, du transept. Il tourna sur lui-même. Elles venaient de l'autel, de l'ambulatoire, grandes, épaisses, massives, les bras prêts à l'action.

Ravalant peur et nausée, Bernard continuait à pivoter sur lui-même, pour affronter l'une, puis l'autre et l'autre encore. Il leva les mains, prêt à se défendre et à attaquer.

Dans le peu de temps qui lui restait pour réfléchir, il se rendit compte qu'il ne regrettait pas d'en être arrivé là. Elles allaient le tuer, il le savait. Mais ça n'avait pas d'importance, il s'en fichait. En fait, il n'était même plus sûr de vouloir vivre encore. Sachant ce qu'il savait, sur son passé, sur lui-même. Et de cette manière, se dit-il, il pourrait quand même en emmener une avec lui, il pourrait se battre avec l'une d'elles, peut-être avec deux. En égorger une, en désentripailler une autre. Ça ferait du bien, ça leur servirait de leçon. Un petit message électronique pour le paternel...

— Venez, marmonna-t-il, tournant de droite et de gauche tandis qu'elles avançaient. Venez.

Il ravalait ses larmes.

Le cercle se refermait. Sorties des bas-côtés et du transept, toutes ces ombres s'étaient réunies autour de lui, à la croisée où il se trouvait. Il s'attendait que, d'une seconde à l'autre, elles se précipitassent toutes ensembles sur lui.

Mais elles s'étaient arrêtées.

Bernard virevolta, genoux pliés, les mains levées en lames de couteau.

Il cria encore une fois, avec désespoir :

— Venez donc !

Une seule silhouette se détacha des autres, rompit le cercle et s'avança vers lui, au milieu de l'allée centrale.

Bernard fit face à cet attaquant solitaire, sa respiration sortant de sa gorge en râles de fauve. Il attendit, féroce.

Et pourtant, dans cette attente, il y eut un bruit qui le désorienta. Un bruit répété, qui lui parvenait au sommet de sa douleur. Un bruit déconcertant. Il secoua la tête.

La silhouette s'approcha. Bernard cligna les yeux. Il *connaissait* ce bruit. Un bruit constant, résolu, rythmé, cliquetant : le bruit d'une canne sur la pierre.

Il tenta de percer la pénombre du regard. Il reconnut enfin la petite silhouette trapue qui avançait. Il reconnut les contours du borsalino. Et la ligne de la canne allant de la main au sol.

La silhouette s'arrêta devant lui. Lentement, Bernard tomba à genoux. Il leva les bras et les agita devant lui pour se voiler le visage.

— Ne me regarde pas ! cria-t-il.

Harper posa une main ridée sur son épaule.

— Tout va bien, mon garçon, lui dit-elle calmement. Tu t'en es sorti.

19

Le cadavre de Jervis Ramsbottom, feu le Dr Mormo, pendait toujours à la croix. Ses bras avaient été détachés de la barre horizontale, mais une solide corde nouée autour de son cou le retenait toujours à la verticale. Il pendait là, le visage pourpre, ses orbites sanglantes, ses joues souillées de sang et d'une matière gélatineuse. Sa langue sortait, noire, sous le faisceau de la torche électrique du policier Slade.

— Pauvre diable, souffla le policier.

— Pauvre diable, en effet, dit Harper, derrière le policier.

— Et regardez ça. (Slade abaissa un peu le faisceau.) Cette marque gravée sur sa poitrine. La même que celle de l'antiquaire allemand qui a été tué vers Noël.

Harper hocha la tête, pour elle-même. Elle réfléchissait. La mort de Mormo à la suite de tortures l'inquiétait. À quoi jouait donc Iago ? Le sorcier avait été un couard de la plus belle eau. Il aurait trahi sa mère à la première menace. Qu'est-ce que Iago avait voulu faire en le dépêchant à la mort de cette manière ?

Les faisceaux des torches des policiers couraient et s'entrecroisaient dans toute l'église. Elles révélaient des endroits où l'on avait entassé des gravats et du bois brûlé, des tas de pierres, des poutres tombées, puis les rendaient à l'ombre. Les visages des saints et des donateurs faisaient brièvement grise mine sur les murs et les vitraux, puis retournaient à la nuit.

Sous ces jeux d'ombres rapides, Bernard était assis sur le premier banc, la tête penchée, les mains entre les genoux. Près de lui, une infirmière désinfectait l'ecchymose enflée sur son front. L'inspecteur Pullod resta un moment avec eux, puis alla rejoindre Harper et Slade sous la croix.

Ils tournèrent tous trois le dos tandis que deux enquêteurs de la brigade criminelle descendaient le cadavre de Mormo. Ils s'arrêtèrent à la balustrade du chœur. Pullod lança à Harper un regard rapide, gêné. Il regardait Slade, mais Harper comprit qu'il lui faisait également part de l'information :

— Nous avons repéré la Mercedes noire, annonça-t-il à voix basse. Un seul conducteur, apparemment. Votre fils a confirmé le numéro d'immatriculation.

Cela fut dit avec un geste de la tête en direction de Bernard.

— On a perdu sa trace à Mordern, mais il semble qu'il se dirige vers le sud, en direction de l'autoroute A 24. Nous avons mis des barrages routiers. Nous sommes certains de le retrouver. (Il se tourna vers Harper.) Nous allons vous conduire vous et votre garçon à l'hôpital. J'irai moi-même à Mordern voir ce qui se passe. D'accord ?

Harper fit grise mine et secoua la tête :

— Il n'ira pas.

— Il ?

— Bernard, à l'hôpital. Il n'ira pas. Il sortira, reprendra sa voiture et ira là où il pense qu'il trouvera Iago.

— Il n'est pas en état de conduire.

— Non, reconnut Harper, c'est pourquoi je suggère que vous nous emmeniez.

Pullod et Slade échangèrent des regards. Slade leva les yeux au ciel.

— Vous dites qu'il va vers le sud, reprit Harper pensivement.

— C'est exact, répondit Pullod, en hochant la tête.

La porte de la crypte s'ouvrit. Lester Benbow, l'homme à la cicatrice, en sortit encadré de deux policiers de belle carrure. Ses poignets étaient attachés par des menottes derrière son dos. Son visage était maculé de sang. Ses yeux meurtriers roulaient furieusement dans ce masque épouvantable.

Quand il aperçut Bernard, il retroussa les babines.

Bernard leva la tête, regarda Benbow et hocha la tête.

Harper suivit du regard l'homme à la cicatrice qu'on emmenait le long de la nef latérale.

— Je pense, inspecteur, que nous devrions aller vers le nord, décida-t-elle.

— Le nord ? ricana Pullod.

— Oui, je crois que nous devrions aller à Belham Grange aussi vite que possible.

20

Je me levai du lit et je traversai la chambre pour aller à l'une des fenêtres, sur le mur le plus éloigné. Un coup d'œil à travers les rideaux m'indiqua que la nuit s'était complètement étendue sur les lieux. Une lune enflée visible par intermittence dans les trouées entre les nuages en fuite ne servait qu'à répandre une lumière faible et malsaine sur les vastes étendues de prés à l'est. Là, tantôt visible et tantôt disparaissant, au gré des caprices de la lune, se dressait une forme mélancolique et menaçante, celle des ruines de Belham Abbey...

Le regard de Storm erra tristement par la fenêtre de la chambre de Sophia dans cette nuit brumeuse et fuligineuse. Ce qui se passe, mon vieux, pensa-t-il, est que c'est le temps de la Révélation. C'était le moment du deuxième acte du film où le méchant qu'on croyait mort sort de l'ombre, ou bien où la femme qu'on croyait aimer glisse dans sa poche l'arme du meurtre, où encore le héros qu'on croyait admirer se révèle être un couard en train de mourir sans avoir le courage d'avouer la vérité. La fin du deuxième acte était dépassée depuis un bon bout de temps, pensa Storm. L'heure de la Révélation était venue.

— Qu'est-ce qui se passe, Richard ? s'enquit doucement Sophia.

Il se retourna ; elle s'était réveillée ; ses yeux brillaient dans l'obscurité, elle avait rejeté la couette et s'était à demi relevée, appuyée sur un coude. Il devinait ses formes sous le dais à fronces. Et même maintenant ; il ne savait pas comment il pourrait jamais avouer.

— Tu t'es réveillée, dit-il.

Une profonde inspiration souleva les épaules de Sophia.

— Je suis réveillée depuis un moment.

— Oui ?

— Je t'observais. Je réfléchissais.

Il ne répondit pas. Elle remua un peu. Peut-être avait-elle regardé un moment le portrait sur le mur près de Storm.

— Qu'est-ce que tu allais me dire tout à l'heure ? demanda-t-elle. Dehors, avant que mon père m'appelle ?

Storm hésita, malade de tristesse.

— Je ne... peut-être que ce n'est pas le moment, murmura-t-il, se détestant pour ce qu'il disait, mais espérant que, d'une certaine manière, elle n'insisterait pas. Tu es tellement bouleversée.

— Je ne suis pas bouleversée, rétorqua-t-elle. Je me sens très calme, ce qui est assez inattendu. Je t'observais. Je réfléchissais à ton sujet et je me posais des questions.

Storm s'adossa à l'appui de la fenêtre. Il se pinça l'arête du nez et ferma les yeux.

— À quel sujet ?

— Est-ce que tu es malade, Richard ?

Il ne bougea ni ne répondit, incapable de le faire. Il garda les doigts sur l'arête de son nez et les yeux fermés. S'il pouvait simplement rester comme ça, pensa-t-il. S'il pouvait rester dans le noir et écouter le son de la voix de Sophia. Il aimait ce son. Mary Poppins.

— J'ai pensé, quand tu m'as dit que tu avais quelque chose à me dire, j'ai pensé que ça pourrait être ça, poursuivit-elle calmement. Je ne sais pas pourquoi. Ça m'est soudain venu à l'esprit. Tu as parfois l'air si fatigué. Et ton bras, tu as une préférence pour ton bras gauche. Et tu as toujours l'air... tellement triste. C'est ça ? Tu es malade ? C'est la raison pour laquelle tu as toujours cet air ?

Il sourit, les yeux fermés, et hocha la tête.

— Oui, parvint-il tout juste à articuler. Oui, tu as compris... C'est mauvais, ajouta-t-il aussitôt. C'est ce qu'ils qualifient poliment de phase terminale.

Elle resta muette pendant un long moment. Storm ouvrit la main et s'en masqua les yeux. Il sentit sa paume devenir humide. Il ne savait pas à quoi il s'était attendu, mais ce n'était pas à ça. Qu'elle demeurât si calme. Et quand elle parla de nouveau, sa voix était posée et même poliment curieuse :

— Est-ce que ça... ? Ça t'effraie ? Est-ce que tu as peur ?

Il eut un rire bref.

— Euh... (Il posa les mains sur les cuisses et vit qu'elle l'observait.) Non. Puisque tu le demandes. Je n'ai pas peur. Pas vraiment. Quelquefois la nuit quand je suis seul, un peu. Mais même alors, pas très peur.

— Je ne le pensais pas. Je ne pensais pas que tu aurais peur.

— Il n'y a pas beaucoup de symptômes, ou peut-être ne se sont-ils pas encore manifestés. Je ne sais pas. (Il soupira profondément.) J'allais... pour être honnête, j'avais plus peur des médecins que de n'importe quoi. Je pense qu'ils préfèrent prétendre qu'ils sont en train de se battre, même quand la bataille est finie. J'avais peur qu'ils me charcutent, m'irradient, ou m'empoisonnent à mort sans raison.

C'est pour ça que j'ai quitté la ville. Mais ça... Non. Ça ne me fait pas du tout peur. Ça me rend seulement... Ça me rend tout simplement triste.

Au bout d'un temps, elle reprit :

— Ça te rend triste à cause de... ? De regrets ?

— Oui. Oui. De regrets. (Il essuya rapidement ses yeux, les commissures de ses lèvres s'abaissèrent.) J'ai une malle pleine de regrets, crois-moi. Le fait est que je n'ai pas... Je ne comprenais pas les choses, tu vois ? Je crois que je ne connaissais même pas les règles du jeu. Jusqu'à ce que tu laisses tomber ton verre à cette soirée. Jusqu'à ce que je t'aie regardée. Et là, j'ai pensé : oh oui, je comprends. Je comprends maintenant. Je veux dire, quel idiot ! Ah !... (Il regarda un coin invisible du plafond au-dessus du lit.) Seigneur, j'aurais mieux fait de rester à l'écart de toi. Je savais ça, je le savais. Ou alors j'aurais dû te prévenir depuis le début. Mais j'aurais dû rester à l'écart, c'est un fait. Quel idiot.

Avec des mouvements qui paraissaient calmes et naturels, Sophia tira l'oreiller de sous elle et le posa contre la tête de lit. Elle s'assit, le tapota, puis s'adossa dessus, regardant tranquillement Storm.

— Je suppose que tu te disais que ce n'était pas vrai, observa-t-elle au bout d'un moment. Je suppose que c'est la raison pour laquelle tu ne m'as pas prévenue.

Il eut un sourire malheureux, tandis qu'il baissait la tête, puis la relevait. Quelle fille intelligente, pensa-t-il. Une championne.

— Oui, c'est ça, dit-il. Je ne faisais pas semblant, tu vois, ce n'est pas comme si je le croyais ; mais je me... comportais simplement comme s'il n'y avait rien. Comme si nous pouvions être ensemble. À peu près...

Il ne pouvait pas continuer. Il hocha la tête en se mordant la lèvre.

— Comme si nous pouvions nous marier et avoir des enfants, acheva-t-elle.

Il sourit, le cœur dans un étau.

— Et ainsi de suite. Oui.

— Non ! Non, je ne pense pas que nous pourrions faire ça maintenant.

— Non, admit Storm. Je ne pense pas que nous le pourrions.

— Pourtant, réfléchit Sophia. Si tu m'avais prévenue, j'aurais pu me tenir à l'écart de toi.

— Oui. C'est cela. C'est ce que j'aurais dû faire.

— Non, Non. Parce que je n'aurais alors pas eu l'occasion de me rendre compte que je t'aime.

Storm émit un bruit étouffé et se couvrit le visage de ses mains.

— Ce qui s'est produit. Je m'en suis rendu compte, avoua-t-elle. Tout à l'heure, pendant que tu te tenais là, à la fenêtre, et que je te regardais.

— Je regrette, Sophia. Je regrette.

— Ne regrette pas. (Elle se passa, puis repassa les mains dans les cheveux.) Ne sois pas sot. Ne regrette pas. Je t'aime, Richard. Et au bout du compte...

Elle s'interrompit, ce qui le surprit. Elle avait paru jusqu'alors si posée. Mais sa voix s'était cassée et, elle resta muette un long moment, la tête inclinée.

— Bon, finit-elle avec brusquerie. Au bout du compte je pense que tu devrais venir te coucher.

21

Tic-tic. Tic-tic.

Sir Michael se tenait immobile derrière son bureau dans son fauteuil à haut dossier. Le son lui parvenait à travers les murs.

Tic-tic. Tic-tic.

Il ne donna aucun signe visible qu'il l'entendait. Mais il l'entendait quand même. Le son occupait toute son attention et enflammait son imagination. Sir Michael regardait devant lui, dans le vide, en proie à son imagination. Le bureau d'acajou devant lui paraissait immense dans la pénombre de la pièce. Les têtes de béliers sculptées sur ses pilastres observaient sir Michael, qui les observait.

Tic-tic. Tic-tic.

Cela venait du plancher au-dessous de lui. De la chambre qui était juste au-dessus de la sienne, la chambre de sa fille. Il imagina que c'était le bâti du lit qui émettait ce bruit par le truchement des anciens tenons et mortaises.

Les lèvres légèrement écartées, droit, impérieux, sir Michael se tenait de la sorte depuis une heure environ dans son étude, portes closes et lumières éteintes tandis que l'obscurité croissait. Il n'avait pas quitté cette position depuis que la nuit était tombée.

Il avait tiré la boîte du tiroir du bas et le revolver

de la boîte. La boîte était ouverte sur le buvard, le plateau aux cigares et au briquet d'argent à côté. Et le revolver. Il supposa que c'était le revolver qu'il regardait, mais en réalité, il le voyait à peine. Il ne faisait que regarder, écouter, imaginer, les mains sur ses cuisses, immobile.

Tic-tic. Tic-tic.

Puis il y eut un autre son, plus fort que celui du lit mis à l'épreuve ; celui de voix. La voix de sa fille et celle de son amant, leurs murmures, leurs gémissements qui dégringolaient le long des murs comme des écureuils et venaient à lui.

Toujours immobile, les mains jointes, sir Michael distingua le revolver sur le buvard et le fixa du regard. L'arme toute nue.

Soudain, Sophia cria au-dessus. C'était un cri sans ambiguïté. Elle cria deux fois, la première comme saisie d'angoisse et de refus, la seconde comme un cri de triomphe et de soulagement.

Sir Michael renifla. Le bruit avait cessé.

Après cela, tout fut tranquille dans toute la maison pendant un long moment. Sir Michael ne pouvait dire combien de temps s'était écoulé, une demi-heure, une heure peut-être. Toujours immobile, il pensa à sa femme, Ann. Elle était morte depuis vingt ans, mais son souvenir demeurait déchirant. Au terme de ce long moment, immobile, toujours privé de pensée, sir Michael saisit le revolver et le glissa dans la poche de son veston.

S'éclaircissant doucement la gorge, il pivota dans sa chaise et se leva. Il contourna le bureau, le bout des doigts traînant sur le bord, s'arrêta pour boutonner son veston, sentit le poids de l'arme dans sa poche, puis alla à la porte et l'ouvrit.

Il faisait si noir dans le corridor que sir Michael avait déjà fait un pas avant de s'apercevoir qu'il y avait là un homme. Il fut stupéfait, incapable de comprendre ce qu'il voyait.

Mais c'était bien un homme, un homme gigantesque qui emplissait le chambranle de la porte. Avec ses vastes épaules et sa tête en forme d'enclume, il ressemblait au monstre de Frankenstein. Il domina sir Michael et entra lentement dans la pièce.

Rendu stupide par le désarroi, sir Michael ne put d'abord que reculer et regarder la créature avancer. Il n'avait pensé qu'à Storm, là-haut dans la chambre de sa fille. Il ne comprenait pas ce qu'il voyait.

Puis il ressentit un moment de peur et de semi-compréhension, juste assez pour se demander s'il ne s'était pas complètement trompé.

Il plongea la main dans la poche, vers le revolver, ouvrit la bouche pour crier et alerter Sophia.

D'un coup, le monstre le projeta à terre, inconscient.

22

Une voiture de police dont la sirène mugit n'est pas un lieu propice à la conversation. Pullod conduisait, Slade à côté de lui, Harper et Bernard sur les sièges arrière, et tous quatre ne disaient mot tandis que la voiture se frayait un passage dans le trafic nocturne, vers l'autoroute.

Une fois de plus, Harper avait posé sa canne sur le sol, ses mains sur la canne et son menton sur ses mains. Bernard était mollement appuyé sur la portière, ses longues jambes étendues aussi loin que possible sous le siège devant. Les yeux fermés, le corps mou et fragile dans le T-shirt et le pantalon d'entraînement, ainsi que le blouson bleu que lui avait prêté l'un des policiers.

Les lamentations monotones de la sirène rendaient difficile à Harper l'exercice de la pensée. Mais la sirène retentissait tandis que les gyrophares rouges tournoyants révélaient des fragments du paysage campagnard alentour. Les voitures défilaient le long des portières et sombraient dans la nuit. Harper essayait néanmoins de rassembler ses idées, jetant de temps à autre un coup d'œil vers Bernard, immobile et yeux clos.

Elle finit par se pencher vers Pullod et cria dans le vacarme :

— Je me demande s'il serait possible que quelqu'un téléphone à Belham Grange...

Ce fut Slade qui, se tournant à moitié vers elle, lui répondit :

— La ligne est coupée, hurla-t-il. Il y a eu une tempête là-bas.

— Peut-être alors, dit Harper sur le même ton, pourriez-vous envoyer un message radio et dépêcher sur place un officier local...

— On s'en est occupé, chère amie, répondit Slade, abrupt.

Puis il se tourna vers la fenêtre et murmura pour lui-même :

— Bien que je me demande en quoi ça nous concerne.

Harper ne pouvait entendre ce que disait Slade, mais elle répliqua de toute façon, sur un ton pointu :

— Parce que Iago cherche les panneaux de Rhinehart depuis vingt ans. La seule chose qui l'ait empêché de les obtenir est que, pendant tout ce temps-là, ils n'ont pas changé de mains. Quand Mormo a récupéré la *Madone,* il était logique pour Iago de conclure qu'il pourrait aussi trouver le panneau de la *Nativité.* Mormo était après tout l'un des rares trafiquants du marché noir de l'art après la guerre. Si le dernier panneau avait changé de mains, il aurait pu en être informé. Mais croyez-moi, si Mormo l'avait su, il l'aurait dit tout de suite. Étant donné qu'il ne l'avait pas dit, il semble logique que le panneau avait passé par un autre des principaux trafiquants. Et il n'y a qu'un seul autre trafiquant qui a été mêlé à ces affaires depuis le début, un seul autre qui a enchéri à la vente aux enchères des *Mages.* Et Iago sait cela aussi bien que nous.

Elle ne pouvait voir le visage de Slade, mais elle devina qu'il levait les yeux au ciel. Elle ne pouvait non plus entendre sa voix, mais elle imagina qu'il murmurait : « Iago ! »

Elle ne dit plus rien et se replia sur elle-même, appuyée sur sa canne, essayant d'ignorer le bruit de la sirène.

Et elle se dit que tout ça, absolument tout, devait avoir commencé avec *Spectre*.

Quel mauvais vent avait poussé Iago dans ce cinéma d'Edgware Road vingt ans auparavant, elle ne le saurait jamais. Il avait sans doute, comme elle, ce talent de se servir de l'Insolite. Peut-être était-elle elle-même allée dans ce cinéma le même jour, elle ne pouvait pas se le rappeler. Elle savait seulement que Iago y avait été. Cinq ans après qu'elle eut jeté bas son entreprise de chef de secte. Il avait alors dû se sentir assez vulnérable. Le sentiment qu'il avait de sa destinée avait dû vaciller tandis qu'il errait, cherchant à séduire les damnés de la terre, s'évertuant désespérément à produire ces rejetons dont le sang lui était si précieux, et conscient du fait qu'un jour la précieuse pierre bleue elle-même serait réduite à rien.

Combien cette perspective avait dû le tourmenter ! Quelles que fussent les masses de sang qu'il avait sur les mains, un jour la pierre elle-même disparaîtrait. Commencerait alors la putréfaction vivante.

Rongé par ces appréhensions, il était entré dans le cinéma. Il s'était assis et avait regardé *Spectre*. Et tandis que le dénouement déclenchait en lui des frissons de reconnaissance... *un soda fut renversé*. Oui. Quelqu'un près de lui avait renversé sa boisson dans son agitation et sa surprise. Oh oui, oui, c'était exactement le même incident que celui qui s'était produit à la soirée de Noël. L'histoire de fantômes. La boisson renversée. Et Iago, levant les yeux, comme Storm avait levé les siens, avait vu pour la première fois Ann, la belle Ann Endering, la mère de Sophia.

Elle aimait le cinéma, elle aimait les films américains et elle était là. Et, troublée par le film, elle avait renversé son soda et Iago l'avait regardée. Alors, ému par la beauté de la mère comme Storm l'avait été par celle de la fille, il l'avait abordée.

Harper voyait la scène. Elle connaissait la séduction hypnotique de Iago. Ann Endering, une femme bonne, charitable, libérale, aurait été pour lui une proie parfaite. À supposer que sir Michael en fût une preuve, elle avait un penchant pour les hommes audacieux, énergiques et en situation quelque peu périlleuse. Et peut-être son idéalisme, cette foi qu'elle avait dans la possibilité d'améliorer le monde, l'avait attendrie, comme bien d'autres femmes l'avaient été, à l'égard d'une personnalité puissante qui s'estimait élue pour de grandes entreprises. De toute façon, elle était devenue sa maîtresse. Il aurait rapidement compris pourquoi le film l'avait troublée. Elle aimait sa maison et l'histoire de sa famille. Elle aurait saisi d'emblée les rapports entre *Spectre* et la légende du fantôme de Belham Abbey. Peut-être aurait-elle même reconnu les emprunts de *Spectre* à l'histoire d'*Annie la Noire*. Et peut-être aussi, puisqu'elle connaissait bien l'histoire de sa famille, en savait-elle plus que cela, beaucoup plus.

Ce qu'elle savait en fin de compte suffit à susciter l'intérêt de Iago. Il se lança sur la piste des histoires. Après, les coïncidences entre les histoires, l'enfant assassiné, le rêve d'immortalité, l'élixir de jouvence dans *Le Château de l'Alchimiste* et les légendes qui s'étaient amassées autour du triptyque de Rhinehart auraient continué à le guider. Finalement la *Confession du moine* lui serait tombée dans les mains et il aurait tout compris. Et il aurait entrepris sa recherche, d'abord infructueuse, du triptyque lui-même.

Mais alors, Ann Endering aussi avait compris. Elle avait réalisé, mais trop tard, ce qu'était son amant et ce qu'il lui faisait. Elle aurait désespérément essayé de tenir le triptyque hors de la portée de Iago. Et elle aurait saisi la coïncidence dominante, celle que Iago ignorait peut-être : l'un des hommes qui étaient le plus à même de retrouver les panneaux de Rhinehart était son propre mari, sir Michael.

C'était pourquoi le troisième panneau n'avait pas reparu et pourquoi Mormo lui-même ignorait qui le détenait. Parce que, vingt ans auparavant, avant que la recherche de Iago eût vraiment commencé, sir Michael avait fait l'acquisition du seul des trois panneaux qui se trouvait à l'Ouest, et il l'avait sans doute fait sans vraiment savoir pourquoi. À la dernière requête de sa femme, sachant seulement que l'homme qui voulait ce panneau avait poussé Ann au suicide, et que ce panneau était son seul moyen de vengeance, il l'avait obtenu et mis en lieu sûr.

Il ne restait plus à Ann qu'à achever sa tâche, celle qui consistait à se détruire elle-même. Parce qu'elle était enceinte des œuvres de Iago, et Iago se serait assuré qu'elle portait son enfant. Et elle était informée de ce qu'il voulait en faire ; elle se serait donc tuée, supprimant l'enfant du même coup, plutôt que de laisser celui-ci aux mains de Iago.

Harper réfléchissait à tout cela autant que le lui permettait la sirène. Elle réfléchissait aussi à Richard Storm. Elle se reprochait d'avoir tout compris trop tard. Elle avait dépêché Storm à Belham pour compléter ses informations. Cela lui avait paru sans grand danger et devait le tenir à l'écart du jeu dangereux qu'elle jouait avec la *Madone. Elle avait espéré qu'il aiderait Sophia à résoudre les problèmes de sa vie et qu'ensuite il se retirerait de cette affaire.*

Au lieu de cela, elle avait lancé Storm au cœur même du conflit. Et, comme toujours, Iago était en avance sur elle d'une étape.

La voiture fonçait et les quatre passagers ne disaient mot, enveloppés par le bruit.

Bernard murmura soudain :

— Crois-tu que ce soit vrai ?

Elle se tourna vers lui ; il l'observait de ses yeux mi-clos. Il avait à peine élevé la voix, mais elle l'avait quand même bien entendu.

— Je voudrais le savoir, cela m'aiderait.

— Quoi ? demanda-t-elle.

— Peut-il vraiment... S'il obtient le troisième panneau, s'il dispose du triptyque complet, pourra-t-il vraiment recréer le cristal ? Pourra-t-il vraiment vivre toujours grâce au sang de ses propres enfants ?

Harper tendit une main et tapota le genou du jeune homme.

— Ne crois rien, c'est la seule tactique.

La lumière rouge du gyrophare balaya les traits de Bernard et Harper le vit sourire avec amertume.

— Si je ne crois rien, répliqua-t-il sèchement, qu'est-ce qui me protégera contre moi-même ?

Harper se rembrunit et remit sa main sur la tête de dragon et son menton dessus.

— Ne crois rien, répéta-t-elle, et aie confiance dans la Chose éternelle.

La voiture fonçait toujours avec ses quatre passagers muets.

23

La grille de Belham Grange était enrobée de brume. Le *constable* local qu'on avait envoyé pour enquêter était passé deux fois devant sans la voir. Il n'avait pas franchi le portail, mais s'était arrêté sur l'étroite route de campagne, dirigeant ses phares vers l'allée.

La brume traçait des volutes dans le faisceau des phares et celles-ci s'enroulaient autour comme une chose vivante. Le *constable,* un joli garçon blond aux yeux bleus de bourreau des cœurs, se pencha vers le pare-brise et regarda au travers.

D'abord, il ne vit rien, sinon la brume, qui s'enroulait, tombait et s'amassait sur la première partie de la longue allée, entre les arbres.

Puis quelque chose bougea. Une silhouette dans la brume. D'abord indistincte, puis se précisant au fur et à mesure qu'elle approchait de la lumière. Un homme.

Tandis que, le cœur battant, le *constable* collait son nez à la vitre, la silhouette avança dans les faisceaux de lumière. Un homme grand, aux longs cheveux noirs, aux traits coupés à angles abrupts. Avec des yeux profonds, rieurs, hypnotiques. Il portait un costume blanc trois pièces et des gants verts.

Il leva une main, puis un doigt et le porta à son front en guise de salut.

Le *constable* hocha la tête, ravalant difficilement sa salive, et rendit le salut à son maître.

Puis il mit la voiture de police en marche arrière, fit demi-tour et quitta l'allée de la Grange. Il accéléra sur la petite route et disparut dans la brume.

Iago, les mains derrière son dos, s'avança d'un pas dégagé sur l'allée qui menait à la maison.

24

Storm avait repris son poste à la fenêtre, regardant et réfléchissant. Il boutonna sa chemise, la remit dans son pantalon et s'interrogea sur la réalité de la grâce. Peut-être, se dit-il, était-ce cela : la manière dont il sentait, et qui savait ? peut-être était-ce bien ce que les gens religieux appelaient la grâce. *Je t'aime, Richard, viens au lit.* Je veux dire, était-ce la foudre dans un ciel bleu ? Ce n'avait pas été ce à quoi il s'était attendu, ça, c'était sûr. Et il était sûr que ce n'était pas ce qu'il méritait.

À l'extérieur, les nuages, la lune, la brume dansante jetaient les ombres spectrales sur les ruines de l'abbaye, le mur, les tombes. Superbe décor, pensa Storm, pour un film sur une histoire de fantômes. Peut-être en était-il toujours temps. Peut-être pouvait-il réunir ici une équipe et tourner *Annie la Noire* d'après le texte même, un joli petit travail d'une heure pour la télé britannique...

Son regard dériva et, à droite, il aperçut le reflet de Sophia, éclairée par la lampe de chevet. Elle boutonnait sa blouse et regardait le sol, les cheveux tombant en avant ; elle se souriait à elle-même d'une façon qui emplit de nectar le cœur de Storm. Il gardait sur ses lèvres le souvenir de ses seins et du tremblement de ses mains, et ses oreilles gardaient l'écho du dernier cri qu'elle avait poussé, extatique et triomphal.

Elle dit d'une voix douce, levant les yeux vers lui :

— Eh bien, vous m'avez jetée dans un parfait brouillard, monsieur Storm. Aujourd'hui... vous m'avez confondue. Je ne sais plus où je suis. J'espère que vous êtes satisfait.

Il sourit d'un coin de sa bouche. Peut-être l'était-il, en effet. Content. Peut-être. Il avait son décor de film, il avait sa maîtresse et il avait comme une flamme dans le sexe. Rien qu'un soupçon de douleur dans le bras gauche, et une pointe de migraine. Qui pouvait dire ? Peut-être était-ce le bonheur, assez de bonheur. Peut-être qu'à ce point-ci, on pouvait prendre congé du Motel de la Vie, dire, merci poupée, c'était un bon séjour et emporter la grâce avec soi comme une serviette volée. Qui pouvait vraiment dire ? Peut-être même y avait-il plus que cela, d'autres risques qu'il valait la peine de prendre, une intervention chirurgicale, l'effroyable torture médiévale d'une technique expérimentale, le genre de choses qu'ils faisaient à Baltimore, avec un pour cent de chances de survie... Hé, vous pourriez vous contenter de un pour cent si vous aviez la grâce avec vous...

Pendant un moment, un nuage gris sembla flotter devant ses yeux, et la faiblesse dans son bras menaça de s'étendre à tout son corps. Mais la sensation passa. Et, en même temps, ses émotions débordèrent. Il était juste sur le point de se tourner vers Sophia, peut-être les yeux embués de larmes, pour lui dire qu'elle était pour lui le monde entier, qu'elle était tout le parfum du monde et qu'il avait oublié, peut-être qu'il avait oublié, combien c'était délicieux, incroyablement délicieux.

Il allait donc se retourner pour lui dire ça quand, regardant distraitement par la fenêtre, il vit quelque chose qui lui chambarda l'imagination et qui défiait la crédulité.

La main de Storm s'immobilisa au col de sa chemise. Ses lèvres s'écartèrent et il regarda à travers la vitre comme s'il plongeait le regard dans un autre monde à travers un rideau déchiré.

Il vit, ou avait-ce été un mirage ?, il vit dans la brume une silhouette humaine drapée, découpée par la lumière de la lune. Elle était d'un noir de jais, si noire qu'elle avait plutôt l'air d'une absence que d'une existence. Elle était haute. Sa tête était inclinée, comme en prière. Son profil était caché soit par un capuchon, soit par de longs cheveux. Et elle se déplaçait avec une lente et effrayante majesté parmi les pierres tombales du cimetière.

Le souffle coupé, Storm appuya son nez sur la vitre. Son sentiment de bien-être disparut comme par enchantement. Il se sentit soudain flageoler, paralysé, la moelle glacée, les tendons liquéfiés. Il voyait quelque chose, quelque chose de spectral qui avançait dans la brume, d'un pas constant, vers le fragment de mur de la chapelle.

Il ne pouvait ni parler ni bouger, et à peine respirer, il béait sans ciller, comme s'il avait été pétrifié sur place.

— Nom de nom, murmura-t-il.

— Qu'y a-t-il ? questionna Sophia.

Il ne répondit pas. Une hallucination, pensa-t-il. Ce devait être une hallucination. Mais elle continuait. Et tandis que Storm regardait toujours dans la nuit, le sinistre fantasme se dirigea avec une grâce sans vie vers la limite du cimetière et ce qui subsistait de la chapelle.

Et là, près de ce mur en ruine, devant le petit caveau, là où Storm lui-même s'était trouvé, là sous ses yeux stupéfaits, cette absence noire sembla s'enfoncer à la même allure solennelle, s'enfoncer sous terre jusqu'à ce que la tête demeurât seule au-dessus de la surface.

Et puis elle aussi disparut.

Storm cligna les yeux. Il se sentait étourdi, sur le point de défaillir. Il était couvert d'une sueur froide. Une hallucination. À coup sûr. Ce devait être ça. Et la brume amassée, poussée par le vent, enveloppa les ruines et se déploya devant la lune. En quelques secondes, le rideau déchiré sembla près de se refermer. Une obscurité turbulente se pressa contre la fenêtre.

Storm eut un petit rire saccadé.

Mais les secondes s'écoulèrent et il ne pouvait plus bouger. Il ne pouvait que regarder et regarder encore dans la nuit impénétrable.

Puis Sophia interrompit sa transe par un cri étouffé :

— Oh mon Dieu, s'écria-t-elle. Oh, Richard, le voici.

— Quoi ? demanda-t-il d'une voix pâteuse.

Il dut s'arracher à la nuit pour se tourner vers elle, et quand il la vit, avant même qu'elle eût parlé, ses cheveux se hérissèrent sur sa nuque.

Elle s'était levée, une main s'appuyant sur l'une des colonnes du lit, le visage vide, les traits glacés, mais les yeux emplis de frayeur et de supplication.

— Écoute, tu ne l'entends pas ? C'est le même. C'est tout à fait le même. (Elle se tourna vers lui.) Oh Richard, tu ne l'entends pas ? Qu'est-ce que c'est ?

Il rit sans conviction. Il avait entendu dire que des gens parfois avaient l'illusion de rêver, mais il n'en avait jamais fait l'expérience. Là, c'était le cas. L'esprit nébuleux, le pas mal assuré, il se trouva une fois de plus en proie au sentiment que sa vie était irréelle.

Et oui, il l'entendait, lui aussi. Dans les murs, dans les poutres, venant de toutes parts autour de lui.

Tic-tic. Tic-tic.

Il secoua la tête pour s'éclaircir les idées.

— C'est ce que tu ne m'as jamais dit, s'entendit-il articuler d'une voix morne, comme venant de l'extrémité d'un tunnel. C'est ce qui manquait dans ton histoire. Tu ne m'as jamais dit ce qui faisait ce bruit.

Elle ne sembla pas l'entendre.

— C'est tout à fait le même, redit-elle.

Et le son se répétait : *Tic-tic. Tic-tic.*

Storm avança vers elle d'un pas incertain. Peut-être y était-il, peut-être était-il en train de mourir en ce moment même, se dit-il. Peut-être dérapait-il de la réalité vers ses propres fantasmes. Peut-être était-ce cela que mourir, quand seuls vos rêves demeuraient.

— Qu'est-ce que c'était, Sophia ? insista-t-il. Cette nuit où tu as vu ton père se battre avec ta mère, dans le sang, qu'est-ce qui faisait ce bruit ?

Sophia fit un geste brusque de refus et de déni. La peur dans ses yeux tournait à la panique.

— Où est mon père ? demanda-t-elle. Où est-il ? Crois-tu qu'il aille bien ?

Un son échappa d'entre les dents de Storm, provoqué par une poussée brûlante de douleur dans un côté de sa tête. Il se pressa les paumes sur le front. Il se rappela ce sentiment d'aliénation qu'il avait éprouvé près des ruines et il pensa : pas maintenant. Il ne pouvait pas mourir maintenant. Il devait résister, par la force de la volonté. Il devait rester avec elle.

Tic-tic. Tic-tic.

— Je vais le chercher, dit-il.

Il avait l'impression de devoir crier par-dessus ce bruit rythmé. Il se sentait mal et la sueur froide recouvrait tout son corps.

— Ça va. Je vais le chercher.

Il alla à la porte avec plus de détermination qu'il n'en avait. Il l'ouvrit et ce geste parut lui éclaircir l'esprit et le ramener un peu à lui-même. Il affronta l'obscurité du palier. Il resta aux aguets, attendant que le son se répétât.

Sophia s'élança vers lui et lui prit le bras.

— Y a-t-il quelqu'un dehors ?

— Ça va, dit-il avec plus de fermeté, en la regardant.

Ils sortirent ensemble sur le palier.

Le son semblait avoir cessé. Le palier était silencieux, comme le reste de la maison. Storm se guida par le toucher le long des murs, au travers des ténèbres, sous les portraits au-dessus d'eux.

Sa main glissant sur les cimaises trouva un commutateur et l'actionna. Une rangée de lampes s'alluma, jetant une lumière fanée sur le long palier. Sophia se tenait près de Storm, pendue à son bras, le visage tendu et avec une telle expression d'anxiété sur ses traits parfaits qu'il faillit éclater de rire. Cette vieille maison ténébreuse, se dit-il, le bruit mystérieux, le héros résolu et la femme effrayée, il n'aurait jamais osé en faire autant en studio. Il savait, car il en avait fait l'expérience, qu'ils auraient trouvé qu'il accumulait les clichés.

— Je crois que ça s'est arrêté, murmura Sophia d'un ton soulagé.

— Qu'est-ce que c'était ? souffla-t-il.

Elle se pressa encore plus contre lui :

— Je ne sais pas.

— Je veux dire cette nuit-là, la dernière fois que tu l'as entendu. Qu'est-ce qui faisait ce bruit ?

Elle secoua la tête avec colère.

— Je ne sais pas. Je ne sais pas.

Se tenant l'un l'autre, ils se dirigèrent lentement vers l'escalier, Storm regardant du coin des yeux, surveillant les ombres, apercevant les portraits au passage. Il pensa appeler sir Michael à haute voix. Mais l'atmosphère de la maison l'oppressait comme une menace. Il craignait d'attirer ainsi le danger vers lui-même. Ils atteignirent ainsi la première marche.

Un commutateur éclaira le lustre du hall d'entrée. Le bas de l'escalier brilla, l'horloge de parquet imita le bruit qu'ils avaient entendu, mais sans plus. Tout le reste de la maison était silencieux. La défaillance de Storm et le sentiment d'irréalité qui l'avait accompagnée se dissipaient. Il était encore un peu moite et mal à l'aise, le cerveau brumeux et lent. Mais le pire était passé. Il se sentait plus sûr de lui et plus calme. Son pas sur les marches était ferme et alerte. Il tirait Sophia avec lui.

À la dernière marche, ils s'arrêtèrent, entre le porte-manteau, le porte-parapluie et le miroir doré familiers, tous paisiblement installés au même endroit. La porte d'entrée se trouvait devant eux et, de part et d'autre, les vieilles portes de bois sombre qui donnaient sur les corridors et qui étaient closes.

Storm ne savait de quel côté se diriger. Et Sophia restait plantée au même endroit. Elle fit de nouveau : « Oh... »

Et Storm l'entendit de nouveau.

Tic-tic. Tic-tic.

Cela semblait vibrer dans les atomes mêmes de la maison et l'on ne pouvait donc pas dire d'où ça venait.

Tic-tic. Tic-tic.

— De quel côté ? dit-il, la voix toujours morne et sourde. De quel côté faut-il aller ?

Elle ne dit rien et il se dirigea instinctivement vers la droite, en direction des ruines de l'abbaye. Mais elle le retint.

— Remontons... dit-elle. Je pense que nous devrions simplement...

Tic-tic. Tic-tic.

Le bruit lança comme de l'électricité dans le corps de Storm, sans qu'il sût si c'était de la peur ou de l'excitation. Il allait repartir sur sa lancée. Sophia s'était enracinée à sa place.

— Je pense..., répéta-t-elle.

— Chut.

Il se libéra le bras de la main de Sophia, alla vers la porte de droite, l'ouvrit et appuya sur le commutateur. Le corridor vide se présenta devant lui, avec la carpette poussiéreuse, les chaises et les tables contre le mur et, au bout, la tapisserie avec le dragon à plusieurs têtes.

Tic-tic. Tic-tic.

C'était maintenant plus fort, distinct, persistant, déterminé.

Storm franchit le seuil.

— Richard..., s'écria Sophia en courant après lui et lui reprenant le bras.

— C'est par là que tu étais allée, n'est-ce pas ?

Elle hocha la tête, livide, les flammèches de panique dansant toujours au fond de ses yeux brun clair.

Ils longèrent le corridor, en direction du bruit.

— Qu'est-ce que c'était ?

La sueur lui coulait sur les tempes, mais il avait l'esprit plus clair. Sa tension était remontée.

— Qu'est-ce que c'était ?

Elle ne répondit pas. Elle respirait rapidement et il sentait que la paume qui tenait sa manche était moite.

Tic-tic. Tic-tic.

— Seigneur ! s'exclama Storm.

C'était dans le tapis, les murs, les portes closes qui se succédaient. Un autre portrait les toisa, suivi d'un tableau de ruines romaines dans la brume.

— Où étais-tu allée ? chuchota-t-il. La dernière porte, as-tu dit. Celle du bureau de ton père.

— Je ne sais pas.

— Oui ? Vraiment ?

— Richard...

Tic-tic. Tic-tic.

Cette fois, elle laissa échapper un cri étouffé, comme si elle avait été transpercée.

Ils atteignaient le bout du corridor et le dragon à plusieurs têtes se dressa devant eux, toutes gueules ouvertes et dentues.

Storm réfléchissait à haute voix :

— Ils se battaient, n'est-ce pas ? Et ta mère gisait par terre. Ils étaient couverts de sang et ton père était debout et tenait quelque chose comme un couteau.

— Arrête, Richard, arrête.

— Et qu'est-ce qui faisait ce bruit, Sophia ?

Elle ne répondit pas. Et puis elle dit : « Il y avait quelque chose », mais d'une voix à peine audible.

— Quoi ? Qu'est-ce que c'était ?

Tic-tic. Tic-tic.

Un spasme parcourut la main de Sophia à la répétition du bruit. Il ressentit lui aussi une double décharge d'adrénaline. Ils approchaient de la dernière porte et Storm tirait presque Sophia. Sa main libre se tendit vers la poignée.

— Quelque chose au centre de la pièce, haleta-t-elle.

— C'est exact. Tu m'as dit ça. Qu'est-ce que c'était ?

— C'était une chambre de débarras. Il y avait des tas de choses.

— Qu'est-ce qu'il y avait au centre de la chambre ?

Il allait entrer dans le bureau de sir Michael.

Tic-tic. Tic-tic.

— Arrête, hurla Sophia.

Elle se détacha violemment de lui. Il se retourna, surpris, et la trouva plaquée contre le mur, entre la peinture et la tapisserie ; le dragon d'un côté, une Arcadie fanée de l'autre. Elle regardait à droite et à gauche comme cherchant une issue. Et elle murmura précipitamment :

— Partons. Ce n'était rien. Ils se battaient. Pour le

couteau. Ou ce que c'était. Je veux m'en aller. (Et puis elle lâcha :) C'était un berceau, d'accord ? D'accord ? C'était un berceau au centre de la pièce. Je veux m'en aller.

Il la regarda tranquillement :

— Un berceau ?

— Un berceau vide, oui. Qui se balançait sur le plancher. Parce qu'ils se battaient. Il se balançait sur le plancher. Tic-tic.

Tic-tic. Tic-tic.

Le bruit détourna l'attention de Storm. Il regarda en haut et en bas, partout, cherchant la source de ce bruit. Et puis il la regarda elle de nouveau, plaquée contre le mur, les yeux emplis de larmes.

— Ils se battaient pour le couteau ? reprit-il. Tu veux dire que c'était elle qui tenait le couteau ? Ta mère le tenait ? Et ton père le lui arrachait ?

La bouche de Sophia s'effondra et les larmes jaillirent.

— Elle se blessait elle-même, Richard. Il y avait tellement de sang. Tout ce sang entre ses jambes, qui coulait sans fin. Et elle continuait de se poignarder là...

— Oh Seigneur !

— Elle n'en finissait pas de se donner des coups de couteau. Et le sang coulait, coulait. Et elle n'arrêtait pas, elle poussait cette chose dans son ventre. Et le berceau se balançait et il était vide parce qu'elle se faisait ça... Oh mon Dieu, je vais me sentir mal de nouveau.

— Non, tu ne vas pas te sentir mal. Non, tout va bien.

Il alla l'arracher au mur, l'entoura de son bras et mit son visage contre son épaule.

— C'est fini, chuchota-t-il, la tirant vers la porte, (Il remit la main sur la poignée.) C'est fini. Ça, maintenant, c'est autre chose.

— Elle se faisait mal, Richard, elle se faisait tellement mal.

— Je sais. Mais c'est fini. Le passé est passé. Regarde.

Tic-tic. Tic-tic.

Il ouvrit la porte.

Et Sophia hurla.

25

La lampe de travail éclairait le corps de sir Michael, tombé face contre terre dans une mare de sang. Une corde était attachée à son poignet, mais l'extrémité en était libre, maculée de rouge comme s'il s'en était défait. Une traînée rouge derrière lui semblait indiquer qu'il avait rampé vers la porte.

Sophia saisit avec force le bras de Storm. Il dut s'en défaire pour s'agenouiller près de sir Michael, sous les têtes de bélier en acajou de l'énorme bureau. Il sentit le sang qui coulait près du genou du vieil homme, dont le dos se soulevait au gré d'une respiration superficielle.

Sir Michael leva la tête et Sophia hurla de nouveau.

Le visage de son père était celui de la mort : la peau blême et la peau parcheminée. Une joue était maculée de sang. Les yeux saillaient, ronds et blancs.

La voix de sir Michael balbutia faiblement :

— Sortez-la d'ici. Ils sont dans la maison.

Tic-tic. Tic-tic.

Mais Storm était maintenant plein d'énergie, au-delà du croyable, le corps chauffé à blanc par une énergie électrique. Il s'était relevé, parcourant du regard les murs couverts de livres, le fauteuil et le buvard tachés de sang. Puis la boîte vide, le briquet d'argent, les cigares éparpillés. Et il comprenait ce qui se passait sans avoir besoin de mots, sans penser, son esprit établissant des liaisons à chaque seconde. Le caveau près des ruines et la porte de fer qui donnait sur les ténèbres, la manière dont ils conduisaient vers un lieu au-delà de la maison, la façon dont le fantôme dans la brume y avait disparu...

Agenouillée à son tour près de son père, Sophia avait tiré un coussin d'une chaise et tentait de le placer sous la tête du vieil homme, afin que celle-ci ne restât pas dans le sang.

— Verrouille la porte, dit Storm. Appelle la police.

Il prit le briquet d'argent sur le bureau.

— Richard ? demanda Sophia.

— Appelle une ambulance.

Il était sorti du bureau, brûlant d'excitation.

Il alla vers la tapisserie au dragon.

Tic-tic. Tic-tic.

— Oh oui ! s'exclama-t-il.

Il tâta l'épaisse tapisserie et l'arracha du mur. Le dragon s'écroula devant lui, révélant des boiseries. Storm donna un coup de la paume de la main sur l'un des panneaux.

Il y eut un déclic et, dans un gémissement grinçant, le mur pivota vers lui. Il n'y avait derrière que l'obscurité.

— Richard, le téléphone... cria Sophia.

Mais Storm l'ignora et fonça dans l'obscurité.

26

Tic-tic. Tic-tic.

La flamme du briquet jaillit haut. Des ombres apparurent de tous côtés, des formes noires se tordirent, reculèrent et dansèrent autour de la flamme vacillante. La petite chambre secrète était encombrée de vieux meubles et de bric-à-brac. Storm contournait les obstacles au fur et à mesure que la flamme les révélait et leur prêtait une fausse vie. Une tête de cheval en macramé, les yeux de verre d'un ours en peluche.

Il se faufila vers un espace de plancher nu, qui fléchissait sous son poids. Un seul gros objet se trouvait devant lui. Il leva la flamme pour mieux le voir, mais le métal du briquet était devenu trop chaud et lui brûla les doigts. Mais il avait reconnu un ancien berceau en bois avant d'éteindre le briquet.

Plongé dans un noir de poix, Storm heurta le berceau du tibia et en déclencha le balancement. Le plancher craqua dessous.

Tic-tic. Tic-tic.

Et puis une réponse parvint de quelque part dans les murs.

Tic-tic. Tic-tic.

Storm ruisselait de sueur. La fièvre de l'excitation et la vapeur de la frénésie avaient empli son cerveau d'un magma zébré d'éclairs. Il savait à peine ce qu'il faisait et ce qu'il pensait, mais il poussa le berceau de la jambe, ce qui le fit vaciller et presque tomber par terre.

Il ralluma le briquet et vit que le berceau était posé, non pas sur le plancher, mais sur une trappe. Celle-ci était carrée et munie d'un anneau de fer. *Parfait !* se dit-il. *J'aime ça.* Il saisit l'anneau et, tirant dessus, découvrit un étroit escalier de bois qui se tortillait jusqu'aux ténèbres inférieures.

Tic-tic. Tic-tic.

Storm se prépara à aller à la rencontre du bruit.

— Richard ! Richard !

C'était la voix de Sophia, en haut. Elle paraissait étouffée, lointaine.

Il descendit, marche par marche, les lames vermoulues gémissaient lourdement sous son poids et la voix au-dessus devint une spirale affolée :

— Richard, fais attention ! Reviens !

Il atteignait la dernière marche, puis un sol en dur. Un courant d'air glacé lui enveloppa les jambes. La flamme du briquet lui révéla un long tunnel de pierre aux murs arrondis. Le cœur de Storm battait fort et son cerveau s'était de nouveau embrumé, ce qui lui donnait des vertiges et le mettait mal à l'aise. Il n'était même plus sûr que tout cela avait réellement lieu.

Mais il avançait lentement.

Une fois de plus, le métal du briquet lui brûla le pouce et, une fois de plus, il éteignit la flamme. Mais il continuait d'avancer, à pas feutrés.

Il leva le briquet et l'alluma, et son ombre se tordit en formes bizarres sur les murs de pierre alentour.

Devant lui, le tunnel s'élargissait et devenait une chambre au tracé irrégulier ; c'était un carrefour, après lequel le tunnel se divisait en fourche. Il s'engagea dans le carrefour.

Il haletait. Il ralluma le briquet et la flamme révéla des arcs et des voûtes, et le regard de Storm tomba sur un tas de gravats et de poussière blanche au pied d'un mur. Il comprit d'emblée que c'était tombé des pierres au-dessus.

Levant les yeux, que la sueur voilait, il localisa l'endroit. L'une des pierres de la voûte avait été attaquée au ciseau. Le mortier qui la tenait était tombé et les arêtes du bloc étaient ébréchées et crayeuses.

Sans y penser, il tendit un bras vers la pierre et ses doigts agrippèrent un bord écorné. Il le saisit et tira. Le bloc se délogea aisément, se délita et échappa à la main de Storm. Et il tomba à ses pieds dans un vaste fracas.

Storm ne savait plus où il était, ni s'il rêvait ou était éveillé. Il leva le briquet vers l'alvéole, avec l'impression que les murs tremblaient et que toute la maison vacillait sur ses fondations. Là, enveloppé dans un plastique poussiéreux, mais transparent, de telle sorte qu'on voyait bien le visage au-dessous, lointain, fantomatique, là se trouvait le corps d'un enfant.

C'était l'exquise *Nativité* de Rhinehart.

Storm la contempla un long moment tandis que le briquet lui brûlait les doigts et bientôt le sourcil.

Et ils s'emparèrent de lui.

— Mais c'est M. Storm. Je suis si content que vous ayez pu venir. J'ai laissé sir Michael vous montrer le chemin. Vous arrivez à temps pour assister à mon apothéose finale.

Le briquet était tombé des mains de Richard et s'était éteint. Pendant un instant l'obscurité fut totale. Mais pas le silence : il y avait cette voix, ces mots presque familiers, à demi oubliés. Storm eut le sentiment qu'il sombrait sous la surface de la réalité, dans un tourbillon engendré par sa propre imagination.

Mais il ne pouvait pas sombrer. L'étau qui lui immobilisait les bras était si fort et la forme qui se dressait devant lui était tellement énorme que c'était comme si les murs eux-mêmes l'avaient fait prisonnier. Quelque chose qui lui sembla être le canon d'un pistolet heurta sa tempe. Puis une flamme lui perça les yeux, enfonçant une pointe de douleur juste au milieu de son front.

Il détourna les yeux et les leva. Il vit le visage d'un monstre de Frankenstein au-dessus de lui. Au fond, pourquoi pas ? Dracula et l'homme-loup se joindraient sans doute à lui. Peut-être était-ce l'un d'eux qui lui appuyait la pointe d'un revolver, le revolver de sir Michael, sur la tempe. Mais non, il le regarda, c'était un petit malandrin rondouillard au nez écrasé, écrasé par les bons offices de Bernard qui lui avait décoché un coup dans le visage durant le combat devant *Le Signe de la Grue*.

Storm pencha de nouveau la tête vers la flamme, qu'on avait déplacée un peu afin qu'il pût voir la scène plus clairement. Il aperçut un homme devant lui, qui tenait le briquet de sir Michael. C'était celui qu'il avait vu à la vente aux enchères. Grand, en costume blanc et portant des gants verts. Avec de longs cheveux aile-de-corbeau encadrant un sourire dégagé dans un visage taillé à angles abrupts. Avec ces yeux, profonds et sombres, qui retinrent le regard de Storm et accentuèrent son malaise, sa sensation de faiblesse, sa confusion. Des yeux boueux, mais révélateurs : des fenêtres sur un cœur en route vers l'enfer.

Et Storm pensa : Iago.

— Pauvre Storm, dit l'homme. Que vous ayez jamais pu croire que vous pourriez me vaincre...

Storm secoua faiblement la tête. Les mots étaient tellement familiers.

— Quoi ? dit-il. Qui êtes-vous ?

Iago se mit à rire, d'un rire à glacer le sang. Encore meilleur que Jack Nicholson dans *Hellfire*. Pourquoi les salauds ont-ils toujours l'air contents ?

— Vous ne me reconnaissez pas ? s'étonna Iago. Vous devriez pourtant. Vous m'avez créé. Je..., ajouta-t-il, ses yeux gobant presque Storm. Je *suis* Jacobus.

Storm hocha encore la tête. Il comprenait. Il se rappelait. Ces mots, c'était son propre texte. D'après le scénario de *Spectre*. Il fit la grimace, essayant de reculer et d'échapper au regard de Iago.

— Hé, mon pote, dit-il d'une voix grave, tout le monde veut faire du cinéma.

Iago éclata de nouveau de rire. Il abaissa le briquet vers une chandelle noire qu'il tenait dans l'autre main. Il enflamma la mèche et étudia tranquillement la chandelle.

— Vous savez, dit-il, c'est formidable. Vraiment. Que nous nous rencontrions comme ça ici, vous et moi.

Storm essaya de secouer la sueur de ses yeux pour pouvoir enfoncer son regard dans ce visage ricanant et anguleux. Il tenta de se libérer les bras. Le monstre qui le maîtrisait le tira en arrière et renforça sa prise. Le revolver fut appuyé plus fort sur sa tête douloureuse. Il grogna de douleur. Iago sourit. Il s'éloignait et la chandelle jeta des ombres au fond du tunnel. Il plia gracieusement les genoux et saisit un objet posé contre le mur.

Le panneau. *La Nativité*. Iago le ramena, le long du tunnel. Puis le posa, recula et éleva la chandelle. Storm, tenu par le monstre, tourna la tête vers la clarté fuligineuse.

Il vit le triptyque de Rhinehart, enfin complet.

Les panneaux étaient inclinés contre le mur et posés sur plusieurs épaisseurs de papier brun qui leur servaient de fond. *Les Mages* étaient à gauche, *La Madone* à droite et *La Nativité,* le ravissant Christ enfant, au centre. Aucun cadre ne séparait les tableaux qui se rejoignaient en continu.

Iago promena la flamme devant et sourit.

— Vous savez, j'ai dit à mes amis de vous laisser tranquille, murmura-t-il. (Il regarda Storm.) Je l'ai fait, en vérité. J'avais mes propres raisons, mais je suis un de vos admirateurs. Je leur ai donné l'ordre d'être aussi discrets que de petites souris pour ne pas vous déranger. (Il hocha pensivement la tête, comme pour lui-même.) Sir Michael a révélé l'emplacement du panneau en échange de la vie de sa fille. Mes amis l'ont poignardé à mort avec la main la plus délicate qu'on puisse imaginer. Et ils s'en sont revenus vers moi sur la pointe des pieds. Vous voyez ? Pour vous tenir en dehors de tout cela, monsieur Storm. Parce que je ne voulais pas vous faire du mal si je n'y étais pas contraint. C'est vrai. Et pourtant, pendant tout ce temps, poursuivit-il sur le même ton rêveur, j'avais ce soupçon, vous savez, que c'était vraiment notre destinée. Du moment où j'ai entendu le bruit du pic sur la pierre, j'ai pensé : ce bruit va se propager. Il se propagera à travers les murs et il faudra qu'il vienne vers lui. Tic-tic, tic-tic. N'est-ce pas remarquable ? Le destin. Notre destin.

Il baissa de nouveau les yeux vers le triptyque. De façon amoureuse, observa Storm. Il passait et repassait la chandelle devant.

Le regard de Storm fut capté par cette lumière mouvante, il observa à son tour les panneaux, des *Mages* à la *Nativité* et à la *Madone*. Et lentement, pensa-t-il, il en aurait juré, il distingua lentement quelque chose dans la peinture qui semblait, comment dire, surgir à la vie. Cela changeait, se métamorphosait sous son regard. C'était peut-être son impression subjective, mais il semblait vraiment que là où les panneaux se rejoignaient, la scène se transformait. Ce n'étaient pas les images, mais les coups de pinceau eux-mêmes qui semblaient se combiner pour former une sorte de signe mystérieux, composer une écriture mystique le long des bords verticaux.

Les lèvres de Storm s'entrouvrirent.

— Seigneur ! murmura-t-il. Seigneur, c'est là.

Iago émit un petit rire gai.

— Le destin, redit-il. Superbe.

Il s'éloigna des panneaux et revint vers Storm, dont le regard passa des panneaux à Iago. Storm sentait la peur monter de son estomac vers sa gorge. Iago se rapprochait.

— Tout cela est vraiment superbe ! s'exclama Iago. Parce que vous m'avez réellement créé. Ou recréé. Voyez-vous ? Je m'étais égaré, j'avais perdu le sens de mon identité et puis j'ai vu votre film et je suis redevenu celui que j'étais destiné à être. Vous m'avez fait ce que je suis, comme on dit. Ce que vous voyez devant vous est le produit de votre propre imagination. Et c'est magnifique. C'est curieux, vraiment. Un mélange subtil de tragique et de burlesque. Parce que maintenant, vous m'avez vu ici et vous avez vu sir Michael là-haut, et vous avez vu le triptyque. Et maintenant, vraiment, je suis tout simplement obligé de vous tuer. Vous m'avez inventé et je vous tue, c'est plutôt joli, je pense.

Tenant la chandelle et souriant, Iago fit face à Storm ; celui-ci le regardait, pensant à Sophia et se demandant si le salaud lui ferait aussi du mal ou s'il la laisserait tranquille. Avait-elle téléphoné à la police ? Celle-ci arrivait-elle ? Avait-elle quitté la maison ? Il n'osa même pas plaider sa cause, de peur de rappeler à ce fou qu'elle était là-haut.

Iago prit la chandelle dans sa main gauche. La flamme dansa sur les murs de pierre et suscita des reflets dans les panneaux.

De sa main libre, Iago tira de sa ceinture un objet menaçant. Un poignard courbe au manche doré orné de pierreries.

— Ce n'est pas exactement l'épée des Serizzim, s'excusa-t-il avec un rictus. Mais c'est tout ce que je pouvais porter commodément, et ça suffira.

La flamme de la chandelle brilla sur la lame et Storm ne pouvait en détacher les yeux. Le monstre le tira de nouveau en arrière et le souleva. Le rondouillard au revolver lui tira les cheveux et inclina sa tête de côté.

Storm ouvrit la bouche. Iago, tenant le poignard de manière à donner un coup de haut en bas, l'abaissa jusqu'à ce que la pointe fût à un centimètre de l'œil droit de Storm. La lame brûlante emplit le champ de vision de Storm. Il avait la gorge comme emplie de poussière.

— Je vous remercie d'avoir introduit un peu de

magie cinématographique dans ma vie monotone, monsieur Storm, ricana Iago. Mais ce que vous avez vu ce soir est réservé à ceux qui ont des yeux pour voir.

Et d'un mouvement rapide et méchant, il leva le poignard au-dessus de sa tête et le plongea dans l'œil de Storm.

Ou plutôt, il l'aurait fait, mais la lame heurta du métal à la place.

Fonçant dans le tunnel, Harper Albright avait dégainé son épée. Elle l'avait levée en courant, dans un mouvement sifflant de bas en haut. Dans un seul choc sans écho, elle intercepta le poignard au milieu de la courbure. L'arme échappa aux mains de Iago, vola, virevolta, étincelant des reflets de la chandelle quand elle passa follement au-dessus d'elle, puis finit sa trajectoire sur le mur, au-dessus des visages stupéfaits.

Et tout ce que Storm put penser fut : *Dieu merci, j'avais inclus un héros dans ce film.*

Ensuite, il n'eut plus du tout de temps pour penser. Il sentit qu'on lui arrachait le géant. Il tomba le nez en avant et vit le canon du calibre .38 descendre au niveau de ses yeux, tandis que le rondouillard faisait volte-face pour viser Harper. Storm se jeta sur le revolver, saisit le poignet du géant de ses deux mains et le tordit vers le haut. Il y eut une flamme, un bruit de tonnerre et le sifflement aigu d'un ricochet quand le coup partit.

L'air retentissait de jurons, de chocs et de cris. Storm se jeta de tout le poids de son grand corps sur le rondouillard et le plaqua contre le mur du tunnel tout en lui tenant le poignet et le revolver vers le haut. Le malandrin tenta de dégager son poignet, mais n'y parvenant pas, il essaya de donner à Storm un coup de genou dans l'entrejambe ; mais il manquait de recul. Storm s'efforça alors d'arracher le revolver au malandrin. Son élan violent les déséquilibra, et ils roulèrent tous deux par terre, l'un sur l'autre.

Les cris continuaient. Storm reçut un coup dans les côtes, mais il ne desserrait pas son emprise du poignet du rondouillard, tenant toujours le canon en l'air. Il vit le revolver se dessiner sur une lueur grandissante, puis un soudain fond de lumière. Un vent brûlant lui souffla sur le visage. Pendant une seconde, il fut aveuglé.

Le feu ! se dit-il.

Le rondouillard le frappa de nouveau puis lui griffa le visage. Storm haleta quand les flammes s'élevèrent au-dessus de lui et que le malandrin essaya de lui pousser la tête dedans. La chaleur sur son visage augmentait. La fumée l'étouffait. Les flammes semblaient lui lécher les joues.

Puis Bernard apparut au-dessus d'eux. Il se pencha sur eux, saisit la base du cou du géant de ses longs doigts délicats et l'enserra. Celui-ci s'écroula, inconscient, sous Storm, qui faillit tomber dans les flammes crépitantes.

Toussant, détournant son visage de la fumée, Storm ne lâcha prise que lorsqu'il eut arraché le revolver aux mains du rondouillard.

Puis il fit un bond pour s'éloigner des flammes, rebondit contre le mur d'en face et tomba. Il resta là, accroupi, les mains sur les genoux, reprenant son souffle.

Il leva les yeux vers Bernard, dont la tête rasée luisait de reflets orangés.

— Bernie. Bien joué, mon pote, dit-il haletant.

Il se releva. Les flammes baissaient, mais leur lumière faible éclairait bien les lieux. Storm vit la face du monstre de Frankenstein sur le sol du tunnel. Deux hommes lui tiraient ses grands bras dans le dos et bloquaient ses poignets épais dans des menottes. Le sang gargouillait à l'intérieur d'une blessure causée par une balle dans la cuisse du géant.

Storm regardait autour de lui et son regard tomba sur les flammes. Il en vit la cause. Il comprit comment la chandelle avait échappé à la main de Iago et comment elle avait mis le feu aux papiers sous le triptyque de Rhinehart, puis aux panneaux eux-mêmes. Le vieux bois des panneaux avait brûlé comme de l'amadou. Il brûlait encore.

Il alla les regarder se consumer et vit le visage du Christ se craqueler sous les flammes. Les bords des panneaux, les signes mystérieux qu'il avait distingués sur les bords, tout cela n'était plus que flammes et scories.

Le destin, pensa Richard Storm. *Oui.*

Le triptyque émit ses derniers crépitements dans les flammes mourantes.

— Où est Harper ? demanda Bernard derrière lui.

Storm se retourna, hagard, essuyant la sueur sur son visage.

— Quoi ?

— Quel tunnel ont-ils pris ?

Bernard avait une torche électrique. Il en dirigea le faisceau vers un passage, puis un autre et encore un autre.

— Nom de Dieu ! cria-t-il.

Il se tourna vers les autres, Storm et les deux hommes qui s'étaient écartés du monstre. Aucun des trois ne put répondre. Bernard cria de nouveau :

— Nom de Dieu ! Quel tunnel ont-ils suivi ?

28

Harper le poursuivait dans les ténèbres. Sa canne piquait lourdement les pierres devant elle. Son visage renfrogné était déterminé et sauvage, sa respiration, sifflante et forte. Ses pas résonnaient sur le sol et son cœur résonnait dans sa poitrine. Elle ne voyait rien devant elle, rien de rien, et pourtant sous le rebord de son borsalino, et derrière les petits verres de ses lunettes, ses yeux étaient plus vifs que jamais. Elle pourchassait ce qu'elle ne pouvait pas voir à travers ce qu'elle ne connaissait pas. Ce qui était après tout dans sa nature.

Le tunnel s'incurvait légèrement devant elle. Elle devinait le début de l'arc du bout de sa canne. Elle chargeait, le pas sûr et rapide, le rythme de ses pas faisant écho à son pouls et à sa respiration. Les ténèbres étourdissantes se refermaient dans son sillage.

L'air sentait la pierre, il était froid et sec, sans autre parfum : l'atmosphère d'une cave. Mais elle commença à percevoir un changement. Une brise plus fraîche lui parvenait par soupirs et bouffées, chargée de l'humidité de la brume, avec une trace de terre et une autre d'hiver. Elle serra les dents. Elle accéléra son allure, sa canne battit une mesure plus rapide.

Et l'air devint plus riche, plus humide, plus vivant.

Le sol s'éleva sous ses pieds ; elle comprit qu'elle parvenait au terme de sa piste.

Mais elle allait si vite qu'elle faillit s'engager dans le cul-de-sac quand elle y parvint. La canne heurta un mur et elle s'arrêta à temps, le nez à quelques centimètres de la pierre.

Respirant fort, elle revint en arrière et bifurqua vers le tunnel ; au bout de trois pas, elle y était. Il y avait un renfoncement de côté, à peine visible. La palpitation intermittente de la lumière lunaire filtrait pour révéler la forme sombre d'un escalier.

Harper se dirigea dans cette direction. Elle tendit la main et trouva une rampe de fer glacé, couverte de rouille pulvérulente. L'escalier était tellement abrupt que c'était presque une échelle. Elle grimaça en posant un pied sur la première marche, puis l'autre. Au-dessus d'elle se dessinait une ouverture irrégulière et au-delà flottait la brume imprégnée de lumière.

S'appuyant à la rampe qui s'écaillait sous sa paume, elle se hissa sur les marches.

Elle haletait quand elle arriva en haut et qu'elle tendit la main vers la porte de fer cassée. Celle-ci était déjà entrebâillée, releva-t-elle, les bords nimbés de brume et l'air frais s'y engouffrait. Tenant la rampe et la canne d'une main, elle poussa la porte de l'autre. La porte grinça et gratta la terre, mais elle céda tout à fait.

Harper Albright gravit les dernières marches, pencha la tête pour passer sous l'architrave de pierre et sortit du petit caveau pour déboucher dans le cimetière.

Une plaine de brume et de clair de lune. Un champ de tombes. Un orme mort qui se penchait comme en déréliction. Et le triangle du mur qui se découpait en noir sur le ciel tournoyant et voilé.

Toujours haletante, Harper s'éloigna lentement du caveau. Son regard parcourut les pierres tombales et les ombres changeantes, il fouilla la brume qui s'épaississait et se dissipait au gré de la brise. Les lumières de la Grange paraissaient loin derrière et celles d'une ville, loin dans les collines. Les volutes et les nappes de brume se drapèrent autour d'elle, chargées de leur propre luminescence. Harper s'avançait prudemment, contournant les stèles à pas comptés, cherchant dans le cimetière à travers la brume.

Elle grimaça quand la buée s'amassa sur ses lunettes et émit un soupir d'exaspération. Il n'y avait pas trace de lui, ce qui l'effrayait, car elle sentait sa présence, elle sentait qu'il l'observait alors qu'elle s'avançait parmi les tombes.

Et pourtant, les lieux étaient calmes, à l'exception du vent et du chuintement des feuilles mortes sur les pierres parfaitement calmes, alors qu'elle approchait du mur ancien, tellement calmes qu'elle faillit croire avoir rêvé la présence de Iago. Peut-être n'était-il présent que dans son esprit, comme il l'avait été pendant si longtemps, impossible à mettre complètement au jour, mais aussi à rejeter.

Elle enjamba une stèle brisée qui gisait au sol. La lune passa derrière un nuage et la brume devint épaisse et grise. L'ombre portée du mur de la chapelle sur le sol se fondit parmi d'autres ombres, qui se déplaçaient et se joignirent à elle, comme si elles étaient vivantes.

Harper s'approcha de plus en plus du mur. Le vent chuchotait autour d'elle. Elle se pencha un peu pour regarder derrière le mur. Là aussi les prés semblaient calmes et déserts.

Elle se redressa et fit demi-tour. Le vent s'éleva avec un profond soupir et les nuages s'élancèrent.

La clarté de la lune ruissela de nouveau et révéla Iago.

Harper laissa échapper un cri de surprise. Il était à portée de main et la dominait. Les profondeurs troubles de ses yeux avaient capté la lumière d'argent et ses reflets. Son sourire était gris dans la nuit palpitante.

Elle n'eut que le temps de resserrer ses doigts sur la tête de dragon de sa canne et de lever la pointe de celle-ci.

Puis il leva une main gantée de vert comme s'il allait la gifler. Elle recula instinctivement sa tête, attendant le coup.

Mais il retint sa main. Et lentement, souriant comme un conspirateur, il y porta son autre main. Il tira sur l'extrémité de ses doigts. Vite, élégamment, il arracha le gant.

Même alors que les nuages voilaient la lune de nouveau, il restait assez de clarté pour voir sa main nue. Et Harper y aperçut la ligne mince de gangrène qui courait des articulations au poignet.

Elle observa, fascinée. Et sursauta au son de la voix.

— Oh, Harper, dit-il tristement, sans cesser de lui sourire. Oh, Harper.

Et le vent se leva de nouveau, plus fort et mugissant. La lune disparut. La brume s'épaissit entre eux. La silhouette de Iago s'estompa et devint fantomatique. Un moment plus tard, la nuit s'était obscurcie, la brume était devenue plus dense et elle ne vit plus du tout Iago. Elle ne savait plus où il était. Elle leva maladroitement sa canne dans un faible geste d'auto-défense.

Le vent souffla, la brume se répandit et la lune brilla de nouveau.

Iago n'était plus là.

ÉPILOGUE

Amour, soyons sincères
L'un à l'autre ! Car le monde qui nous semble pro-
                                 [mettre
Des rêves changeants et beaux et frais
Ne recèle en vérité profonde
Ni joie, ni cœur, ni lumière,
Ni certitude, ni paix ni consolations ;
Et nous voici dans une plaine sombre
Saisis d'alarmes confuses
De combats et de fuites,
Où des armées aveugles s'entrechoquent dans la
                                 [nuit.

Matthew Arnold

Bernard s'adossa nonchalamment à l'angle de Belham Grange. Il regarda les yeux mi-clos les ambulanciers porter le corps de sir Michael de la porte principale à l'ambulance. Des gyrophares scintillaient partout devant la façade de la maison : c'étaient ceux de voitures de police garées de guingois. Leurs faisceaux rouges transperçaient la brume mince et révélaient au passage les visages impassibles de *constables* et d'inspecteurs.

Un peu à l'écart de l'allée, sur l'herbe et dans l'obscurité plus dense, Bernard distinguait Storm et Sophia. Storm enlaça Sophia d'un bras et ils regardèrent la civière passer.

Bernard resta là, jusqu'à ce que la civière fût glissée dans l'ambulance avec un fort bruit métallique, jusqu'à ce que les ambulanciers y fussent montés et que les portes eussent été refermées.

Les pneus de l'ambulance crissèrent sur le gravier de l'allée, le véhicule vira et s'éloigna de la maison, sous le dais de la double rangée d'arbres. Storm et Sophia se détournèrent et s'en allèrent tête basse dans les prés brumeux.

Bernard soupira et changea péniblement de posture dans la nuit froide. Il se demanda sans gaieté si un examen méticuleux pourrait lui révéler une petite partie de son corps qui ne fût pas douloureuse. Il en douta. Il se fût lui-même accommodé d'une civière. Voire d'une housse de morgue. Une housse remplie de drogues récréatives. Cela lui parut un lieu convenable pour y passer le reste d'une vie semi-naturelle.

Il étira ses membres pour en chasser l'ankylose, puis se radossa à l'angle de la maison. Storm et Sophia traversaient les prés en direction des ruines de Belham Abbey. Une lune gravide éclairait les vestiges d'un mur. Les derniers et minces nuages de la nuit parurent l'effleurer et lui donnèrent l'apparence d'une femme qui tirait un voile devant son visage.

Storm et Sophia s'arrêtèrent à l'orée du cimetière et Bernard les vit se rapprocher l'un de l'autre. Storm enlaça la jeune femme et elle posa sa tête sur la poitrine de l'Américain. Bernard inspira profondément et l'air de la nuit lui apporta l'arôme sucré du tabac de pipe. La voix rauque, juste derrière lui, fit : « Ah. Ha-ha. »

Harper se mit près de lui. Le tuyau de pipe vissé entre les dents, elle caressait le fourneau en forme de crâne. Elle suivit le regard de Bernard au-delà des prés, jusqu'aux deux amoureux qui s'embrassaient dans le cimetière.

— Non, grogna Bernard. Je suis sérieux, Harper. Ne sois pas satisfaite de toi. Je pense que ce serait vraiment plus que je ne pourrais le supporter.

Elle pencha la tête de côté, retira la pipe de sa bouche et regarda Storm et Sophia.

— Bien..., dit-elle.

— Bien quoi ?

Bernard se croisa les bras sur la poitrine et, l'épaule appuyée contre le mur, la considéra du regard :

— Bien quoi ? C'est l'idée que tu te fais d'une fin heureuse ? Un père mort, un amant mourant ? Ils ne comprennent pas la moitié de ce qui s'est passé ici ce soir. Ils ne comprendront sans doute jamais. Tout ce qu'ils en ont retiré est ce... ce petit espace pour se tenir l'un l'autre, au milieu d'un océan de confusion et de chagrin. Comment appelles-tu tout ça ?

— La vie, Bernard, répondit calmement Harper Albright, qui ne détachait pas ses yeux de Storm et de Sophia.

Elle tira pendant un temps sur sa pipe. La fumée s'exhala de sa bouche quand elle parla :

— J'appelle cela la vie.

— La vie, répéta ironiquement Bernard. C'est tout ce que tu trouves à dire alors que Iago a pris la fuite ?

Harper hocha consciencieusement la tête :

— Il fait son boulot. Je fais le mien.

Ils restèrent un moment sans mot dire. Ils regardaient, dans la brume mourante et, dans l'éclat de la lune, à l'ombre de l'abbaye, Storm levait le visage de Sophia et l'embrassait avec douceur.

Puis Harper sourit.

— De toute façon, reprit-elle, il n'ira pas très loin. Nous avons quelques-uns de ses hommes, qui ne lui seront pas tous loyaux. Nous avons enfin quelques alliés dans la police. Le triptyque a été détruit et, si je ne me trompe, il y a quelques affaires pressantes qui attireront notre gibier à découvert avant longtemps.

Bernard leva les yeux au ciel et secoua la tête.

Harper fit : « Ha-ha. » Elle donna une tape sur l'épaule du jeune homme.

— Du cœur, jeune homme, la chasse ne fait que commencer.

Sur quoi elle s'éloigna. Elle se dirigea vers l'allée, dans la pénombre sous les hêtres, donnant de légers coups de canne sur le sol. La fumée de sa pipe traînait par-dessus son épaule.

Au bout d'un moment, Bernard la suivit.

Du cimetière dans les brumes, Richard Storm les vit s'en aller.

Il serra Sophia contre lui, sentit la chaleur de son corps et l'absorba dans le sien. Le vent se leva, les cheveux de Sophia s'envolèrent et un paquet de brume roula sur les tombes vers Storm, à ses pieds. Richard observa au travers la silhouette carrée de Harper qui s'éloignait vers les arbres. Il regarda la cape, le chapeau et le balancement de la canne sur le sol. Il regarda la silhouette sinueuse de Bernard qui oscillait à ses côtés.

Il tenait Sophia serrée contre lui et regarda ses deux amis s'éloigner jusqu'à ce que la brume se fût refermée sur eux comme un rideau.

TABLE DES MATIÈRES

Achevé d'imprimer sur les presses de

BUSSIÈRE
GROUPE CPI

à Saint-Amand-Montrond (Cher)
en décembre 2001

POCKET - 12, avenue d'Italie - 75627 Paris Cedex 13
Tél. : 01-44-16-05-00

— N° d'imp. 16961. —
Dépôt légal : janvier 2002.

Imprimé en France